MAURICIO ARANGUREN MOLINA

MI CONFESIÓN
Carlos Castaño revela sus secretos

EDITORIAL OVEJA NEGRA

1a. edición, diciembre de 2001
2a. edición, diciembre de 2001
3a. edición, diciembre de 2001
4a. edición, diciembre de 2001
5a. edición, enero de 2002
6a. edición, febrero de 2002
7a. edición, marzo de 2002
8a. edición, abril de 2002

ISBN: 958-06-1000-2

Foto portada: "Camara Lucida"

Impreso por Printer Colombiana S.A.
Impreso en Colombia   Printed in Colombia

A Héctor por su apoyo.
A Esther por su amor incondicional.
Y a Luisa por su terquedad al señalar el
camino de mi vida frente a la recepción de
un noticiero en 1993.

A mis muertos.

Mauricio Aranguren Molina

"*El hombre más apasionado por la verdad, o al menos por la exactitud, es por lo común el más capaz de darse cuenta, como Pilatos, de que la verdad no es pura. De ahí que las afirmaciones más directas vayan mezcladas con dudas, repliegues, rodeos que un espíritu más convencional no tendría. En ocasiones, aunque no a menudo, me asaltaba la impresión de que el emperador ocultaba parte de la verdad. Y entonces tenía que dejarle decir verdades a medias, como todos hacemos*".

Marguerite Yourcenar
París: Plon, 1951 Mémoires d´Hadrien.

ÍNDICE

PRÓLOGO

Salud Hernández-Mora
Corresponsal del diario El Mundo, Madrid - España
Columnista del diario El Tiempo, Bogotá - Colombia

Si las personas que apoyan moralmente a Carlos Castaño y a su grupo armado dejasen de hacerlo después de leer este libro, ya habría merecido la pena su publicación. Y si contribuyera a despejar de muchos corazones las ansias de venganza por el crimen de un ser querido que quedó impune para siempre, también estaría justificado. Porque resulta aterrador pasar las páginas ensangrentadas con decenas de muertes cuyo autor o inductor invoca en aras de una causa que él considera legítima: acabar con la subversión en Colombia al precio que sea al tiempo que venga el asesinato de su padre.

Pero este libro es algo más que las confesiones de uno de los principales actores de la guerra que está desangrando este país sudamericano. Es un reflejo de la descomposición de la sociedad colombiana, de la suciedad de un conflicto armado que hace años dejó de ser ideológico, del cinismo e ineptitud de los políticos, de la incapacidad del Estado de cumplir sus funciones constitucionales, de la falta de ética de los dirigentes y de algunos dueños de medios de comunicación, de la crueldad de los grupos al margen de la ley, de la doble moral de todos ellos; en fin, una radiografía a veces siniestra y en ocasiones patética, de una nación que naufraga ante la pasividad de su clase dirigente y el sentimiento de impotencia de sus ciudadanos.

Sin embargo, algunos lectores y muchas personas que no quieran siquiera leer una línea, sólo verán en él la apología del terrorismo, darle espacio a un confeso de decenas de asesinatos para que explique las razones que le llevaron a cometerlos. Pienso, por el contrario, que es un documento periodístico que nos ayuda a conocer mejor a una persona que, desafortunadamente, está influyendo de manera decisiva en la Colombia actual y que ha sido uno de los protagonistas de los episodios más trágicos de las dos últimas décadas.

Contribuye, también, a comprender que las AUC no son los hijos díscolos del gobierno de turno y de los militares, sino que funcionan de manera autónoma, que el monstruo se les salió de las manos. Que con ese "grupo político-militar de resistencia civil armada antiguerrillera", único en el mundo y reforzado cada día por la degradación social antes mencionada, sólo se saldrá por la vía de la negociación, se quiera o no.

Castaño, un autodidacta que se define como más político que militar, es un personaje poco conocido, involucrado en infinidad de crímenes y de acontecimientos oscuros. Pero nadie puede discutirle la franqueza con que aborda algunos temas macabros y su decisión a aceptar algunas verdades nada favorables sobre él, su entorno cercano y su organización.

He tenido la oportunidad de entrevistarlo en tres ocasiones, corroboré esa sinceridad y sentido autocrítico ocasionales, así como su facilidad para conectar con las preocupaciones de un amplio sector social, aunque nunca me concedió el tiempo suficiente para tratar asuntos del pasado, o intercambiar opiniones con amplitud. Es, además, un entrevistado acelerado, inquieto, difícil, que habla como una ametralladora, y apenas deja un resquicio para meter una frase o un apunte. Por esa razón, cuando coincidí en una de esas entrevistas con Mauricio Aranguren y supe del trabajo que estaba preparando, me pareció una buena iniciativa, la única forma de llegar a saber una parte de la verdad, interesada, por supuesto, de muchos acontecimientos de la historia reciente colombiana.

"Este libro es verdad pero no toda la verdad", dice Castaño. Y es tan sólo, no lo olvidemos, su verdad y, por si fuera poco, parcial. Por tanto, todo el contenido habría que ponerlo en cuarentena y contrastarlo con otros testigos, algo que, sabemos, no será fácil. La escasa o nula credibilidad que merecen políticos, algunas autoridades, mafiosos o grupos guerrilleros también involucrados en la mayoría de los acontecimientos relatados, hace concluir que llegar algún día a saber a ciencia cierta lo que realmente ocurrió será misión casi imposible. Pero, al menos, este libro es, a mi juicio, entre verdades, medias verdades y silencios, un aporte interesante y ojalá otras partes se atrevan a imitar el ejemplo.

Quizá uno de los pasajes que más polvareda levantará es el referido a la toma del Palacio de Justicia y al asesinato de Carlos Pizarro, el candidato presidencial procedente del M-19. No creo que ni su familia ni sus seguidores acepten las implicaciones que Castaño le adjudica con la mafia.

"Carlos Pizarro era el hombre de Pablo Escobar. Los narcotraficantes soñaban con el poder y Pablo siempre quiso la presidencia", afirma Castaño. Por esa razón, "¡Pizarro tenía que morir!".

Según el comandante de las AUC, la toma del Palacio de Justicia se decidió en su presencia en la Hacienda Nápoles. Era el favor que le haría el M-19 a los narcos a cambio de unos millones de dólares. Con eso lograrían destruir los archivos en donde se guardaban los casos contra los mafiosos.

Y no sólo eso. Pizarro, asegura el confeso, había hecho otros trabajos sucios porque "Pablo lo mantenía chantajeado y extorsionado. Escobar tendría un idiota útil en la presidencia o en el cargo que alcanzara". Esa fue su sentencia de muerte. En ese momento, Castaño y otro grupo se invisten de ángeles justicieros y planean su crimen, cometido, como es bien conocido, en el interior de un avión en vuelo. En el capítulo II cuenta de forma escalofriante los pormenores de la preparación y la forma en que se llevó a cabo.

"Mataron a quien iba a salvar a este país; se morirán los candidatos de la hijueputa oligarquía", dice Castaño que fue el comentario rabioso de Escobar al conocer la noticia.

La vida y muerte, que algunos cuestionan, de Fidel Castaño, acaecida el 6 el enero de 1994, contada con bastante detalle, ayuda a comprender mejor a su hermano y la doble moral que practica. A Fidel le disculpa sus nexos con el narcotráfico, sus arrebatos criminales, su obsesión por convertirse en millonario, su participación en la venta de arte a los mafiosos, incluso sus fraudes. Pero hay que reconocerle la franqueza con la que habla del mayor de los Castaño, el hombre más importante en su vida. "Fidel fue un gran hombre, un muy buen hermano, antisubversivo hasta los tuétanos, pero no tenía todos los escrúpulos".

Fidel muere, según relata el comandante de las AUC, por un error en una escaramuza, de un disparo en el corazón. Lo enterraron en algún lugar del Nudo del Paramillo.

Pero el origen de todo, lo que le llevaría tiempo después, a los 29 años de edad, a asumir el control de las AUC, fue el secuestro y posterior asesinato de su padre. "Yo puedo perdonar todo lo que ha pasado en estos veinte años de guerra, pero la muerte de mi padre, no".

Tal vez todo lo referido a ese crimen, y a la venganza que emprenden los dos hijos, es uno de los episodios que dejan más perplejo al lector. Habría que preguntarle a Castaño cuántos padres no han perdido sus vidas porque Fidel y él decidieron tomarse la justicia por su mano ante la falta de acción, habitual por otra parte, de los tribunales y de los cuerpos de seguridad estatales. Cuántos hijos esperan de Castaño una explicación, cuántas lágrimas no ha hecho derramar inútilmente. Pero aún hay algo que llama más la atención. "Ese capítulo de mi vida aún no se ha cerrado si no me devuelven el cadáver de mi padre".

¿Sabe el comandante de las AUC las miles de familias que aguardan a que sus hombres les devuelvan los cadáveres de sus seres queridos que ellos masacraron? ¿Acaso ignora lo que su gente llama el cajón largo? En fin, supongo que esto mismo se preguntarán indignados las víctimas de su particular justicia.

"Durante el primer año fuimos una organización de espíritu exclusivamente vengativo, y cuando ya habíamos ejecutado a la mayor parte de los asesinos de mi padre, comenzamos a ser justicieros... Éramos unos pistoleros vengadores con una causa por la justicia. Así de sencillo."

Con sólo dieciséis años Castaño ejecuta a su primer guerrillero de civil, el hermano de uno de los que mataron a su padre. "Recuerdo, como si fuera hoy, lo que le grité: No creas que me vas a matar a traición y amarrado, como a mi padre, hijoeputa... Ahí le metí tres tiros más en la cabeza".

Como es habitual en la historia de este país, más de uno aprovechó la creación del grupo vengativo para que les hicieran el trabajo sucio; como en una ocasión me confesó Castaño, ellos fueron los tontos útiles del régimen. Y, por supuesto, nadie puede negar la connivencia de las Fuerzas Armadas en la gestación y posterior desarrollo de las AUC.

"Muchas veces se nos acercó un policía o un cabo para decirme: Carlitos, ve ese hombre en la esquina del cementerio, es un guerrillero; no hay ninguna prueba contra él, ustedes verán qué hacen... Se coordinó la acción... y al salir el subversivo, lo ejecutaron".

En otros apartados queda demostrada esa colaboración, nada sorprendente por otro lado, ya sea dejándole seguir tras ser reconocido en un retén, o mirando hacia otro lado cuando su banda armada realiza una incursión.

Aún así, Fidel Castaño sugirió en su día una separación de las AUC y las Fuerzas Armadas. "Hermano, esto no es por donde lo estamos haciendo, al lado del Ejército no vamos a llegar a ninguna parte, más adelante nos van a matar, aquí vamos a pelear a nuestra manera. Esto es guerra de tierra arrasada". En la actualidad, debido al esfuerzo conjunto de Gobierno y cúpula militar, poco reconocido en el exterior, la división es mayor pero aún no es total.

Sobre la creación de las AUC, Castaño indica que uno de los pilares fue el mayor Alejandro Álvarez Henao, del Batallón Bomboná, de Puerto Berrío, quien "tenía muy claro que había que combatir a la guerrilla con sus mismos métodos irregulares". Tanto el citado militar como "Caruso", papá de otro uniformado, y Fidel Castaño "fueron los padres de la Autodefensa paramilitar en Colombia. Al mayor Álvarez la institución le importaba un carajo, y decía: «Muerte a la guerrilla»".

Más tarde crecieron hasta llegar a constituir el ejército federado actual de 13.000 hombres, incluido en la lista de organizaciones terroristas elaborada por el Departamento de Estado de los Estados Unidos. Entre sus comandantes y patrulleros, Castaño reconoce que hay menos idealistas de los que él quisiera y que la guerra y el caos general del país es un gran negocio para muchos de ellos, como lo fue para su hermano.

"A mí me pueden pintar como Satanás ante el mundo, pero la pregunta que tarde o temprano tendrán que poner en la balanza es: ¿Qué genera lo que ha liderado Castaño?, eso es lo importante. Sólo me consuela que yo no empecé esta guerra, y las Autodefensas somos hijas legítimas de las guerrillas en Colombia".

Castaño desvela la participación de civiles supuestamente respetables, que fueron en algunos momentos el cerebro gris de su organización armada, el dedo que señalaba los objetivos a eliminar. Habla del Grupo de los 6 que habrían ordenado el asesinato de Bernardo Jaramillo al que Castaño asegura que se opuso, si bien gentes cercanas a su grupo lo ejecutaron.

En cuanto al extermino de la Unión Patriótica, se atribuye cincuenta crímenes de los centenares que se produjeron y el resto se los achaca a Rodríguez Gacha, "el Mejicano". Y justifica los suyos por tratarse de verdaderos guerrilleros. Si bien más de uno discutirá la cifra, como si no fuese suficientemente aterradora, su confesión podría colocarle ante una Corte Penal Internacional, el anhelo de muchas de sus víctimas y de los que rechazamos de plano todos sus crímenes. Sin embargo, no creo que llegue nunca ese momento. Esas fuerzas oscuras de las que tanto se habla en este país acabarán antes con su vida, cuando sientan que no lo necesitan más.

Dentro de las AUC Castaño admite que hay 300 ex militares y 600 ex guerrilleros, tanto del EPL como de las Farc y del ELN. La incorporación de los antiguos rebeldes a las filas de sus verdugos es una de las razones que explican la falta de lógica de una guerra que Castaño reconoce que sólo sobrevive por los ingresos del narcotráfico y los intereses particulares de diversos colectivos.

En el capítulo dedicado a las conversaciones secretas entre Castaño y sus representantes con el gobierno de Andrés Pastrana, lo más revelador es la falta de visión que tiene la presente administración sobre el proceso de paz, su desconocimiento absoluto del personaje tanto como de la realidad social del Sur de Bolívar. No creo que ningún lector levante las cejas de asombro por la improvisación que reflejan las negociaciones y tal vez por ello resultan tan creíbles. Incluso la entrada en acción de paracaidistas como Abel Matutes, ex comisario europeo y ex ministro de Exteriores español, así como del ex presidente Felipe González, ambos desconocedores del terreno que tendrían que pisar, dan credibilidad a la versión presentada de los hechos.

El libro también hace revelaciones sorprendentes sobre los Pepes, la colaboración de Castaño con el DAS en la captura de Pablo Escobar y en la desactivación de varios carros-bomba, La Terraza, la guerra en Urabá, la lucha urbana contra la guerrilla, la confrontación armada con el ELN, el entrenamiento militar de Castaño en Israel, la nueva estructura de las AUC, Salvatore Mancuso, su probable sucesor, su matrimonio con la hija de 18 años de un ganadero, sus asesores políticos, su relación con los carteles de la droga...

En resumen, es un libro que generará polémica. Será debatida la conveniencia misma de su existencia, la imparcialidad del periodista, de la que yo no dudo en absoluto; la sinceridad del personaje asumiendo crímenes terribles, algo que nadie antes había hecho. También se discutirá la necesidad de que aparezcan documentos periodísticos con verdades parciales sobre los que se pueda más adelante investigar y, por encima de todo, la veracidad de los hechos que en él se relatan.

El texto, por otra parte, ayuda a predecir unos próximos meses caracterizados por un recrudecimiento del conflicto armado que asolará más, si cabe, al país.

En todo caso, para construir algún futuro en Colombia habrá que conocer bien el pasado y las causas que han conducido a la tragedia actual. Pienso que esta "Confesión", para bien o para mal, contribuyen de alguna manera a ese propósito. Al menos, servirán para que los gobiernos ineptos no sigan dando palos de ciego en la lucha contra los grupos armados, y para que quienes defienden y apoyan a alguna de las dos trincheras, reflexionen sobre la espiral de destrucción y muerte que su frivolidad, irresponsabilidad y falta de escrúpulos ha causado.

De esta guerra sucia, injustificable, son responsables muchos más colombianos que los 25.000 combatientes ilegales que la libran. Carlos Castaño puede ser Satanás, pero con otro Estado y otros dirigentes, con una sociedad justa de sólidos valores, sin una guerrilla que hace años dejó de ser revolucionaria, y sin una legión de verdugos a la sombra peores que él, jamás hubiera llegado a formar las AUC con la fuerza y el poder que tienen en la actualidad.

Carlos Castaño en su vehículo, por las riberas del río Sinú.

I

LA EXHUMACIÓN

Sólo cinco personas habían visto el cadáver y conservar en secreto su muerte era la mejor estrategia de guerra. Carlos Castaño sabía que el misterio convierte a los guerreros en mitos que se alimentan de la incredulidad de los hombres. Así, durante tiempos impredecibles, prolongan sus vidas después de la muerte. Tal sería el destino de su hermano, cuando lo alcanzó un disparo de fusil, destrozándole el corazón, el seis de enero de 1994. Cuatro meses más tarde, Carlos Castaño conducía su campero Hammer hacia "el parchecito", un lugar en la orilla del río Sinú, predios de la finca 'las Tangas', donde estaba la tumba de su hermano del alma y de sangre, Fidel Castaño. El secreto de su muerte continuaba oculto y a pesar de los rumores, para la tropa, el país y sus enemigos, el hombre al que apodaban "Rambo" seguía vivo, y nadie se atrevía a asegurar lo contrario, así no lo hubieran vuelto a ver.

Aquella noche en Córdoba, el verano había pasado y una lluvia bíblica arreciaba. El cauce sinuoso del río y la fuerza muda de su corriente, delataban sus deseos de llevarse el cádaver, al anegar poco a poco el claro de tierra donde, sin cruz, yacía sepultado.

En cuestión de horas el ataúd lo arrastraría el caudal color ocre. Castaño hubiera preferido no moverlo pero, ante el poder del río Sinú, lo menos doloroso era sacarlo y trasladarlo a su nueva morada, una reserva forestal llena de robles, tecas, laureles y ceibas. Sin embargo el féretro de madera verde, de campano se había aferrado al terreno como la raíz del árbol que algún día fue, de diez metros de altura, un tronco de tres abarcaduras y ramas que daban sombra a cincuenta novillos. Con el torrencial, la tumba se convirtió en un terreno fangoso, rodeado por pequeños árboles de fino bambú que se balanceaban con las ráfagas de una brisa tibia y húmeda. La tierra era una trampa y no había poder humano que lograra sacar del hueco el féretro improvisado el día de su muerte. Carlos Castaño no tuvo otra opción que exhumar los restos de su hermano Fidel.

Acompañado de dos primos, y sin mediar palabra, empuñó una pala y comenzó a cavar sobre la tumba de su hermano. El eco largo de los truenos producía un estruendo aterrorizador. Los relámpagos aparecían incandescentes entre las nubes de la tormenta eléctrica y sobre el rostro del primo Panina que iluminado contemplaba enmudecido la escena. 'H2', el primo que había sido escolta personal de Fidel, ayudaba ahora a su nuevo comandante. Con un recatón marcó el rectángulo donde yacía el cadáver. Durante una hora lograron sacar cincuenta centímetros de tierra. Luego el agua comenzó a colarse. Carlos Castaño ya no veía sus botas entre el charco y era imposible cavar más, pues el agua se tragaba la herramienta y la bombilla de tres voltios que los iluminaba, se volvió a fundir. Entonces gritó con rabia:

—¡"H2"!, *vaya a la finca Jaragüay y traiga una motobomba. Si no sacamos esta agua ya, nunca llegaremos al cajón.*

Panina, alto y de contextura musculosa, continuaba ahí parado sin hablar, apoyando sobre la pala sus dos manos, sin mover un dedo hasta el momento. Sólo después de transcurrir media hora, pronunció palabra:

—Con esta totuma se puede ir sacando agua, mientras tanto.

Sin mirar a Panina, Carlos Castaño estiró su mano, agarró la vasija y comenzó a sacar agua, la que arrojaba al lado de la fosa, mientras por su mente sólo se cruzaban pensamientos improductivos. *"¿Cómo queda uno? ¿Qué es la vida?"*, se preguntaba. *"Uno no es nada"*, concluía, lleno de tristeza. Carlos Castaño había renegado de Dios una o dos veces en su vida, pero en ese momento de desesperanza, viviendo su tragedia inmerso en el pantano que le subía casi hasta la cintura, no lo hizo. Ese día ni rezó. Al limpiarse el rostro salpicado de tierra y agua, dio un paso y se resbaló, luego pisó firme y sintió el féretro. Tocó con las botas el cajón donde yacía Fidel.

—¡*Aquí está!* —dijo con un golpe de voz fuerte que al repetirlo fue perdiendo intensidad—. *Aquí está, aquí está...*

El pánico le heló la sangre. Sintió miedo; tanto que quiso abandonar la fosa pero estaba inmóvil. Por fin, Panina cortó el autismo para ayudar:

—¡Llegó 'H2' con la motobomba! ¡Acá, primo, colóquela acá!

—¿La prendo de una vez? —preguntó.

—¡Dele, dele! ¡Meta la manguera!

El nivel del agua en la tumba descendió rápidamente. Carlos Castaño ya movía mejor la pala e invitó a los demás.

—*Vengan. ¡Saquemos la tierra que queda!*

En minutos, el sepulcro quedó casi seco y se alcanzaba a ver el rectángulo de madera donde permanecía Fidel. La idea era cavar en las esquinas del cajón, para introducir un lazo que lo rodeara, y comenzar a levantarlo. Castaño abrió el espacio y con su mano introdujo la soga, pero tropezó y cayó acostado sobre el féretro, cansado de cavar por más de dos horas. Respiró profundo y lo invadió el olor a muerto. El agua tenía unas vetas viscosas de color blanco, ya aparecía descompuesta. Carlos Castaño no aguantó las náuseas y vomitó por el olor, el dolor y la impotencia. Panina lo sacó de la fosa, y al lado de la tumba siguió trasbocando en medio de la lluvia, acompañado por unas palmaditas en la espalda que su primo le dio como consuelo:

—Tranquilo, pelao. Tranquilo.

'H2' y Panina intentaron, durante horas, sacar el cajón, pero las tablas de madera verde del féretro se hacían más pesadas con el agua. El espesor de cada una era de cuatro centímetros. La motobomba falló y la tumba se inundó otra vez. Trajeron una nueva máquina con la que se extrajo el agua.

—*No queda otra opción que exhumar el cadáver* —dijo Castaño. *Panina, abramos el cajón con los martillos. 'H2', vuelva a Jaragüay y hágase otro ataúd sin tapa y con bastantes hojas de bijao de las grandes. Hay que taparlo.*

Entre tanto, se dedicaban a zafar puntillas de cuatro pulgadas con la punta trasera del martillo. Descansaban y empujaban la tapa del cajón hacia arriba con un azadón, para romper las bisagras y poco a poco se fue abriendo.

Ahí estaba. Mientras llegaba el nuevo cajón, Carlos Castaño se sentó a mirarlo. Fidel tenía un poncho blanco sobre su rostro. Sus restos conservaban parte de la piel y, de manera extraña, la ropa se encontraba casi intacta. Aún se distinguía perfectamente el color blanco del pantalón y el verde oscuro de la camiseta que vestía el día que murió. Un solo tiro de fusil M-16 calibre 5.56 le quitó la vida. Le llegó por sorpresa y directo al corazón.

Carlos Castaño fue el primero en atreverse a tocar los restos. Al retirarle el poncho vio el cráneo como el resto del cuerpo: mitad piel, mitad huesos. Miró a sus primos y dijo:

—*Muchachos, yo cojo la cabeza, ustedes el tronco y las piernas. ¿Están listos?* —preguntó y sólo 'H2' contestó:

—Listos, comandante Castaño.

Por un instante, que pareció eterno –tal vez treinta segundos, un minuto o dos– reinó el silencio. Sólo se oía caer la lluvia. Sin musitar palabras, se miraron y procedieron a levantarlo, pero un fémur se resbaló de las manos de 'H2'. Luego se partió lo que quedaba del cuerpo, y Carlos Castaño se quedó sujetando, en el aire, la cabeza y el tronco de su hermano. Imposible seguir.

Lo dejó como estaba y salió de la tumba para observar, estático, cómo sus primos trasladaban la osamenta de Fidel al nuevo cajón. Le colocaron, como colchón y tapa, las hojas de bijao verdes, anchas y largas. Entre los tres alzaron los restos de Fidel con destino a las montañas del Nudo del Paramillo.

Abrieron paso entre la maleza iluminada por las luces del campero Hammer que los esperababa. Avanzaron caminando con el féretro hasta el platón del vehículo, lo subieron y, después de asegurarlo, Panina tomó las llaves para conducir. Carlos Castaño, que siempre maneja, no quería ni siquiera encender el carro. Su mente divagó durante una hora por las interminables carreteras privadas y sin asfaltar por donde apenas cabía el campero. La marcha fúnebre de Fidel Castaño se paseó solitaria, sin flores, por fincas propias y ajenas que se consideraban sus dominios. A Fidel lo enterraron por segunda vez, a las cuatro de la mañana, en una pequeña montaña, en la mitad de un rectángulo de hierro para que si algún día Carlos Castaño falta, su familia logre encontrar los restos con un detector de metales. Le fabricaron por primera vez una cruz de madera y regresaron a casa.

Allí quedó el fundador de las Autodefensas de Córdoba y Urabá, una organización que comenzó con seis hermanos y tres primos. Bajo el mando de Fidel llegó a tener trecientos hombres armados y desde que su hermano Carlos Castaño la comanda, se convirtió en un ejército irregular de trece mil combatientes. Ahora son las Autodefensas Unidas de Colombia, AUC, un curioso grupo político-militar de resistencia civil armada antiguerrillera. Comenzaron siendo una familia de vengadores, luego unos clásicos paramilitares y ahora un grupo paraestatal autónomo, con una ideología inspirada en el concepto de autodefensa del pueblo israelí. Lo que Castaño llama *"el primer ejército contraguerrillero del mundo"*. Si se retomara el concepto de que el idioma es vivo y no rígido, hoy las AUC se alejaría de la definición tradicional de "paramilitares" y se les podría llamar "guerrilla de derecha" en formación. Se enfrentan a una guerrilla marxista-leninista, además sirven y defienden gran parte de los intereses del Estado. Pero de vez en cuando se muestran en contra de los militares y el gobierno de turno, que sólo los persigue cuando les conviene por una razón muy simple: tienen un enemigo común, la guerrilla de las FARC y el ELN.

LA MUERTE DE FIDEL CASTAÑO

El techo que forman los árboles altos y delgados de la selva escondía el camino y la escuela de comandantes, una pequeña ciudad de madera que dejamos en medio de la maraña. Allí se efectuó mi primer encuentro con Carlos Castaño Gil. Lo seguí por un largo y estrecho sendero de terrón macizo que era una empinada escalera natural de tres kilómetros. Pequeños trozos de guadua incrustados servían de escalones: una deslumbrante obra de ingeniería de guerra.

Ascendíamos a paso militar, apenas lograba mirarlo, pues mis ojos se concentraban en el camino. Mi estado físico no era el mejor y me esforzaba para no perder el ritmo. En mi mente se agitaban con insistencia los detalles de la exhumación de su hermano. La espeluznante historia que me acababa de relatar en la pequeña choza de madera donde nos conocimos, la estimaba aún incompleta. No existía duda de que Fidel Castaño había muerto. ¿Pero quién lo mató? ¿Quién disparó el M-16? ¿Murió realmente en una selva del Darién, frontera con Panamá, a manos de la guerrilla? ¿Por cuánto tiempo lo mantuvieron vivo? ¿Fue una traición, acaso?

Las preguntas invadían mis ideas hasta cuando recordé la primera y única entrevista que se conoció de Fidel Castaño. El titular en la portada de la revista *Semana* del 31 de mayo de 1994 rezaba: "Habla Fidel Castaño". Pero la noticia se publicó fue en mayo. Entonces me detuve. En ese instante, con cinco horas de conocidos con Castaño, todavía vivía la confusión de cómo dirigirme a él: Carlos, comandante, señor Castaño, en fin. Opté por llamarlo como se me ocurriera:

—¡Comandante Castaño!

Castaño paró y todos descansamos del paso infernal. Se puso las manos en la charretera. Una de ellas se apoyaba en la pistola Pietro Vereta 9 milímetros que nunca lo desamparaba. Lucía un camuflado y el tradicional sombrero con un ala pegada y la otra proyectándole sombra. Me contestó:

—Dígame.

Me acerqué un poco más. Fue de la única forma como lo pude alcanzar. Mi frente ya sudaba y también la de los cinco escoltas que cargaban sus fusiles, dos ametralladoras M-60 y parte de nuestros morrales.

—¿Si su hermano Fidel murió el seis de enero de 1994, cómo dio la entrevista en mayo del mismo año, la única que se conoció?

De inmediato contestó:

—Ay hombre. Esa es una buena anécdota para contar.

Comenzó a mover rápidamente las pupilas de sus pequeños ojos negros, como lo hace cada vez que su mente se transporta a los recuerdos. De pronto se detuvo y comenzó a hablar:

—La primera entrevista, que aparece dada por mi hermano, la contesté yo. Fidel ya estaba muerto. La di cinco meses después. Yo quería mantener vivo a Fidel y no quise contar que había fallecido porque ¡caramba! se me crece el enemigo y yo quedaría más desamparado que nunca. Jorge Lesmes, subdirector de la revista, viajó hasta un pequeño campamento en un cerro cercano a San Pedro de Urabá. Yo le dilaté, por el camino, la entrevista diciéndole: "Fidel no alcanzó a cumplirle la cita".

Al no llegar mi hermano, días después mandaron con su abogado, Gabriel Burgos, un cuestionario que yo respondí. Recuerdo que doña Margarita, la esposa de Fidel, al leer la publicación me dijo: "Carlitos, Fidel no hablaba así".

De pronto, Castaño se quedó callado, mirándome. A esos silencios me acostumbraría con el transcurrir de los días. "Quién podía encontrar la diferencia —le dije—, si era la primera vez que Fidel hablaba desde la clandestinidad. Sólo los que lo conocieron podrían distinguir el lenguaje y, la verdad, fueron muy pocos".

Carlos Castaño siempre permaneció como el segundo de Fidel, pero un segundo que compartía decisiones, la mano derecha que interpretaba tan bien su pensamiento que muchas veces una orden dada por Carlos Castaño no se dudaba que proviniera de Fidel. Así, con la anuencia de su hermano, cogobernaba. Eran aliados inseparables.

Mi horizonte no cambiaba. La pendiente continuaba allí; parecía interminable. "Si en el descenso me cansé, qué sería de mí al llegar a la carretera" —pensé—, pero al tercer paso recordé que no se conocía esposa o hijos de Fidel Castaño. Entonces se lo pregunté, a lo que contestó corto y sin mirarme:

—*Doña Margarita está totalmente apartada de la familia Castaño. Ejerce su profesión de abogada. Nunca tuvieron hijos porque Fidel siempre dijo que "los hombres de guerra no pueden tener hijos: son su gran debilidad".*

—¿Cómo falleció su hermano?

—*Él murió a los 45 años y de la manera más pendeja. Esa mañana viajé de Montería a Medellín en un avión privado. Antes de partir, me despedí y noté que transmitía angustia.*

A la vista no existía un porqué. Horas más tarde, llegué a mi oficina y me enteré por radioteléfono de que la guerrilla había puesto un retén en un lugar inusual, a la salida de San Pedro de Urabá, en la vía que conduce a la vereda Santa Catalina. Desde allí reportaban que los guerrilleros habían quemado un carro. Los hombres que acompañaban a Fidel cuentan que mi hermano se encolerizó como si un subalterno le hubiera alzado la voz. "¿Qué pasa? —dijo—. ¿Es que estos sinvergüenzas no me respetan o no saben con quién se están metiendo?" Él creía que eran guerrilleros de las FARC. Pero no, era una escuadra del EPL; un grupo que ya casi teníamos derrotado. Fidel decidió enfrentarlos y salirles al paso más adelante. Como a media hora de camino se encontraron. Los subversivos no eran más de diez hombres, y a mi hermano lo acompañaban sólo cinco muchachos: 'Marlon', 'el Amigo', 'Móvil 5', 'Móvil 8' y un patrullero más. De los guerrilleros, sólo los separaba una zona cerrada, un monte tupido y lleno de rastrojos. A treinta metros de distancia se inició el primer contacto, un corto enfrentamiento, tirito va y tirito viene, hasta concretar las maniobras necesarias para acomodarse y seguir disparando. De repente, cerca a una maleza alta, le llegó el disparo certero, un solo tiro y justo en el corazón. Estaba de pie y apenas se logró mirar el pecho, y mientras caía le alcanzó a decir a uno de sus escoltas: "Marlon, me mataron. Me mataron!"

El hombre que disparó fue el comandante 'Sarley' del EPL.

Le seguí la pista y años más tarde pude enfrentarme a él. Pero mire cómo es la vida. Imagínese que este hombre hoy trabaja para mí. Después de abandonar el EPL, decepcionado de la lucha guerrillera, se rindió ante la Autodefensa con cien hombres más. Luego tramitó su reinserción ante el gobierno del presidente Ernesto Samper y después de estar incorporado de nuevo en la sociedad, volvió a tomar las armas pero, esta vez, de nuestro lado. Con el tiempo, ascendió por sus méritos y se convirtió en comandante de uno de mis frentes. Un día le dije: "Comandante 'Sarley', usted mató a mi hermano. ¡Vida hijueputa! Yo no tengo nada qué reclamarle. A Fidel, como a seis de mis hermanos, los mató la guerra. Esa muerte yo la entiendo y la acepto pero la que no perdono es la de mi padre".

En ese momento, el comandante 'Sarley' ya había combatido para mí contra las FARC en Caquetá y se iba a incorporar al trabajo social de la Autodefensa. Asombrado, y creo que algo asustado, me dijo: "Cuando terminó ese enfrentamiento cerca a Santa Catalina, yo grité: ¡Vámonos! Esos hijueputas van rotos. Allá va uno roto. Ese día no me gasté ni los veinte tiros del proveedor".

El muerto era Fidel y la guerrilla nunca lo supo.

Yo estaba reunido con Álvaro Jiménez, un ex guerrillero del M-19. Timbró el teléfono. Contesté y era la negrita Teresa, mi cuñada, la esposa de uno de mis hermanos que murió en la guerra. "Vea, mijo, lo llamo porque esta mañana después de que usted se fue, Jaime siguió en su campero hasta más adelante y lo mataron".

Yo sabía lo del retén y era claro a quién se refería. Pero me rehusaba a creerlo, entonces pregunté alterado: "¿A quién?". Y ella contestó fuerte y claro: "Lo mataron". Yo me fui recostando en la silla y pregunté otra vez: "¿A quién?". "A Jaime, a Jaime," me dijo. Ese era el nombre de guerra de mi hermano Fidel en la zona.

Traté de conservar la serenidad. Estaba descompuesto y hasta pálido. Mientras observaba el rostro de intriga que aparecía en Álvaro, dije: "Cójanlo, llévenlo al Sinú cerca del "parchecito" y hagan lo que siempre se hace en estos casos". Me paré de un solo envión, colgué y le dije a Álvaro: "Me tengo que ir".

Cómo me descompuse, que me apoyé en Álvaro Jiménez, que, en ese instante, era un amigo circunstancial. Él no me quería, ni me querrá ¡jamás! Me despedí, salí hacia el aeropuerto y alquilé un avión. Durante el viaje sólo pensaba: "¿Le cuento a mi familia o lo mantengo en secreto? Contárselo es decírselo al país".

Sin la decisión tomada, me acerqué hasta la finca Jaragüay donde lo escondían. Al principio llegué a pensar en una traición, pero los hombres que lo acompañaban eran como hermanos. Decidí ocultar la muerte de Fidel, y las cinco personas presentes nos comprometimos a no contarlo a nadie y a nuestra madre menos, por Dios. Lo enterramos en el "parchecito", rezamos dos Padres Nuestros, un Ave María y un Credo. Semanas después le llevamos algunas flores y le tributamos un pequeño homenaje. Allí rezamos partes de la Biblia.

Sin aminorar el paso, de vez en cuando Carlos Castaño me miraba como si tildara con su actitud las partes más descollantes de su relato. Hacía pausas para respirar y sostener el tono de voz que, a pesar de los kilómetros recorridos, jamás cambió. Al caminar, su voz surgía un poco ronca y él sólo interrumpía para decir:

—¡Guardia, una botellita de agua, por favor!

Le llegaba a sus manos, tomaba lo suficiente para mojar la garganta y continuar.

Fidel había muerto de una forma muy pendeja, en eso coincidía con Carlos Castaño. Caer en un leve intercambio de disparos a manos de unos guerrilleros que regresaban al monte después de realizar un retén, se salía de lógica. La historia simple y difícil de creer contrastaba con la experimentada vida militar de uno de los hombres más buscados del país por el gobierno y la guerrilla, y perseguido a muerte por Pablo Escobar tras atreverse a enfrentarlo después de ser su amigo.

Fidel, el creador de las Autodefensas, moría en el anonimato. Así es la guerra. Ocurren sucesos inesperados.

Al arribar al borde de una vía sin asfalto, dos camionetas nos aguardaban. A los cinco hombres de la escolta se unieron otros ocho; dos se quedaron con nosotros y los otros once se acomodaron en una camioneta Toyota sin techo, con sus fusiles afuera de las estacas, en un corral armado de tablas de madera. Al Toyota Rodeo blanco, de cuatro puertas, último modelo y embarrado, ingresé.

—Vamos, periodista. Usted se va conmigo aquí adelante.

En el esfuerzo por subirme, no alcancé a preguntar nada. Carlos Castaño tomó otra vez la palabra, y pensando en que habría tiempo para las preguntas, me dediqué a escucharlo:

—*Contrario a lo que piensa mi familia, hoy en día creo que ocultar la muerte de mi hermano fue lo más conveniente. Un sepelio solemne no lo soportaría la organización.*

Nos desplazábamos por aquella angosta carretera, en el filo de una serie de montañas desde donde se divisaba el oriente y occidente de Antioquia. Le pregunté:

—¿La muerte de Fidel lo cambió a usted radicalmente?

Revivió uno de sus silencios, trajo los momentos de su vida con las pupilas de los ojos y contestó vehemente:

—*Fue el único momento en que pensé renunciar a la causa antisubversiva, en dejarlo todo, irme del país o entregarme a las autoridades. ¡Así de sencillo! No sé qué me sucedía. Tal vez me sentía solo y confundido. Se había muerto mi hermano, mi padrino, el inspirador y el ser querido, mi cómplice. Yo busqué un consejo en ese instante pero no lo encontré y eso que visité la Casa de Cristo.*

—¿Cómo así que la Casa de Cristo?—le pregunté.

—*Dos días después de la muerte de mi hermano, como católico que soy, me fui a buscar a monseñor Isaías Duarte Cancino, obispo de Apartadó. Le pedí un cita porque él era para mí lo más cercano a Dios. En ese momento se encontraba en Medellín en la Casa de Cristo, la sede del clero en la ciudad. Recuerdo que lo encontré en una sala grande y semioscura con el padre Leonidas Moreno.*

Yo buscaba un aliento moral y espiritual. En esos momentos es cuando nuestros pastores deben estar prestos a darnos ayuda, un consejo. Al entrar, saludé y me acerqué a Monseñor con quien habíamos hablado ya, en tres ocasiones, de la problemática de la región del Urabá, que vivía la peor de las guerras. Consternado le dije: "Monseñor, mataron a Fidel y no sé qué voy a hacer. ¿Usted me ayudaría a darle cristiana sepultura?"

Monseñor Isaías se quedó callado, miró al padre Leonidas y sin conmoverse, dijo pausadamente; "Sí... Esa es la misión de la Iglesia" Los sacerdotes se miraron igual a como lo hacen dos hombres que van a ofrecerle una mala propuesta a un tercero en un negocio. Ahí yo no vi a nadie cercano a Dios. Intentaron seguir con los temas pero yo rompí la reunión con discreción, y salí. Lo hice con rabia y de verdad derrotado. Pensé que rezaríamos un Padre Nuestro o un Credo, que me iban a hablar o a decir algo. Yo aguantándome ese tramacazo, y Monseñor no me creyó.

Salí de la Casa de Cristo y no me detuve ante el Mercedes 280 SEL blindado verde militar en el que siempre me movilizaba. Seguí caminando por la acera más de una cuadra hasta llegar a la avenida La Playa, en Medellín y miré el vestido y la corbata azul oscuros, como preguntándome: "¿Yo qué hago aquí?"

Tenía el mundo a mi espalda y se me ocurrió ir donde doña Rosa, mi madre. ¿Pero a qué? —me preguntaba. En aquel momento quise someterme a la justicia. No por justicia, sino por buscar protección. Yo pensé que los curas me aconsejarían algo, pero nada. "Ya se murió Fidel ¿para qué vamos a seguir en esto?" —pensé. Buscar una salida digna para mí era una opción, pues tenía mucho miedo de enfrentar esta guerra solo.

—¿Y de ahí en adelante qué pasó? —le pregunté, asombrado.

—No me quedó otra opción que asumir el mando y aquí estoy.

Carlos Castaño se convirtió en la cabeza de las Autodefensas a los 29 años de edad, pero a pesar del respeto que infundaba ser el hermano de Fidel y llevar el apellido Castaño, un comandante no se hacía con una herencia, así hubiera ayudado a edificarla. Debía demostrar que podía ser el líder de una organización que contaba con trecientos hombres y vigilaba más de veinte mil kilómetros cuadrados de tierra del acecho de la guerrilla.

—La mayoría de los comandantes pensaba que la persona para asumir el mando era yo. Cuando les confirmamos la muerte de Fidel e hicimos la pregunta "¿Quién asumirá?", todos me miraron. En ese momento heredé la causa, pero aún me faltaba demostrar que era el sucesor digno de Fidel. De esto me convencí cuando quise asegurar mi guardia pretoriana. Le comenté a los escoltas más cercanos a Fidel que el patrón, como le decían, estaba muerto. Les pregunté, después, al 'Pastuso' y a 'Javier' que si ellos me serían leales si yo asumía el mando. La respuesta fue elocuente: un silencio absoluto. Entendí que no sólo era suficiente con llevar el apellido Castaño, tenía que demostrar mi condición de comandante.

Dos meses después, en una incursión guerrillera de las FARC en San Pedro de Urabá, llegó para Carlos Castaño la oportunidad de ratificarse como el nuevo líder de las Autodefensas. Los demás comandantes de la Autodefensa calificaron de suicida la defensa del pueblo aquella noche.

—¿Cómo fue ese combate? ¿Fue determinante en su vida?

—*Toda la región se enteró de que yo salí herido. Esto circunstancialmente me posicionó. "¡Hay comandante!", decían. Se ganó confianza en la región; en la tropa, respeto, tranquilidad y hasta admiración. Percibieron que estaban bien representados.*

Castaño hizo una pausa. Supuse que continuaría con la historia del combate de San Pedro de Urabá, pero permaneció silencioso. Por curiosidad, indagué cómo hacía para estar tan tranquilo a sólo tres horas de Medellín.

—*Si se presenta algún operativo con tropas del Ejército helicoportadas, logramos divisarlos veinte minutos antes. Tiempo suficiente para coger el monte donde no nos rastrea nadie. Es muy difícil que después de estar enmarañados alguien nos descubra. Además, siempre tengo anillos de seguridad de mínimo doscientos hombres. Así el Ejército nos persiga por deber, nosotros no los atacamos. Tenemos claro que nuestro enemigo es la guerrilla. Aunque ahora han cambiado un poco las cosas. Hace un año estamos entrenando a nuestros patrulleros para defenderse del Ejército con fuego cuando se encuentren en riesgo de muerte.*

—¿Y ahora para dónde vamos? —le pregunté.

— *Ah, vamos para una casita donde dormiremos esta noche. No es nada lujosa, pero tiene sus comodidades. Ya estamos muy cerca, y allí conocerá a mi futura esposa.*

—¿Y cuándo es el matrimonio?

—*El 15 de mayo; el mismo día de mi cumpleaños número 36.*

Mientras contemplaba el paisaje, imaginaba a la mujer de Castaño. Su descripción les apasionaría a todas las mujeres que conozco y a las que conocen a Castaño. "¿Y cómo es la vieja?", sería lo primero que me preguntarían.

Desde el interior de la cómoda Toyota se veían, al pasar, varias casas humildes y algún niño de diez años con su madre cargando otro menor. No sonreían pero tampoco se les veía una actitud de reclamo ni de tristeza. Se quedaban inmóviles observando la caravana de camionetas y hombres con fusil. "A ellos sí les pasa la guerra por el frente de su casa", pensé.

—*¿Le gusta la música?*

—Claro, comandante, de toda —contesté.

Entonces prendió el radio, y me dijo:

—A mí me encantan *Gian Franco Pagliaro y Serrat. Bueno, y la musiquita vieja, también. Yo soy antioqueño y como buen montañero, me gusta lo del pueblo. 'H2', mi primo, toca muy bien la guitarra y de vez en cuando nos pegamos nuestras cantaditas pero, a decir verdad, soy mejor recitando poesía. ¡La de Benedetti es bella!*

— *Y de vez en cuando me tomo mis whiskys. Una de las preguntas que yo le hago a cualquier persona que recibo en la Autodefensa es si le gusta la música, porque un hombre al que no, es muy sospechoso; no es normal. En cambio, uno puede confiar en el que sí la aprecia.*

—¿Qué más preguntas les hace a los que ingresan?

—*Cuando son ex guerrilleros o ex militares, que por estos días están entrando muchos, les pregunto lo básico: ¿Qué rango tenían? ¿En qué batallón o frente guerrillero se encontraban? ¿Por qué dejaron las filas? Si es por mal comportamiento, no los recibo. Si fue por mala paga, les digo que mejor hubieran ingresado a la Policía. Además, indago si cuentan con una familia. Eso es clave para mí: un hombre con mamá, hermanos, mujer o hijos es más confiable.*

—¿Cuántos cree usted que se han cambiado de bando?

—*Cambiado de bando, no. Cuántos han enderezado su camino, querrá decir. En la Autodefensa hay seiscientos ex guerrilleros y unos trecientos ex militares. Eso sin contar los reservistas del Ejército que ingresan unos ciento cincuenta al mes. En esta guerra sobran los hombres y hasta mujeres que quieren coger un fusil. Me he visto obligado a rechazar solicitudes.*

De pronto nos detuvimos ante una entrada angosta. El carro se inclinó hacia atrás para subir una pequeña pendiente y arribamos a una típica casa campesina, de una sola planta, con tejas de barro.

Bajé mi morral y me dijo Castaño:

—*Bien pueda: Siga, deje sus cosas aquí en el comedor.*

Entré a la casa y dejé en la sencilla mesa la cámara fotográfica y mi grabadora; el morral, en el piso. La casa era más simple de lo que me imaginé. El piso, de baldosa antigua; las paredes hechas de tablones unidos, reforzados por dentro con cemento "cancel". Tenía un cuarto, dos salas contiguas, afuera una cocina, y el baño junto al lavadero de ropa. Sobresalía un moderno televisor de 18 pulgadas, y la humildad del lugar contrastaba con la antena de televisión satelital, pegada a una de las canales de agua de la casa.

—*¡Bebé, sal y te presento al escritor!*

Al instante ella salió del cuarto y al ver su rostro, me di cuenta de que en realidad era una bebé, como cariñosamente le decía Castaño, aunque con cuerpo de mujer, de esos aproximados a los 90-60-90 en el reinado nacional de la belleza en Cartagena. No tendría más de veinte años; dieciocho, para ser exactos. Aprecié su bella piel canela, la cintura de avispa, su estatura de uno con setenta centímetros y el largo cabello azabache, que con sus pequeños ojos negros rasgados, la hacían ver tan exótica como su nombre, Kenia.

Después de un tímido saludo, me dio la mano y regresó a la habitación. Con el transcurrir de los días, constaté que en la Autodefensa no sólo la admiraban por su belleza, sino también por los cambios que propició en la personalidad de Carlos Castaño.

—*¡Guardia! Tráiganos dos tintos y que vayan preparando la comida. ¿A quién le tocó hoy de ranchero?* —preguntó.

—Al Pastuso —contestó uno de los hombres de la escolta.

—*¡Ah, nos van a tocar esas papas duras! Ojo, me hacen quedar mal con el invitado.*

Como contándome un secreto, bajó la voz.

—*Aquí toca comer lo que los muchachos preparen. Cada día, los hombres de la guardia cocinan y se turnan. Se identifica como ranchero al que le toca hacer de chef.*

—Comandante, si usted quiere, volvemos a lo del combate de San Pedro de Urabá.

—*Como a eso de las 8 y 30 de la noche nos reportaron por radioteléfono los finqueros cercanos: "Se oyen unos disparos en las afueras del pueblo. La guerrilla se está tomando San Pedro de Urabá". No dudé en proponerle a mi primo: "Arranquemos que se lo están tomando".*

Por ese municipio había cruzado dos veces en mi vida. Consideraba que era indispensable dirigirnos hacia allá pero mi primo fue tajante: "Ir es una locura". Sin decirle nada, me salí de la casa a pensar un poco y sólo necesité cinco minutos para darme cuenta de que si ninguno de nosotros iba, mañana en la región nadie creería en la Autodefensa Civil Armada. Me imaginaba a la gente diciendo: "Matan guerrilleros de civil; también a los colaboradores, pero no se conoce antecedente de un combate".

No se me ocurrió pensar que el ataque de las FARC contara con un bloque de setecientos subversivos de cinco frentes. La guerrilla habría exterminado a la naciente Autodefensa si no la hubiéramos enfrentado esa noche. Nosotros calculábamos un máximo de cien guerrilleros. ¡Imagínese el desfase!

En ese momento sólo había dos alternativas: ir yo o mandar a mi gente. Si la enviaba, matarían a muchos; tal vez a todos y eso es más grave que morir yo. Vargas Vila, en el libro La república romana, decía : "Lo triste de la derrota no es padecerla sino merecerla". Por eso decidí ir e ir al frente.

Le dije a mi escolta: "Señores, nos vamos. 'Móvil 5', usted se va adelante en la camioneta Dodge venezolana azul, de platón grande. Ahí se suben 'el Amigo', 'Maravilla' y usted, 'Mono Guerrillo'". El 'Mono', ex guerrillero del ELN, trabajaba con nosostros hacía tiempo. A esa camioneta se montaron dos hombres más y despaché un campero blanco atrás, con el conductor y un muchacho. Buscaba disminuir las posibilidades de que me dispararan. Atrás los seguíamos con '18' en un Chevrolet Trooper. En un Suzuki viajaba 'Jhon Jairo López', un experto en la guerrilla. Al final, el grupo lo cerraba un solo carro con el conductor.

Salimos de la finca hacia San Pedro de Urabá. Más adelante, ordené detenernos. Era mejor prevenirlos que ver llegar la muerte. Enfrentaríamos una emboscada en la carretera. Sobre el capó del Trooper dibujé los posibles lugares de la emboscada. "Señores, en cada uno de estos sitios haremos exploración con fuego, especialmente en las cuencas".

—¿Sin bajarnos? —preguntó el 'Mono'.

—Sí, desde los carros vamos barriendo con fuego durante un kilómetro.

En cada sitio disparamos a lado y lado de la vía, contra el rastrojo: ratata... ratatata... ratatatata. Era una carretera sin asfalto, oscura y solitaria. Por momentos, los espejos rozaban con la maleza pero seguíamos ametrallando. Llegamos a un pequeño cerro donde se divisaban las estelas que deja una trazadora. Proyectiles de ojiva fosforescente que se usan para dejar la huella de la ráfaga en la oscuridad.

Las balas, en destellos azules y a veces rojos incandescentes, se cruzaban sobre la camioneta que conducía 'Móvil 5' adelante.

"¡'18', le están dando a la camioneta! Acérquese más".

Se oían disparos cercanos como arena lanzada en una hoja de aluminio. "¡Nos están dando!" exclamó '18'. "Tiene que ser de muy cerca", pensé. Por un momento vi moverse la silueta del enemigo entre el matorral y los árboles; la luna alumbraba muy poco. Por las rastrojeras altas se iban acomodando unos hombres mientras otros comenzaban a disparar. Como una aparición fantasmal, atisbé por el parabrisas, a no menos de diez metros, cómo con cautela se levantaba sobre la vía un guerrillero. Entonces le grité a '18': "¡Pare, pare! ¡Tírese!"

'18' abrió la puerta, lo empujé fuera del carro y vi romperse el parabrisas en mil pedazos. El rafagazo del guerrillero dejó el espaldar de la silla destrozado; cuatro disparos quedaron allí incrustados. Al caer en la vía, sentí el primer disparo en mi cuerpo, se me movió el antebrazo y preferí no mirar. Las farolas del Trooper y las camionetas quedaron encendidas. Los chorros de luz provenientes de los carros abandonados iluminaban la carretera. No menos de cuarenta tiros recibió el Trooper; lo sacudían los balazos. Acostado en el suelo, tomé la subametralladora MP5 y, sin pensarlo, solté una ráfaga de quince tiros alrededor.

En ese momento una granada de mano PVR-26 explotó delante del carro y cubriéndome de polvo, me quitó la visibilidad. Con la metralleta en las manos, me arrastré buscando una colina. En la cima divisé, a menos de quince metros, varios comandantes hablando tranquilamente; el sitio estaba invadido de guerrilla. Yo llevaba una camisa blanca y verde que de inmediato me arranqué con botones y todo para evitar ser detectado. Regresé por la misma ruta haciendo el menor ruido posible, hasta la carretera, que alcancé a pasar, confundiéndome entre los gritos y movimientos de la guerrilla, a lado y lado de la carretera. Nunca me imaginé que fueran tantos.

Al arribar al monte de la derecha, cerca de los carros, explotó, a mi lado, una granada de fragmentación, y una esquirla se me metió en el ojo derecho. Sangré a cántaros, y por un momento creí perderlo.

Al lado de la carretera donde había logrado llegar, pude apreciar un árbol y al fondo, un rastrojo. Me arrastré hasta el tronco, recosté mi espalda en él, creyendo estar a salvo, pero fui detectado. Pensé: "En diez segundos estoy muerto. Dios mío bendito, que sea lo que Usted quiera". Me disparaban como lo hacen los profesionales, con tiros pausados y seguros: tas, tas, tas. Me hubiera tranquilizado más un rafagazo: rata, ta, ta, ta, ta. ¡Eso es al azar!

"Me tienen ubicado", repetía en mi mente. Miré hacia la izquierda y vi el rastrojo. Allí no parecía haber guerrilla. Uno, como campesino, sabe que si hay un potrero y luego un rastrojo, después una cerca y la maleza. Alcanzaba a ver en el medio un charco de agua o una especie de pantano.

Cogí la metralleta y, decidido a saltar el charco y la cerca, me lancé. Al saltar, sentí los disparos de dos o tres fusiles.

Alcanzaba a reconocerlos, por el sonido distinto de fusiles R-15 o M-16. No había ningún charco donde me lo imaginaba; sólo un peladero de tierra roja. Preparado para caer en una superficie blandita, me fui de bruces.

Gritaron: "¡Va roto! ¡Va roto!"

Agarré la metralleta y descargué el proveedor: rata, ta, ta, ta, ta. Ignoro cuántos pasos di, pero recuerdo que llegué hasta la cerca, la salté y el pantalón se me engarzó en el alambre de púas. Me rayó sin piedad toda la pierna y no pude gritar del dolor. De espaldas, me deslicé hasta el arbusto. Despacio, en silencio, me coloqué el arma en el pecho y la cargué de inmediato con un nuevo proveedor.

Sentí pavor porque después de estar unos minutos en mi escondite, el cuchicheo de varios guerrilleros se oía cerca, alcanzaba a escuchar sus voces. No rezaba, pues Dios me había llevado a salvo hasta allí. "De aquí me libro", pensaba. No sé por qué llegó a mi mente la imagen de Carlitos, mi hijo. Pero lo aparté de mis pensamientos. Soñoliento, quizá por estar desangrándome, sentía el frío de la muerte y pensaba en todo lo que faltaba por hacer. "¿Qué va a pasar?", me preguntaba. Fue la noche más larga de mi vida.

En combate, no se siente miedo. Tal vez al comienzo, en los primeros disparos, sí. Luego uno entra en calor y no teme. Puede perder, aunque no lo cree. Pero estar reducido a la impotencia y rodeado por el enemigo, es distinto.

En la oscuridad, y con la guerrilla replegada a lado y lado de la carretera, me oculté en sentido contrario a mis hombres. Se desató un desorden de bala impresionante; ni los mismos guerrilleros sabían dónde estaban sus compañeros.

Esa noche, los subversivos se dieron plomo entre ellos y fallecieron diecisiete. Ese fue un combate muy raro.

Permanecí quieto durante la noche y deseaba que lloviera pero apenas caían algunas gotas debido al exceso de pólvora y dinamita en la atmósfera. En combates fuertes o después de la explosión de una bomba, cae una llovizna y después se precipita un aguacero. El enemigo lanzaba luces de bengala para ubicarnos; los colores azules, rojos y naranja de las balas trazadoras pasaban alto; por entre el helecho de dormidera, donde permanecía, se alcanzaba a ver cómo era atacado, sin misericordia y a mansalva, San Pedro de Urabá.

Me detuve a mirar por qué sangraba tanto. Me dolían los testículos y sospeché que era por el rayón del alambre de púas. "No debe ser mayor cosa".

Al día siguiente, me aterré al ver que era una esquirla de granada que me había atravesado el pene, produciéndome una gran pérdida de sangre y una mancha en todo el pantalón. Tampoco lograba abrir el ojo. Al palparlo suavemente, mi mano se pintaba de sangre. Examinando la herida en el antebrazo, se me hundieron los cuatro dedos. Aunque unos mosquitos me moslestaban, no parecía grave. La batí con fuerza y soporté el dolor con tal de sacar los bichos.

Sentí las voces de los guerrilleros más cerca. Montaron una ametralladora M-60 a no más de cinco metros y comenzaron a explorar con fuego la rastrojera donde me escondía. Se escuchaban tan fuertes los disparos que dije: "No tienen ni idea dónde estoy". Con la ametralladora no me matarían ahí, mas sí de un garrotazo. Se acrecentó mi preocupación ya que se adormecían mis pies.

"Me desmayaré si no encuentro ayuda". Moví los pies y confirmé que no tenía otra herida.

"Note usted, que yo no combatí. Sólo disparé dos ráfagas". Recordé a mis compañeros: "Seguramente los del carro de adelante fallecieron y los de atrás se salvaron".

Los guerrilleros cesaron de disparar y permanecieron tan callados como yo. Aguardaron más de una hora así, esperando que me delatara. Montaron de nuevo la M-60 y volvió a comenzar la candela. Yo deseaba que lloviera para que soplara el viento y la maleza produjera ruido. Así lograría moverme. Pero nada, no venteaba.

Había perdido la noción del tiempo. Serían la una o las dos de la mañana cuando sentí unos carros por la carretera y escuché, a lo lejos, el ruido de otros vehículos regresando a San Pedro; pero no le encontraba lógica. Escuchaba voces por la maraña, aunque ignoraba si eran de la guerrilla o quizá de alguno de mis hombres. El santo y seña era decir "noche" y contestar "buena". De buena no tenía nada y no me atrevía a pronunciarlo. ¿Qué tal que no fueran ellos? Me aniquilarían tan pronto me entregara. Y los míos, al no identificarme, también me matarían.

Al amanecer sentí un desplazamiento de tropa enorme. El suelo se movía y el sonido era impresionante. Era el grueso de guerrilla que se levantaba del monte donde yo me ocultaba. Parecía marcharse, pero dudé:

"Se retira la primera avanzada y cuando amanezca, aquí me rematarán". A las cinco de la mañana oí el traqueteo de una M-60 de tropas amigas, porque disparaban hacia la zona donde luchaba la guerrilla. Los subversivos continuaban enfrentándose entre ellos sin saberlo, pues los que estaban en la toma se enteraron de que varios carros atravesaron y una escuadra de subversivos se había enfrentado a otra. Esto yo aún no lo sabía; estaba convencido de que la M-60 era del Ejército. A las seis de la mañana reinaba el silencio. Dispuesto a sobrevivir, me deslicé despacio; había entrado a la cuevita de maleza que había sido mi trinchera nocturna. Cuando salí, reparé una cerca de alambre a un metro de distancia, me incorporé y un mareo me aniquiló. Miré mis testículos, y la sangre coagulada que me brotaba por los pantalones rasgados aparecía impresionante, oscura y espesa; podía partirse en troncos.

Alcancé la carretera como un guerrero derrotado y humillado, sin un zapato, ni camisa. Mi tronco desnudo dejaba ver la mancha de sangre que provenía de mi ojo hinchado. El antebrazo conservaba la herida abierta de la que aún manaban algunas gotas de sangre hasta los dedos.

Caminaba entumecido por la mitad de la vía, a pasos cortos. Parecía pálido como una pared blanca. Había perdido mucha sangre. Al fondo, alcancé a ver una hilera de soldados caminando hacia mí, encaleté al borde de la carretera la ametralladora MP-5 y continué mi camino. Al encontrarme con ellos frente a frente, metros más adelante, se colocaron a lado y lado de la vía. Pienso que recorrí un kilómetro de uniformados que me observaban impávidos, percibían en mí la trágica escena final de un combate. Cuando encontré al cabo en la última fila, como siempre, le dije: "Yo sé que tengo compañeros muertos y heridos. Quisiera llevármelos". El tipo no dudó y sólo dijo: "No hay problema. Consiga un carro y entre por ellos". No sé por qué estallé en llanto como un niño. Me ahogaba ensimismado. Respiré con dificultad y lloré sin consuelo ante el cabo asombrado.

Una moto me trasladó hasta el puesto de salud más cercano en la vereda Santa Catalina. Allí, sentado en la única camilla del humilde lugar donde sólo existía una inyección antitetánica para colocarme, me sentí observado, alcé la cabeza y apareció como de la nada un viejo con la piel curtida por el sol y los años. Mirándome, me habló: "Esta guerra nos va a matar a todos".

Ese día no estaba escrito que yo moriría; tampoco 'Móvil 5', '18' y 'el Amigo', pero al 'Mono Guerrillo' sí le había llegado la hora, como también

35

al 'Chino' y a 'Jhon Jairo López', en cuyo honor uno de los frentes de la Autodefensa lleva su nombre.

Regresé por los cadáveres de mis hombres y por el camino alcancé a ver tres guerrilleros muertos, toallas y hamacas ensangrentadas. Las piedras manchadas dejaban ver los ríos de sangre derramados por los cuerpos de los muertos que se llevaron. Fue una batalla campal entre hombres de las FARC, quizá por una reacción loca que yo asumí. Seguro eso los descompuso pero me pudo haber costado la vida.

Lo más lamentable fue la muerte del teniente de la Policía que llamaba al campamento de ingenieros del Ejército pidiendo ayuda. Nosotros oíamos, camino al pueblo, cómo el oficial pedía apoyo por radioteléfono y el capitán del Ejército que le contestaba: "Yo necesito órdenes del comandante y no está". Luego el policía suplicó: "!Por favor ayúdeme! Nos están atacando fuerte". A lo último se lamentaba: "Ayúdeme, por favor. Ayúdeme". A los tres minutos falleció.

El pueblo lo salvamos nosotros y los agentes atrincherados en la estación y el campanario de la iglesia. Al retirarme recuerdo haberme apoderado del aerosol que siempre guardo en la guantera del carro. Me acerqué a otro de los vehículos que parecía un colador y escribí: "Por la defensa de la democracia". Cómo es la vida: al día siguiente, en los periódicos, se dijo que la guerrilla había pintado la frase antes de partir.

El epílogo del primer encuentro con Carlos Castaño y el final de su relato sobre el combate de San Pedro coincidieron con la llegada de la noche. En el campo la jornada comienza muy temprano y se acaba apenas oscurece. No eran aún las siete de la noche cuando la escolta del Comandante nos sirvió la comida, una sobredosis de harinas: arroz, papa, yuca, patacón y un esquelético muslo de pollo. Castaño sólo dijo:

—Mañana almorzaremos un delicioso pollo, mucho mejor que éste; de aquellos que nos traen del pueblo.

La comida no sabía mal, pero la sazón no era la de una madre sino la de un hombre de guerra cocinando en el monte. "¿Castaño se alimentará así todos los días?", me pregunté. Luego de varios encuentros me enteré de que lo que menos le preocupa es alimentarse bien o mal. Su ansiedad y el hambre los mitiga con un cereal al desayuno y papitas fritas durante el día. En nuestra conversación de esa tarde fue habitual verlo destapar dos y hasta tres bolsitas de papas.

—Soy "mecatero" a morir. En cada finca donde acostumbro a quedarme usted siempre encontrará una caja de estos paquetes; también, dentro de las mochilas, en plena selva.

Con nosotros en la mesa ya estaba su novia y futura esposa, pues el noticiero iba a comenzar. Castaño mira los noticieros sin hacer muchos comentarios, pero ese día me sorprendió su reacción al ver en la pantalla a 'Granobles', un comandante guerrillero de las FARC. El subversivo le daba la mano a los primeros agentes de la Policía que entregó el grupo guerrillero después de dos años de retención. Castaño dijo:

—Qué bueno para esos muchachos. A uno sí le da cierta cosita ver a 'Granobles' ahí, pero uno por un familiar secuestrado, entrega todo; hasta el Estado.

Me esperaba un comentario más radical en desacuerdo con el intercambio de prisioneros entre el Gobierno y las FARC, pero era su forma de criticar al Presidente y su proceso de paz que no avanzaba hacia un cese de hostilidades. Se paró antes de los deportes e invitó a su novia:

—Vamos, amor, hoy ha sido un día duro. Estoy cansado y me ducharé antes de acostarme.

Me acomodé en la sala contigua donde me habían acondicionado una colchoneta, sábanas, toalla y una cobija.

Acomodaba mi morral como almohada y Castaño pasó por el frente con una toalla verde en la cintura, un cepillo, crema dental, y dijo:

—Periodista, mañana nos levantamos muy temprano.

Ese día resultó tensionante de comienzo a fin. Me encontraba con uno de los hombres más buscados de Colombia, a quien había convencido escribir un libro sobre su vida. Acababa de caminar descalzo y en toalla hacia el baño, despojado del intimidante camuflado.

Entre la oscuridad y el silencio, no podía dormir recordando sus frases sueltas. Tomé una linterna y mi libreta para anotarlas hasta que el sueño me venció.

Carlos Castaño en una portada de la revista Semana.

II

"PIZARRO TENÍA QUE MORIR"

Esa noche no fue fácil dormir. Trataba de descansar pero lo que hice fue guardia con los ojos cerrados como un centinela. Por eso advertí la presencia de Castaño cuando prendió la luz del comedor para sentarse a leer. Las manecillas fosforescentes de mi reloj daban las tres de la madrugada. De inmediato enderecé el cuerpo, me senté en la colchoneta y Carlos Castaño saludó sin dejar de observar los papeles que él tenía en la mano:

—*Buenos días.*

Pensé en contestarle: "Querrá decir buenas noches, comandante; aún está oscuro". Pero preferí devolver el saludo con una fingida voz de hombre despierto:

—Muy buenas, comandante Castaño. Se levanta usted muy temprano.

—*Esta es la mejor hora para trabajar. Siempre me pongo de pie entre la una y las cuatro de la madrugada. El silencio me permite concentrarme, escribir y leer con calma. Además, aprovecho el tiempo para revisar mi correspondencia.*

Al acercarme al comedor, puso a mi alcance varios papeles:

—*Esto le puede servir. Es un e-mail de uno de nuestros amigos de la academia europea. Yo le voy pasando documentos para que conozca cada vez más la Autodefensa. "¡Guardia, unos tintos para acá, por favor!"*

Castaño atrajo mi atención al frotarse varias veces su cabeza con la palma de la mano, y como a quien una idea le inquieta me dijo en tono enfático:

—*Todo lo que se va a contar en este libro es verdad pero no diré toda la verdad. La verdad tiene una frontera, justo donde es posible hacerle daño al país.*

Este argumento ha ocultado la verdad detrás de numerosos acontecimientos. Es una vieja constante colombiana expresada por muchos de diferentes maneras. Pero en su afán de comentar su verdad, Castaño raya en la autoinculpación, algo fuera de lo común en los comandantes de los ejércitos irregulares. La historia recordará a este hombre por haber sido el primer actor del conflicto en atreverse a expresar innumerables realidades, dar la cara y asumir la responsabilidad de sus excesos y los de su tropa como un gesto autocrítico de paz. En un futuro, tales verdades podrán devolverse en su contra como innegables dagas condenatorias en algún tribunal internacional.

Esa madrugada, Castaño me invitó a trotar, pero mi carencia de tenis fue la mejor disculpa para evitar desfallecer a los primeros cinco kilómetros dado a mi precario estado físico. Si las condiciones lo permiten, Castaño recorre entre diez y quince kilómetros diarios. Todos los días, Iván o alguno de sus guardias enciende las luces de la camioneta Toyota y mientras se calienta el motor, él hace estiramiento en la oscuridad. El sol aún no se asoma y Castaño se calza unos tenis casi nuevos, medias blancas, pantaloneta y camiseta verde. A las cinco de la madrugada comienza y termina al amanecer.

La costumbre de trotar temprano viene de su hermano Fidel, que después de iniciar el trayecto por las solitarias carreteras sin asfaltar, le decía al conductor: "Pon el contador de kilómetros en cero y pítame cuando marque veinte".

Durante esa hora de sudor y exigencia física, Castaño tuvo tiempo para pensar y decidirse a revelar varios misterios que ha dejado inconclusa la historia reciente del país.

Como quien guarda un secreto durante quince años y por fin siente que llegó el momento de expresarlo, entró a la casa después de trotar y apenas saludó. Se bañó rápidamente, se puso el uniforme camuflado y pidió un café. Con una actitud distinta, más resuelto y serio de lo normal, me dijo:

—*Si esto que relataré es un asesinato, debo aceptarlo. ¿Pero cuántos asesinatos en bien de las naciones no cometen los estados? Tenía que hacerlo. Carlos Pizarro era el hombre de Pablo Escobar. Los narcotraficantes siempre soñaron con el poder y Pablo siempre quiso la presidencia. Ya no iba a ser presidente de Colombia pero sí iba a tener uno de él. ¡Pizarro tenía que morir!*

A finales del mes de mayo de 1985 nos encontrábamos detrás de la hacienda Nápoles, en un caserío cercano llamado la Estación Cocorná, varias personas en una mesa; entre ellas, Pablo Escobar, Fernando Galeano, Albeiro Areiza, Guido Parra, Fidel Castaño y yo. De esa reunión existen dos testigos más, que aún viven.

Pablo citó a mucha gente ese día, y cuando él citaba, se asistía o se asistía. En otra oportunidad convocó a un gobernador de Antioquia, a un alcalde y a un coronel de la Policía de Medellín. Se presentaban y punto. Así eran las cosas con Pablo Escobar en aquella época.

Carlos Pizarro, el entonces comandante del grupo guerrillero M-19, aterrizó en la Haciernda Nápoles, procedente de las montañas del Cauca. Antes de arribar el hombre grande del "M," como le decía Escobar a Pizarro, el capo nos informó sobre las razones que habían motivado la reunión. Se acercó a mi hermano Fidel y comenzó a hablar: "Plantearemos aquí una cosa seria, hombre Fidelio. Como quiera que sea, la extradición está caminando y nos están jodiendo. Vamos a hacer una vuelta y aquí todos tenemos que colaborar. Nos encontramos en la obligación de hacer algo para salvarnos. Existen unos procesos jurídicos muy fuertes contra nosotros en el Palacio de Justicia. Es necesario borrarlos y no dejar huella de nada ante la ley. Tendrán que comenzar de cero y al obtener nosotros poder, nadie se atreverá a denunciarnos". Fidel contestó: "Listo. Yo pongo unos fusilitos para lo que se necesite". Y Escobar replicó: " Yo pongo la plata".

Así fue como se acordó en presencia mía, nada más y nada menos que la toma del Palacio de Justicia.

Carlos Pizarro llegó a la reunión acompañado de un hombre que hasta hoy es una incógnita para mí. El comandante guerrillero no llevaba su famoso sombrero blanco sino una gorra. Tras unas gafas oscuras ocultaba su mirada. Se acercó a la mesa y nos saludó con un corto gesto y una venia que reflejaba su incomodidad por nuestra presencia. Escobar lo saludó y Pizarro le manifestó al oído su interés de no hablar frente a tanta gente: "Señor —así le decía Pizarro a Pablo— preferiría tratar con usted en privado". Escobar contestó en un tono fuerte y desabrochado, más paisa que nunca: " No, hombre. No te preocupes que estos son como de la familia. No hay problema". Pizarro le insistió: "Yo sí le solicito que sea más privado". "Venga pues, sentémonos allí", le contestó Escobar mientras nos llamaba a uno por uno : "Vení, fulano, sutano, *perencejo...". Pablo no seleccionó a ninguno y nos pasamos los mismos para el otro lado.*

En la reunión no se habló nada de logística o táctica. Resultó una congregación de poder donde se analizaron las consecuencias de lo que se efectuaría. Hablaba Pizarro y recuerdo que el enigmático hombre sólo aprobaba con un corto movimiento de cabeza lo que se decía pero, al manifestarse una propuesta, intervenía como si participara de la parte operativa: "Eso tiene sus vainas con los muchachos", repitió varias veces.

El estafeta de Pizarro nos dijo a todos algo que me llamó la atención: "No todo el "M" sabe de esta operación. Eso está claro". *Años más tarde, me enteré de que aquello no lo conocían varios miembros del M-19, personas honestas como Navarro Wolff, Gloria Quiceno y Vera Grabe. Además de muchos otros. De Otty Patiño mejor no opino ni para bien ni para mal. Esa tarde se definieron las misiones y la recompensa por la acción. Estas fueron las palabras de Pizarro:* "Un millón de dólares para el M-19 por eliminar al presidente de la Corte Suprema de Justicia, Alfonso Reyes Echandía y un millón de dólares adicionales por destruir todos los archivos".

Paso a paso, el abogado Guido Parra les explicó dónde encontrar los archivos a quemar. Pizarro enfatizó en la forma de proceder a la Sala donde se mantenían los procesos de extradición contra Pablo Escobar. Recuerdo, como si fuera ayer, a otro narco que se levantó molesto diciendo: "¿Bueno, se van a tomar el Palacio o solamente la sala donde archivan los procesos del patrón?" *Ahí intervino nuevamente el hombre que acompañaba a Pizarro:* "No, no, no... Un momento. También es posible incinerar lo de él". *Por esto recibieron trecientos mil dólares más.*

Las armas que puso Fidel Castaño para la toma del Palacio, las entregué yo. Se les dieron dos metras; una MP5, un AR-15, un M-16 y otros fusiles. Escobar puso las armas cortas, granadas y dinamita. Esta última no sé para qué. En ese momento, para Carlos Pizarro yo no era nadie. Recuerdo que le dijo a Pablo: "Señor, yo creo que más adelante el tema de la extradición en Colombia lo arreglamos con la gente de la UP". *Escobar le replicó:* "Ese movimiento político nació muerto. Los que no se baje "El Mexicano" por el robo que le hizo las FARC, los acaba este pelao...". *Pablo me señaló y Pizarro me miró sin darme ninguna importancia.*

De ahí nació mi sobrenombre de "Pelao". Muchos comandantes de los más antiguos aún me dicen así. Claro que entre ellos o en privado. Por ahí me dicen también "Piquiña" por lo hiperactivo. Ellos creen que no me doy cuenta.

Después de la toma del Palacio, Pizarro mantuvo relación con Pablo durante mucho tiempo, hizo para él varios secuestros y Escobar lo invitó a exportar cocaína en varios embarques de droga que salían por Panamá hasta La Habana. Nosotros también mantuvimos relación con Escobar pero con una diferencia: ¡Jamás fuimos mercenarios de Pablo! Mi hermano y yo nos convertimos en sus peores enemigos.

Al comprender que acabar con el monstruo de Escobar se demoraría, decidimos eliminar a su engendro, Carlos Pizarro. Esa acción se acordó con un grupo de civiles antisubversivos entre los que estaba yo; existía lo que se llama paramilitares. Aquel día nos acompañaba un hombre prestante que había perdido en el Palacio de Justicia a un ser querido en primer lazo de consanguinidad. Nosotros pensábamos que Pizarro era un tipo rescatable y que el país necesitaba una tercera fuerza política en la que la gente pudiera creer, pero mientras Pablo Escobar viviera no sucedería. Pizarro se convirtió en candidato a la presidencia con un gran apoyo popular, pero Pablo lo mantenía chantajeado y extorsionado. Escobar tendría un idiota útil en la presidencia o en el cargo que alcanzara, en alguna componenda política. Creo que Pizarro fue otra de las víctimas del narcotráfico. Era un hombre con talante a quien le tocó optar por ahí, quizás, por la falta de plata y en contra de su voluntad. Es que el dinero del narcotráfico destruye y corrompe lo que sea. Siempre aparece cuando se necesita y surge como por arte de magia.

La muerte de Carlos Pizarro fue una ejecución extrajudicial, que tuvo que hacerse para conservar un país. La perdición del M-19 fue Pablo Escobar, como lo fue el comunismo para el otrora liberal Manuel Marulanda, el comandante de las FARC. Mire cómo es la vida. Cuando él comenzó, su primera organización se llamaba "Autodefensa".

Suspendamos ahí, periodista. Más adelante contaré cómo fue el operativo de la muerte de Pizarro, uno de los más duros pero limpios que he realizado en mi vida.

Apagué mi grabadora y Castaño se marchó agotado hacia su cuarto. Yo quedé de una sola pieza. Durante el relato reservé las preguntas para después y no lo interrumpí porque cada dato, cada nombre que aparecía era una revelación para el país y su vergonzoso aparato judicial. Mi silencio, producto del asombro que me embargaba, tenía una explicación. Acababa de conocer la confesión sobre uno los secretos mejor guardados de Colombia en los últimos quince años. Tomé lo que quedaba de mi café y caminé lentamente hacia la escalera que conducía a una pequeña terraza improvisada sobre el techo de un tanque de agua. Desde allí se divisan las incontables montañas de Antioquia. Me senté en una banca de madera y comencé a atar cabos: antes de iniciar las veintiocho horas de horror en la toma del Palacio de Justicia, el seis de noviembre de 1985, el maestro Reyes Echandía era hombre muerto; la invaluable vida del presidente de la Corte Suprema de Justicia ya se había negociado entre Pablo Escobar y Carlos Pizarro. *"Un millón de dólares valía la cabeza de Reyes Echandía",* confesó Castaño.

Por consiguiente, el inolvidable jurista no murió por el fuerte operativo militar del Ejército contra los guerrilleros o la falta de negociación del gobierno del presidente Belisario Betancur. Tal vez los otros once magistrados titulares y los seis auxiliares que perecieron en la toma se hubieran podido salvar con un manejo distinto de la desafortunada acción guerrillera. Lo impresionante es que esta versión concuerda con la del hijo del presidente de la Corte, Yesid Reyes, a quien consulté para obtener otra fuente y constatar lo dicho por Castaño. Semanas después de la muerte de su padre, en el trajinar de su vida laboral como penalista, conoció la misma historia proveniente de otro de los testigos de aquella triste alianza.

"Cómo cambia la historia con el transcurrir de los años. Cuántas personas deben morir. Cuántas heridas tienen que sanar y en qué magnitud debe cambiar el país para conocer toda la verdad," pensé. Antes de tomar el último sorbo, observé lo que restaba de mi café, resuelto a continuar con mi trabajo y convencido de lo injusto que es ocultarle al país tantos sucesos, especialmente en los que fallecieron personas inocentes. Bajé de la terraza. El desayuno estaba listo y Castaño, acompañado de su novia, me esperaban en la mesa.

—¿Ahora nos desplazaremos a otro sitio o vamos a seguir hablando aquí? —le pregunté.

—No. Visitaremos una oficinita que tengo en el pueblo. Ahí están los muchachos de las computadoras con Internet donde contesto correos y leo la prensa. *Yo casi nunca duermo en un mismo lugar. Siempre paso la noche en una casa distinta. Atenderé una reunión cerca y partiremos más tarde para Córdoba en un vuelo corto en helicóptero. Justo lo que necesitamos para llegar donde los suegros. Ya estamos en todos los preparativos de la boda.*

—¿Dónde se llevará a cabo el matrimonio?

—*En una finquita. Será una ceremonia pequeña, sólo con los amigos.*

—Cumbre de comandantes aunque de civil y encorbatados, me imagino.

—*Correcto, correcto* —repitió, mientras su novia le dijo con voz dulce y consentida:

—*Amor, acuérdate de que necesito ir a Medellín a medirme el vestido.*

—*No hay problema, mi vida. Le pediremos a Montadorcito que te lleve al aeropuerto.*

No resistí las ganas de hacer una pregunta de farándula:

—¿Y qué tal el vestido?

—¡Divino! —exclamó emocionada. Es blanco, largo y entallado al cuerpo; sencillo y diseñado por Silvia Teherassi.

Kenia se paró de la mesa y Castaño cambió de tema. Durante nuestras conversaciones, saltábamos de una historia a otra. *"Los recuerdos van y vienen, no hay que dejarlos escapar"* decía Castaño. Nos concentramos de nuevo en la muerte de Carlos Pizarro.

—*Por un caso como el de Pizarro no me condenarían si no lo confesara. Y le digo una cosa, si la historia se repitiera y las circunstancias fueran idénticas, yo volvería a actuar de la misma manera. Para mí, aquella fue una verdadera acción patriótica. Cómo se hubiera enrarecido Colombia con un presidente de Escobar, y Pablo bien amigo de la guerrilla. Esto amenazaba con desaparecer el orden institucional.*

Yo nunca había visto un enemigo más esquivo y astuto para impedir un atentado en su contra que Pizarro.

Era muy difícil ejecutarlo. Anduvimos tres meses siguiéndolo, y varias veces estuvo a punto de morir. Intenté atacarlo en el aereopuerto, dentro de una marcha en plena calle y en el Congreso de la República. Allí logramos entrar la subametralladora cuatro veces pero no se dio la ocasión.

Yo dije: "Este hombre es muy sagaz". Me detuve a pensar y busqué alternativas para la ejecución: "¿Dónde me matan a mí? ¿En qué lugar soy vulnerable?"

"¡Bendito sea mi Dios!. Claro, ¡en un avión!".

Calculé hasta el más mínimo detalle, pues no podía, de ninguna manera, arriesgar la vida del centenar de pasajeros que viajarían con él. Cité a dos pilotos privados con experiencia y les pregunté a qué altura estallaría un avión si se disparaba desde el interior. Asombrados, me contestaron: "El avión despega y comienza su presurización progresiva. Al alcanzar los primeros mil pies de altura, continúa presurizándose, y al superar los quince mil pies, se torna en una bomba de aire, como las de colores de las las fiestas infantiles que con perforarlas con un alfiler, explotan.

La clave era calcular cuánto tiempo tenía el "comando" para ejecutar la acción apenas despegara el avión. Concluimos con los especialistas que el momento preciso era a partir de que los avisos luminosos que le permiten a las personas ponerse de pie, se apagaban. Aún no había presurización. Nos daban cinco minutos para ejecutar la acción. Si nos pasábamos, el avión explotaría.

El arma, una metra Mini Ingram, calibre 380, la entró un civil por la salida de los vuelos nacionales del aereopuerto El Dorado. Se consiguió una escarapela que lo identificaba como mayor de la Policía Nacional. Al portero, con voz autoritaria, sólo le dijo mostrando el carnet: "Voy a esperar a un personaje". Se escogió esta arma porque si se le limaba el mecanismo disparador, la ráfaga saldría sin cadencia. Es decir: rraaaaaas y no, ta, ta, ta, ta.

Yo tenía interceptados los teléfonos de los escoltas de Pizarro. Los guardaespaldas del "M" eran los más "hablantinosos". A las diez de la noche, uno de ellos le informó al otro sobre un cambio de vuelo y que viajarían hacia Barranquilla. A las doce de la noche, yo verifiqué el último casete de la Empresa de Teléfonos de Bogotá y me enteré del nuevo itinerario. Esa mañana, madrugamos al aereopuerto y se compraron cuatro pasajes para Barranquilla. El vuelo se retrasó unos cuarenta minutos y como la aereolínea asignaba las sillas, pedimos que nos dieran de la fila uno a la ocho donde siempre viajaban los personajes. Los cuatro muchachos del comando quedaron dentro de las diez primeras filas.

Cuando mis hombres llegaron al segundo piso y pasaron los controles de la salida de vuelos nacionales del aereopuerto El Dorado, el falso mayor de la Policía subía las escaleras que más adelante unen la salida de pasajeros con la llegada. Entró en el baño más cercano al abordaje y allí esperó al jefe del comando. Le entregó el arma, quien a su vez se la dio al encargado de ejecutar la acción militar en el avión. Este se la escondió en la cintura. Cuenta el jefe del comando que el muchacho parecía tan seguro de su misión que se le veía dar pasos largos hasta llegar al avión.

Yo me encontraba en el aereopuerto y desde el gran ventanal del segundo piso observaba el avión. Escuchaba por radio la última entrevista que Pizarro concedió desde el carro o desde un lugar muy privado en el aereopuerto, que nosotros aún no detectábamos. La entrevista se llevó a cabo con Caracol Radio, cuyo director, Yamid Amat, al terminar, le dijo: "¡Suerte, comandante!". Pizarro no contestó nada y, después de ese silencio, Yamid le dijo: "Cuídese". Al saber lo que pasaría, sólo susurré: "Caramba, como si lo presintiera. Así son las cosas de la vida".

Pizarro entró en al avión sonriente, saludó a los pasajeros y se sentó con su escolta adelante. Subió también un miembro de la tripulación que después de discutir en vano con los guardaespaldas la inconveniencia de que viajaran armados, optó por permitir que volaran "pero en las sillas de atrás". El jefe del comando se inquietó, pues la acción tenía que ser milimétrica y aquello podría cambiarlo todo.

Yo entrené al muchacho que realizó la acción. Con sillas de plástico, lo situé como si estuviera en un avión. Lo hice parar, caminar y después, disparar con precisión. Se quemaron centenares de tiros. Todos con la misma arma.

Al apagarse los avisos, el jefe operativo se pondría de pie, entraría al baño y luego se devolvería armado para atentar contra Pizarro que estaría en la primera o segunda fila. Allí se había sentado en todos los vuelos que le hicimos inteligencia. Sin embargo, con el cambio de sillas todo se replanteaba. El jefe del comando pensó en levantarse y decirle a su compañero que hiciera exactamente lo mismo pero en el baño de atrás. Ya no se tomaría un minuto sino tres y la vida de los cien pasajeros correría peligro. El muchacho, a pesar de estar en ventanilla, realizó la operación de manera mecánica. Se apagó el color rojo y amarillo de los avisos —prohibido fumar y ajustarse los cinturones— caminó hacia el baño de atrás asegurando con su mirada a Pizarro. Alistó el arma, respiró profundo y oró por la patria. Salió de allí y en segundos ejecutó a Carlos Pizarro.

La escolta de Pizarro lo dio de baja de inmediato. No se contaba con que a Pizarro le permitieran llevar armas en vuelos comerciales. El final de la operación hubiera sido distinto si al morir Pizarro, los demás miembros del comando se hubieran tomado el avión, simulando portar granadas.

El muchacho que ejecutó a Pizarro hubiera controlado a la tripulación para dirigirla a una pista que ya se tenía preparada para la fuga. Yo sé los detalles de lo que pasó porque del comando sobrevivieron tres. Uno murió después en la guerra de los PEPES contra Pablo Escobar, en la liberación de un secuestrado; y los otros dos hoy hacen parte de la Autodefensa.

Cuando vi el avión de regreso, me volvió el alma al cuerpo y recé un Padre Nuestro. No conocía el desenlace pero estaba seguro de que había pasado algo y que las vidas de cien personas estaban a salvo al aterrizar la aeronave. Si les hubiera sucedido algo malo, yo era más peligroso que Pizarro. Al conocer que había muerto, pensé: "¡De lo que se salvó Colombia!".

Días más tarde, me enteré de la reacción de Pablo Escobar. "Mataron a quien iba a salvar a este país. Se morirán los candidatos de esta hijueputa oligarquía," *dijo.*

Vamos a la oficina y le voy contando cómo son las cosas de la vida. —¿Amor, estás lista? —preguntó.

—Ya voy —dijo Kenia. Salió del cuarto con Lolita, una perrita french poodle que siempre los acompaña.

Castaño clausuró el caso Pizarro con una reflexión:

—*Yo admiraba a Pizarro. Con decirle que en nuestra lucha civil antisubversiva nunca hicimos nada en contra del M-19, sólo contra las guerrillas comunistas del EPL, el ELN y las FARC. Cuando yo cursaba segundo de bachillerato en el colegio León de Greiff, en Medellín, seguía paso a paso las noticias del "M" y me gustaban. ¿Quién no iba a querer una guerrilla que se robaba leche para regalarla en los barrios marginales de Bogotá? ¡Eso era una belleza, hombre! Cuando se robaron la espada de Simón Bolívar, yo cogí una tiza y escribí tres veces en el tablero: M-19, M-19, M-19. Pero mire el cambio que dio el "M", para terminar en negocios con Pablo Escobar.*

Luego de un corto trayecto por carretera sin asfalto, llegamos a la humilde casa de bareque donde temporalmente se ubicó su oficina. Nos esperaba Leonardo, el encargado de las relaciones públicas. Saludó y le entregó a Castaño más de veinte hojas con los correos electrónicos de los comandantes que habitualmente le escriben; los de sus amigos; o los de sus hijos, a los que llama "mis mandrilcitos". Recibe también los correos de los "simpatizantes interesantes", como se refiere a las personas que por el contenido de sus mensajes, ameritan una respuesta suya. Cada mañana les escribe a jóvenes universitarios, adultos y hasta a algunos críticos de su organización.

Nos sentamos frente a dos computadoras personales y una pequeña impresora.

—¿Es muy importante para usted el Internet? —le pregunté.

—*Es mi frente de guerra más importante. Representa más para la Autodefensa que para la guerrilla. Nosotros no habíamos tenido la posibilidad de que se nos escuchara internacionalmente para decir algo distinto a lo que predican las FARC y el ELN con sus ONG de izquierda y sus amigos en Europa. A pesar de secuestrar civiles, volar oleoductos y realizar masacres, ellos siempre han sido tolerados por una parte de la clase dirigente europea y así han logrado transmitir su versión. Las FARC movió todas sus fichas para impedir la salida de nuestra página web —colombialibre.org—. Lo hizo con la guerrilla institucionalizada e infiltrada en la Fiscalía. Nos cerró oficinas y nos bloqueó dos veces nuestro servidor. Nos fuimos para Venezuela y allí también nos obstaculizaron. En México logramos ponerla a funcionar, pero las FARC contrató unos hackers expertos y nos la bloqueaban de nuevo. Finalmente, logramos abrir dos servidores espejo en Norteamérica y Europa. Sólo así logramos mantener la página.*

Yo tuve un año en el que navegaba por la red día y noche, escribía a las universidades y centros de estudios políticos. Entraba a los chats y algunas personas nos prestaban atención, otros nada.

—¿Y qué decía usted en los chats?

—*Algunas veces me presentaba: "Soy Carlos Castaño, comandante de la Autodefensa". Y no llamaba la atención. "Somos la resistencia civil armada"—decía. Me contestaban: "¿Qué te pasa, tío? ¿Estás en la España del 39?"*

Poco a poco cultivamos amigos, intelectuales y simpatizantes en Francia, Argentina, Canadá, España y Estados Unidos. Sin darles muy duro a los guerrilleros, les explicaba cómo era la guerra en Colombia, desvirtuaba a la guerrilla con sus actuaciones y luego los invitaba a mi página web.

Nos interrumpió Leonardo, que dijo con sumo respeto:

—Señor, ya está abierto su correo personal.

Castaño se concentró en la computadora, mientras Kenia y yo leíamos artículos de prensa del día. Al hombre de las relaciones públicas se le notaba la presión cuando cometía pequeños errores sin sentido, lo que demostraba que aquí, más que en cualquier otro sitio, Castaño era perfeccionista. Por un error de ortografía en un comunicado, una respuesta insegura o una demora en actualizar la página web, Castaño reclamaba fuertemente:

—*Leonardo, usted es mi amigo y tiene mi confianza, pero de su parte sólo me sirve la excelencia. ¿Estamos?*

Luego se le acercaba y le comentaba con fraternidad y sin rencor:

—*Hombre, haga bien las cosas y no me ponga atención. A mí me hace falta discutir con alguien todos los días.*

. Al final del almuerzo, llegó el comandante del Bloque Metro, con quien habló en privado. Después, Castaño se acercó y me presentó a Rodrigo 'Doble Cero', como acostumbra introducir a sus comandantes, de manera protocolaria:

—*Rodrigo es el comandante del Bloque Metro y miembro del Estado Mayor de las Autodefensas Unidas de Colombia.*

No pudo evitar sonreír al relatar cómo fue su llegada a la organización:

—*Es el único hombre de la Autodefensa que ha sido reclutado por mi mamá.*

'Doble Cero' no perdió tiempo en rectificar lo que comentó su comandante:

—*Lo que sucedió fue que cuando yo era teniente del Ejército, conocí a doña Rosa primero que a Fidel y a Carlos.*

—*Eso fue en Amalfi, mi pueblo. El hombre le hacía inteligencia a mi mamá cuando ella lo invitaba a tomar "el algo". Él dice que no, trata de negarlo, pero...*

Castaño no lograba evitar la gracia que le producía el comentario sobre Rodrigo, que replicaba:

—*No. Yo sólo pasaba por ahí y ella, muy amable, me invitó. En ese tiempo no se oía hablar de los Castaño. Solamente era curioso que unos civiles tomaran las armas para enfrentarse a la guerrilla.*

Carlos Castaño se adelantó a contar detalles sobre el ingreso de Rodrigo a la Autodefensa.

—*Él llegó a la organización hace mucho tiempo. En 1985 comprendió que el Ejército no conseguiría ganarle la guerra a la guerrilla, porque las leyes ponían en desventaja a las fuerzas armadas ante un enemigo irregular. Pidió la baja y se marchó a Medellín.*

Un mayor retirado del Ejército, que trabajaba con nosotros y había sido superior de Rodrigo, nos lo recomendó. En esa época aún no se había decretado la ilegalidad de la Autodefensa armada. Teníamos amistad con el Ejército, que en parte nos había entrenado. Fidel recibió a mucho militar retirado y Rodrigo fue uno de ellos. Comenzó siendo escolta de mi hermano y hoy comanda mil quinientos hombres armados, más la red urbana de Medellín. Es uno de los hombres que me permiten dormir tranquilo, en caso de que algún día yo no amanezca vivo.

—El helicóptero llegará en menos de una hora y debemos alistar el equipaje, para llegar a tiempo al sitio acordado.

De forma apresurada cerré mi morral, pensando: "Ya habrá otra oportunidad para entrevistar a Doble Cero".

Castaño recibió una llamada telefónica que sería larga por la forma en que comenzó a hablar:

—Mi querido amigo, cordialísimo saludo.

Me acerqué a Rodrigo y él me preguntó:

—¿Cómo le ha ido con el Pelao?

—Muy bien —le contesté. Hemos avanzado en muchas historias, pero aún falta bastante.

—Yo compartí mucho con Fidel; más que con Carlos. Fidel decía: "A ese lo van a matar por ahí rapidito. Ese no dura; es muy loco". Y ahí está. Yo estudié en la Escuela Militar y llegué a ser teniente del Ejército. Hoy mis compañeros de curso son militares de alto rango. Pero el Pelao es a nivel militar urbano lo máximo que yo he visto y conocido. Cómo será que Pablo Escobar le tenía miedo a esa capacidad de Carlos. Él sabía que Fidel no era el mando operativo.

Castaño terminó su llamada como más le gustaba hacerlo:

—¡Excelente, excelente! No me llame para nada. Usted lo está haciendo muy bien. Dedíquese a darme sólo buenas noticias. Mil gracias, mijo... Bueno, mano.

Colgó y me dijo:

—Nos vamos

En segundos se montó en la camioneta rumbo a una pequeña cancha de fútbol. A las dos de la tarde aterrizaría un helicóptero Bell Ranger de su flotilla aérea.

Arriba, la finca La Blanquita; centro, la casa donde nacieron todos los hermanos Castaño Gil; abajo, el cuarto de Carlos Castaño.

III

EL SECUESTRO DE MI PADRE

El abordaje en el filo de la montaña fue mudo y a señas por el ruido constante del aparato. El piloto nos saludó con un gesto y agitó sus dos manos señalando la puerta por la cual debíamos subir Kenia, H2 y yo.

Castaño viajaría adelante y los morrales en el maletero. Abrió la puerta, me pasó su fusil Galil y un morral verde que nunca lo desampara, donde carga documentos, e-mails, un paquete de papas fritas, una minigrabadora de mensajes y el libro *La diplomacia* de Henry Kissinger. Al lado de los mapas, entre el asiento del piloto y del copiloto, puse su morral personal. Dejé el fusil en el piso. 'H2' se acomodó con otro Galil apoyado en sus piernas y Kenia cargó a Lolita. Parecía estar todo listo para despegar, cuando apareció por la carretera un campero Mitsubishi rojo que atravesó raudo la cancha hasta llegar al helicóptero. Castaño mostró una actitud que reflejaba la importancia de lo que allí venía y bajó a recibir la encomienda: tres bolsas de polietileno de rayas azul claro, repletas de dinero. Cada una pesaba no menos de diez kilogramos y traían en fajos de veinte mil pesos la no despreciable suma de 750 millones de pesos; unos 300 mil dólares que terminaron a mis pies al abrirse nuevamente la puerta. Recibí la singular encomienda y logré organizar rápidamente las tres bolsas repletas de billetes, de tal forma que no me incomodaran durante el viaje. Los talegos estaban tan llenos que al despegar el helicóptero, algunos fajos se cayeron, armando un desorden de millones.

Sobrevolábamos a más de seis mil pies de altura, cuando él me miró y señaló hacia el techo donde sobraba un juego de audífonos verde claro. Al ponérmelo, oí a Castaño en sonido monofónico:

—¿Me escucha bien?

—Fuerte y claro.

—*Esas bolsas son el pago de 250 fusiles que le vendí a 'Botalón', el comandante de las Autodefensas de Puerto Boyacá. Es uno de los lotes de armas que ingresamos al país hace quince días. ¿Recuerda que se lo comenté cuando nos vimos la primera vez en la escuela de comandantes?*

Cómo no recordar una de las razones por las que estaba eufórico la tarde que nos conocimos. Castaño había logrado ingresar al país 4.500 armas camufladas en costales de trigo. Los fusiles venían por partes y sus hombres los armaron en un caserío cercano a la playa donde los dejó el barco. Entraron en total tres mil fusiles Ak-47, calibre 5.56; quinientas ametralladoras M-60, trecientos lanzagranadas MGL, quinientos lanzacohetes RPG-7 y doscientas ametralladoras PKM tipo comando.

La venta y distribución entre los compradores ya había comenzado. Duró sólo quince días. Las ACCU, lo que Castaño considera las tropas de su casa, se quedaron con el setenta por ciento de las armas. El vuelo continuó y Carlos Castaño debatió de manera amistosa con el piloto la mejor ruta a seguir. A medida que avanzábamos, Castaño demostraba una de sus habilidades innatas: su capacidad de ubicación. Reconocía cada diminuto pueblo o caserío que se divisaba desde el helicóptero. Parecía un geógrafo. En ese momento recordé que la euforia de aquel día en la escuela de comandantes estaba más relacionada con la forma como entró las armas. Esto le producía tanta satisfacción que hasta me mostró la fotografía del barco que compró para transportarlas desde Centroamérica hasta una solitaria costa colombiana.

Para mí, su alegría no correspondía a la triste responsabilidad histórica que le recaía, al ingresar 4.500 fusiles a un país en guerra. Por muy espectacular que hubiera sido la operación como tal, no existían motivos para estar eufórico. Mi preocupación se evidenció, no sólo como periodista sino como ser humano, por la forma cómo se podía incrementar la violencia, y un halo de tristeza se reflejó en mi rostro. Castaño lo notó.

—*No crea que es fácil para un hombre sensato ingresar 4.500 armas. Fue una determinación dura. Los entregué con el dolor de saber que eran necesarios. Yo podía haber traído esos fusiles a Colombia en 1998. Los demás comandantes tenían conocimiento de que yo los mantenía enterrados en Centroamérica y que además sabía cómo ingresarlos. Con frecuencia* me presionaron para que lo hiciera. Por esa época, yo creía en el presidente Andrés Pastrana y en la posibilidad de que se firmara la paz. ¡Para qué entrar 4.500 fusiles al país, si íbamos a *vivir* en paz! Eso pensaba. Por esta razón aplacé la llegada de las armas, pero poco a poco me fui decepcionando del Presidente, y eso que mi papá decía: "Esto lo arregla un godito joven". En algún momento llegué a pensar que podría ser Pastrana, pero los hechos me comprobaron que el Presidente no pensaba en el país, sino en él.

Quien más ha fortalecido a la guerrilla colombiana en los últimos años es Andrés Pastrana. Por eso tomé la decisión de entrar los fusiles, con algo de miedo, le confieso. Hombres a quienes entregar 4.500 armas es lo que sobra. Lo difícil es encontrar comandantes que no los lleven a cometer excesos, descubrir gente que piense con serenidad de estratega, con un objetivo de paz y no de sangre en medio de esta guerra infame, no es fácil.

—Es una tarde de contrastes. ¿No le parece? —comenté.

—¿Por qué piensa así?

—Antes de esta conversación, usted hablaba con el director de la delegación para Colombia de la Cruz Roja Internacional CICR— ,George Comninos, —que le dijo insistentemente a lo largo de la reunión: "Comandante Castaño, busquemos la forma de no involucrar a la población civil en el conflicto". Y usted le respondió: *"Doctor Comninos, yo entiendo que su labor es tratar de salvar vidas, pero entienda que esto es un conflicto irregular y mientras haya una guerrilla irregular, existirá una Autodefensa irregular. Si las FARC y el ELN siguen utilizando métodos violatorios del Derecho Internacional Humanitario —DIH—, nosotros lamentablemente, no tenemos otra opción. Frente a mi tropa y sus comandantes me queda muy difícil evitarlo mientras mi enemigo no pare. La diferencia es que yo no la enfilaré hacia la gente imparcial; el que sea guerrillero o les ayude tendrá problemas con nosotros".*

—Yo sé para donde va su reflexión y le digo una cosa: la idea es que no se incrementen los excesos de manera proporcional al nuevo número de hombres, trece mil.

Mi mente regresó al helicóptero, pues ya parecíamos estar llegando y, como Castaño lo había anunciado, el vuelo fue corto pues el helicóptero se desplazó a ciento veinte nudos. Sobrevolábamos una casa campesina en uno de los tantos cerros que forman la zona aledaña al inmenso valle del Sinú, después de pasar los Llanos del Tigre.

Dimos sólo dos giros en espiral para aterrizar cerca de la casa que parecía más cómoda que la anterior. Era de concreto y la rodeaban varios kioscos de paja. Durante el viaje me sorprendió la forma en que Castaño se refería a las regiones que atravesábamos.

—*Ahora entramos en territorio liberado de guerrilla, zona de Autodefensa.*

Transcurrieron más de quince minutos y seguimos en *"zona nuestra"*, como él se refiere a las tierras donde la autoridad en la sombra es la Autodefensa. Más adelante, yo entendería su pasión por las zonas liberadas, al comentarme Hernán Gómez, uno de sus amigos y formadores intelectuales, que Castaño había alcanzado el nivel de líder y de militar serio, cuando dijo: *"Yo no pienso en propiedades, yo pienso en regiones. No tengo políticos subalternos, y no importa el que gane. El que sea elegido tiene que tenerme en cuenta".*

La finca donde aterrizamos constituye una de las principales oficinas de Castaño, desde allí se maneja la actualización de la página de Internet. La casa cuenta con aire acondicionado y una cómoda habitación en una de cuyas paredes se encuentra colgada una foto de Castaño con un niño y una niña.

—¿Los de la foto son sus hijos? —le pregunté.

—*Sí, son mis mandrilcitos cuando estaban más pequeños. Ahora Carlitos tiene nueve años y María, la futura médica, cumple quince.*

—¿Y qué le dicen sus hijos al verlo inmerso en esta guerra?

—*El niño aún no entiende la dimensión del conflicto, y dice: "Espérate, papi, cuando yo venga y te ayude piloteando mi Kafir". La niña entiende un poco más y, por provocarme, me dice: "Deja ese paisucho y vente para Europa". Un día Carlitos me preguntó: ¿Papi, los guerrilleros son malos? Yo le contesté: "Hay unos buenos y otros malos. Por eso estoy metido en esta guerra, hijo".*

Era el momento justo para retomar la historia de Carlos Castaño desde su infancia y resolver con detalles el gran interrogante: ¿Dónde comenzó todo? Cuándo se convirtió la venganza contra la guerrilla de las FARC en una causa política, en una ideología en formación aceptada por trece mil hombres armados y algunos colombianos más que, a pesar de criticar las terribles masacres que han realizado y los desplazados que se les endilga, buscan protección militar en la Autodefensa, a la que reconocen como sus legítimos defensores ante los secuestros, los asesinatos, la destrucción y extorsión de la guerrilla, y además afirman que ellos en los zapatos de Castaño habrían actuado de igual forma. De todo se ve en Colombia.

—¿Comandante, le parece si nos devolvemos al secuestro de su padre?

—*Sí, ese fue el triste comienzo de todo. Es que si a papá no lo hubieran secuestrado y asesinado, seguro yo no estaría aquí liderando la lucha antiguerrillera. Yo puedo perdonar todo lo que ha pasado en estos veinte años de guerra, pero la muerte de mi padre, no. Los tiempos cambian y uno no sabe qué pueda pasar, pero mirar a los ojos al asesino del viejo, no sé... A veces lo veo como el culpable de todos los que yo he tenido que matar. Ese capítulo de mi vida aún no se ha cerrado, si no me devuelven el cadáver de mi padre. Hay tres hombres del secretariado de las FARC con los que yo nunca arreglaría en la vida, especialmente uno: el que dio la orden. Yo voy a ser la única razón para que ellos no lleguen donde quieren.*

—¿Quién es esa persona? —le pregunté.

—*¡No lo voy a decir! ¡Usted no debe atizar guerras; antes trate de apagarlas! Él sabe quién es. Por ahí me ha mandado razones con el ex ministro Álvaro Leyva diciendo que él no fue y que, además, estaba en la cárcel cuando sucedió.*

Yo sólo tenía catorce años cuando salíamos con mi padre de la finca 'La Blanquita'. Nos movilizábamos en un camioncito para Amalfi, mi pueblo, y de repente saltaron unos hombres del matorral hacia la carretera. Era la guerrilla con intención de parar el carro. Recuerdo que me dio terror. Pero mi padre me calmó al decirme: "Tranquilo, 'Carlito´seas'. No se preocupe, que esta gente no nos va a hacer nada". 'Carlito´seas' era un diminutivo que se inventó para hablarme. Después de pasar aquel retén sin problemas, le perdí el miedo a la guerrilla. Minutos más tarde, papá pronunció la única frase que yo le oí decir en contra de las FARC: "Estos son unos sinvergüenzas que no trabajan".

Me enteré del secuestro de papá en nuestra primera casa de Medellín, en el barrio Simón Bolívar, detrás de una manga en las afueras de la ciudad. Fidel, mi hermano, la construyó y una parte permanecía en obra negra mientras se terminaba un dormitorio privado para él. Fidel entró a la casa y subió rápido al cuarto de mamá. Doña Rosa pegó un alarido y después se le oyó decir a gritos: "¡Lo van a pelar, lo van a pelar, lo van a pelar!". En esa época "pelar" era sinónimo de asesinar. Pero para ella, el término era más viejo aún. En los años cincuenta, época de violencia partidista liberal-conservadora "pelar" era despellejar, y eso hacían de verdad con la gente. Subí a mirar qué sucedía, y mamá se agarraba de las cortinas mientras lloraba. A Fidel le costó trabajo apaciguar su dolor y cuando logró calmarla, salió y se me acercó para llevarme al primer piso y decírmelo: "Hermanito, esto está bien verraco. La guerrilla secuestró a papá y había que contarle a la vieja".

Fidel me contó con detalles lo sucedido y me tranquilizó: "Eso lo arreglamos. Aliste sus cosas que mañana nos vamos para Amalfi con su hermano Manuelito". Yo aún no me preocupaba porque mis hermanos eran amigos de la guerrilla, especialmente Manuel. Ramiro creía que la guerrilla no mataba a un secuestrado y además decía: "Sería bueno que mi papá diera alguna plática a la causa; uno o dos milloncitos; el viejo a ratos es tacañito". Es que Ramiro estaba influido por esa ola juvenil y romántica de la izquierda. Escuchaba Radio Habana de Cuba en la noche y hasta leía China Reconstruye, una revista comunista que llegaba a la casa. Cuando terminaba de leerlas yo las utilizaba para adornar mis cuadernos de religión, recortaba las fotografías de grandes plantaciones de arroz y las pegaba como un ejemplo de desarrollo y de fe, sin imaginarme que los que aparecían ahí eran comunistas ateos. Manuel anduvo con los guerrilleros del Cuarto Frente de las FARC. Inclusive fue amigo de Gilberto Aguilar, alias Montañez, uno de los comandantes. Manuelito nunca fue guerrillero, pero sí le gustaba hacer con ellos grandes travesías, visitar las minas desde Segovia hasta el sur de Bolívar o ir a pescar.

Es que le digo una cosa: secuestro de más amistad no ha existido. Cuando ellos iban de paso, mi padre los dejaba acampar en la finca 'El Hundidor'. Uno amanecía y ahí se veían los toldos, las carpas y las hamacas guindadas. Por la mañana se les daba leche, quesito y, de vez en cuando, de regalo, una novilla. ¡Es que a estos sinvergüenzas se les daba claro, guarapo y hasta revuelto! Al secuestrar a mi padre, sólo hubo irracionalidad y codicia, maldad.

Mi hermano Fidel tenía un bar en Segovia que frecuentaba la guerrilla y se llamaba 'Bar el Minero'. Al llegar los subversivos, él les decía: "Bueno, mis muchachos, me entregan las pistolas si se van a emborrachar". Fidel se las guardaba en el mostrador. Cuando las pedían para pelear, las ocultaba y los mandaba a dormir a un reservado que tenía el bar. Éramos amigos de los guerrilleros por la sensibilidad social que trataban de inculcar, pero, viéndolo bien, esa era otra guerrilla, algo idealista.

La familia Castaño no era rica. Todos nacimos en la finca 'La Blanquita' de doscientas cincuenta hectáreas en tierra fría y. dos animales por cada tres hectáreas, lo que no sumaba más de 150 animales. Uno admira al viejo que madrugaba para sostener doce hijos. Su única ventaja era que sólo requería comprar la sal porque en la finca manteníamos gallinas y cuando una res se quebraba una pata, nos quedaba carne para mucho tiempo. Teníamos vacas lecheras, se hacía mantequilla y queso. La quebrada que pasaba cerca era cristalina y uno podía pescar; la caza de guaguas, armadillo y conejo era normal. Eso sin contar los cultivos de pan coger, plátano, fríjoles y yuca. Mi padre tenía el concepto de que entre más hijos engendrara más personas trabajarían para el bienestar de la familia, parecido a Mao Tse-Tung, quien decía: "Entre más chinos, más grande será la China". Los hijos eran un instrumento, con la diferencia de que en casa se respiraba mucho amor y una profunda fe católica.

Papá sólo pudo disfrutar de un corto despegue económico cuando Fidel llegó de Medellín y le compró la mitad de la finca. Años más tarde, lo convenció de que dejara esa tierra fría y pobre de Amalfi. El viejo vendió y se fue con Fidel a comprar una tierra cerca de Segovia, zona minera y de clima caliente, donde el dinero se veía circular. La nueva finca se llamaba 'El Hundidor'. En dos años mi padre logró levantar más de 600 reses y su ganado era apetecido. Rápidamente duplicó el capital labrado con dificultad en cuarenta años de trabajo en Amalfi. Comerciaba con ganado. Lo compraba en la mañana y lo vendía en la tarde. Al ritmo que trabajaba el viejo en la hacienda, iba a crecer mucho. A pesar de ser el dueño de la finca, hacía las veces de mayordomo. Él mismo capaba los novillos y los vacunaba. Trabajaba en 'El Hundidor' desde las seis de la mañana hasta las cinco de la tarde. Lo único que no hacía era coger una rula o un machete.

Cuando tenía 'La Blanquita' en Amalfi, trabajaba de lunes a viernes la finca y en la tarde se regresaba en su yegua, la más linda del pueblo. Un taparo comparado con un caballo de paso. En la plaza central, al lado de la carnicería de don Efraín, su gran amigo, me la entregaba para que yo la regresara a la finca. Recuerdo que la yegua se llamaba Emperatriz y era muy alta. A mi padre le tocaba subirme de un empujón. Él se reía mucho de mí cuando veía que yo tomaba una ruta más larga sólo para pasar por el frente de la escuela de niñas, que a esa hora salían. Pasaba en la yegua erguido y serio, sin mirarlas, pero convencido de que me veían todas las estudiantes de la Normal de Señoritas, especialmente la hija del alcalde, mi primera novia. Meses después, fui por primera vez a Segovia, y allí sentí pesar por papá. Vi como los nuevos ricos malgastaban el dinero, veía uno a esos borrachos darles fajos de billetes a esas putas. Como era zona minera, reinaban el licor y las mujeres. Mientras tanto, papá cuidaba los pesos que difícilmente ganaba en Amalfi. Recuerdo una singular forma de enseñarnos el valor del dinero: "Carlito seas, tome estos quinientos pesos y se los guarda en el bolsillo derecho y estos cinco pesos en el izquierdo. Los cinco se los puede gastar; los otros también: son suyos, pero no se los gaste". Nos dejaba los quinientos pesos quince o veinte días y cuando menos nos imaginábamos, se acercaba, los contaba y los pedía de regreso. Al final, sólo decía: "Hay que aprender a guardar la plata y a no malgastarla, muchachos".

Pero los días difíciles en Amalfi habían pasado ya. Vendimos la finca 'La Blanquita', aunque conservamos la casa; también la del pueblo.

Se completaban dos años de prosperidad en la tierra de Segovia y comenzamos a pensar que íbamos a ser ricos, pero nos llegó la tragedia y detuve mis estudios. Hice hasta primero de bachilletaro en el Conrado González de Medellín y la mitad del segundo año de secundaria en el colegio León de Greiff.

El secuestro de mi padre se inició a las tres de la madrugada, cuando siete hombres armados llegaron a la finca 'El Hundidor' y se escondieron durante dos horas en un pequeño cañaduzal, detrás de la humilde casa hecha en cancel y tejas de aluminio. Todas las mañanas, al frente de la casa, en el corral cercano al río Bagre, cinco trabajadores ordeñaban noventa vacas para llevar la leche a Segovia. Cuando comenzaban labores, se oyó el grito de uno de los encapuchados que saltó del sembrado de caña: "Todos los que están ahí, quietos. Se me van ubicando en el rincón y ay del que se mueva".

Cuatro guerrilleros armados los amenazaban con fusiles M-14, y los trabajadores quedaron arrinconados en la entrada del corral hasta que un guerrillero se acercó y preguntó: "¿Quién es el encargado?" Miguel contestó: "Yo soy". Dos guerrilleros lo llevaron hasta la puerta de la casa para obligarlo a llamar a mi padre, mientras le apuntaban con un arma. Tocó la puerta y lo llamó dos veces: "Don Jesús, don Jesús..."

Él ya venía saliendo y se encontraba casi listo para empezar el día, sin saber que se convertiría en el peor de su vida. Se colocó en la cintura su habitual revólver Colt, calibre 32, le quitó el seguro a la puerta y, al abrirla cinco centímetros, desde afuera la extendieron a patadas mientras le gritaban: "¡No se mueva, manos arriba!". De inmediato se le tiraron encima, cual pirañas, dos guerrilleros. Lo derribaron y, después de desarmarlo y amarrarlo con cabuyas, le decían entre otros insultos: "Oligarca hijueputa".

Aura y Abraham, los dueños de un pequeño restaurante al borde de la carretera, fueron los últimos que vieron a papá. Doña Aura le conocía los itinerarios y le pareció extraña la hora y la velocidad con la que apareció la camioneta. Eran las seis de la mañana cuando le dijo a su esposo: "Abraham, mira la camioneta de don Jesús con un montón de gente atrás". "Deben ser unos pescadores," le contestó él.

Aura sentía que algo extraño pasaba; don Jesús no acostumbraba a transportar tanta gente en su carro.

En ese mismo vehículo se lo llevó las FARC la mañana que lo secuestró. Cuenta doña Aura que luego vio que lo transportaban amarrado de pies y manos. A ella se le encharcan los ojos cuando evoca ese momento: "Estaba oscurito y reconocí la camioneta de don Jesús. Por ahí no entraba sino él, pero no a esa hora. El carro siguió avanzando y yo me salí hasta el comedor del restaurante, cuando vi que a don Jesús lo traían sentado en la mitad del platón de la camioneta y cuatro hombres le apuntaban con fusiles. Él era un señor fuerte, rozagante, pero lucía pálido, no creo que su color fuera de susto sino de rabia porque era un hombre serio y caballero pero muy temperamental. Adelante en la cabina de la camioneta se acomodaban tres más. Yo vi pasar a don Jesús amarradito, con las manos atrás. Vestía una camisa blanca y pantalón azul claro. Se veía que le habían apretado los pies también. Él ni me miró. Seguro no quería comprometerme. Al rato, llegó un muchacho, Javier, muerto del susto, pidió una cerveza, se sentó y me dijo que había visto cómo a don Jesús lo bajaban de la camioneta y lo montaban a la brava, en un caballo de un señor Chamón, al que obligaron a prestar la bestia para enrumbarlo monte arriba. En la noche llovió y nosotros sólo nos preguntábamos: ¿Dónde lo tendrán? Nos resistíamos a creer que la guerrilla lo hubiera secuestrado, si en ese tiempo a él, como a todos nosotros nos tocaba colaborarles, y nadie les negaba nada".

A mi padre lo condujeron a Lagartos, un cañón en medio de una zona montañosa, entre la vereda el Tigre y mi pueblo, Amalfi, en los infiernos, a siete días de camino. Es un lugar hostil e inhóspito. No tuvimos noticias de él en semanas hasta que apareció la primera boleta, que se la entregó Paturro a mi hermano Fidel.

José Tobón, alias Paturro, un hombre prestante en Remedios, Antioquia, nos ayudó a negociar el secuestro de mi padre; pero después nos enteramos de que no sólo mediaba, sino que facilitaba los plagios y hasta iba en un porcentaje de lo que pagaba la familia del secuestrado. Paturro está vivo y, paradójicamente, acaba de salir de un secuestro de las FARC. Mal paga el diablo a quien bien le sirve. No lo maté porque era un viejo zalamero y consentidor. Se ganó a mi mamá y a mis hermanas. Mi familia no me lo perdonaría. Si por ellos fuera, no se ejecutaría a nadie. Pero es bueno que por lo menos en la historia quede registrado el tipo de persona que fue. Se lucró no sólo con el secuestro y la muerte de mi padre, sino también con el de un importante joyero de Medellín.

Al regresar a nuestro pueblo, Amalfi, la vida nos cambió para siempre. Nosotros no asociábamos a la guerrilla con gente mala, nuestra visión de ellos dio un giro radical.

Fidel buscaba desesperado los primeros veinte millones de pesos que le pedían las FARC. Mi padre se comenzó a enfermar durante el cautiverio. Sufría problemas de gastritis, pues había decidido no comer nada y no hablar con sus captores. Duró meses sin pronunciar una palabra. Durante el secuestro vomitó seguido y padeció una intensa gripa. A finales del mes de agosto, dos meses después del secuestro, mi hermano completó el primer pago y, confiado, le entregó a las FARC el dinero. Fidel acariciaba la posibilidad de tener pronto a mi padre de regreso. En este rescate todos sus amigos colaboraron con dinero. Era el primer secuestro que se veía en Amalfi.

Pero transcurrían los días y no sonaba el teléfono. Paturro tampoco daba razones. Hasta que llegó la segunda boleta. Las FARC pedían cincuenta millones de pesos más por el rescate de mi padre. Con esta respuesta, Fidel presintió que la situación tendía a agravarse: "Aquí van a secuestrar a alguien más de la familia. La guerrilla tiene gente en las ciudades y en los pueblos", dijo.

Fidel no tenía ese dinero. Sin embargo, entre amigos y la Caja Agraria, obtuvo en un mes treinta millones prestados.

La guerrilla recibió el dinero por segunda vez en octubre y sólo hasta los primeros días de diciembre nos dio la fecha de entrega. Fidel intuía que *papá estaba muerto porque la segunda vez le pidieron una cantidad de dinero superior. Pero Paturro nos insistía en la efectividad del segundo pago y prácticamente nos prometió que papá regresaría para Navidad. Él consolaba a mi madre y nos llenaba de esperanza a todos.*

Yo recuerdo esos momentos y me da rabia. Paturro sabe que yo no lo quiero, y que agradezca que mi mamá está viva porque si no, yo lo "recojo...".

Fidel apostó que en esta ocasión sí lo devolverían. Creyó tanto que después de ese día, pleno de pesimismo, le oí decir: "Si pagamos treinta millones, gastémonos unos doscientos mil pesos en una fiesta para recibirlo". Se organizó una reunión con la familia y los amigos para recibir al viejo. Pero en el monte algo terrible ya había sucedido.

Mi padre decidió rebelarse y no caminar más. Ya no comía y continuaba enfermo. Cada día estaba peor. En ese instante se presentó una escaramuza entre ellos y un frente del ELN que bajaba por el río Arenas Blancas, una lamentable equivocación. Los guerrilleros del Cuarto Frente de las FARC creían que se trataba de un operativo militar y estimaban que nosotros teníamos alguna influencia. Presionaron al viejo a caminar pero él continuó rehusándose. Si le hubieran dado oportunidad, estoy seguro de que se les hubiera volado. Recuerdo que siempre decía: "Hasta que la última gota de sangre corra por las venas de uno, uno está vivo".

Los guerrilleros del frente se reunieron a analizar la determinación de mi viejo y le consultaron a un comandante guerrillero que hoy hace parte del secretariado de las FARC. Éste, de manera cobarde, no dudó en ordenar la muerte de papá por radioteléfono. Antes de ser asesinado, lo insultaron repetidamente con algo que para un campesino como él era imposible ser: "Oligarca hijueputa". Luego lo hicieron arrodillar y le metieron un disparo por la espalda. ¡Cobardes, asesinos a mansalva! Fue un tiro de fusil Mini-14, el más común en la época. El cuerpo lo dejaron ahí tirado; le echaron algo de tierra y unas hojas de maleza para taparlo a medias. Sólo un campesino que sembraba maíz en un tajo cercano, escuchó la escaramuza, los gritos y el disparo. En la tarde, movido por la curiosidad, caminó por la zona y logró ver el cadáver de mi padre boca abajo, con una herida mortal entre el pecho y la espalda. El viejo aún permanecía con las manos atadas. ¡Fue asesinado a traición!

Al día siguiente, cuando los guerrilleros de las FARC se percataron de que la escaramuza no había sido producto de un operativo militar, regresaron por el cadáver. Se lo llevaron con el único fin de negociar sobre el cuerpo frío de mi padre el segundo pago del secuestro. Manteníamos la ilusión de verlo con vida, pues nos prometieron que lo entregarían sano y salvo para Año Nuevo. Fidel pagó los treinta millones sin saber que mi padre estaba muerto. El viejo nunca llegó, y la fiesta se quedó hecha.

Pasaban los días y se hacía más fuerte el temor de estar tratando de rescatar un cadáver. Por eso Fidel reunió a los hermanos para decirnos: "Preparémonos para lo peor. Si no devuelven a papá, es posible que toque pelear con esta gente, y si hay que pelear, al que encuentren lo van a matar. La vida pública para los hermanos Castaño se acabó". *Luego supimos que la orden después del secuestro era acabar con los Castaño.*

El siete de febrero de 1980 llegó Paturro con la última carta de las FARC, ocho meses después del secuestro. Cuando Fidel la recibió en la mesa del comedor, la abrió y —ansioso— la leyó, pero rápidamente su rostro se enfureció y mantuvo la mirada fija en la hoja mientras la empuñaba en su mano para destruirla, arrugándola con los dedos. Tiró al piso la boleta y con la misma rabia tomó un lápiz y en una hoja de cuaderno escribió mientras decía en voz alta: "Nunca he tenido esa plata y si la tuviera algún día, sería para combatirlos a ustedes. Fidel Castaño".

Fidel nos ocultó la boleta, pero luego aseguró que pedían por mi padre cincuenta millones de pesos más. Ya se habían dado cincuenta y él intuía que papá ya estaba muerto. *Las FARC querían una excusa para no tener que darnos un cadáver.* Fidel le entregó la carta a Paturro y le dijo: "Tome y llévela. No hay nada más que decir".

Parte de lo que le cuento, lo supimos después de localizar al campesino que lo vio el día de su muerte. Nos trajo hasta el sitio donde lo vio sin vida, y no encontramos nada.

Hemos luchado hasta hoy para encontrar el cadáver de mi padre y todavía no descartamos la posibilidad de hallarlo. Si lo arrojaron al río Bagre, como dicen, ya no hay nada que hacer. Pero, al parecer, fue otro cuento que empezó a regar las FARC para que no lo buscáramos más.

Interrumpamos un momento. ¡Estoy seco! *Voy a tomar un poco de agua. No es fácil para mí contar esta parte de la historia.*

Visiblemente afectado, Castaño se paró hasta una pequeña nevera al lado del comedor. Regresó con dos botellas de agua en la mano y como quien quiere terminar de relatar algo que al evocar lo atormenta, dejó una en la mesa, se bebió la mitad de la otra y, sin mediar palabra, continuó:

—*Así nació nuestro problemita con la guerrilla; ahí comenzó la venganza de los hermanos Castaño. Nunca nos devolvieron el cadáver de mi padre, y durante esos meses las FARC regó el cuento de que por la carta de Fidel lo había asesinado. Pero nadie confirmaba la mala noticia y el cuerpo nunca apareció. Nuestra venganza duró dos años. Encontramos y ejecutamos a todos los que participaron en el secuestro. Sólo queda uno vivo.*

Durante el primer año fuimos una organización de espíritu exclusivamente vengativo, y cuando ya habíamos ejecutado a la mayor parte de los asesinos de mi padre, comenzamos a ser justicieros. La venganza como tal no conduce a nada. Pretendíamos también hacer justicia, lo que siempre ha faltado. No queríamos ver a otras familias sufrir la tragedia que padecimos con nuestro padre. Nos enfrentamos a la guerrilla a muerte. Decidimos proteger a la familia cercana: primos y tíos; posteriormente, comenzamos a preguntarnos: "¿Qué le puede pasar al papá de este amigo o de este otro que nos han ayudado tanto?" Descubrimos que existía un grupo de personas que defender; encontramos una causa.

Yo me olvidé del estudio y de mi sueño de ser profesor. Le ayudaba a mi hermano Fidel en el 'Bar Minero', cargaba canastas de cerveza, bajaba cajas y hacía el aseo. No era la primera vez que trabajaba. Cuando el precio de la leche bajaba, mamá hacía queso en la casa y yo recorría el pueblo vendiendo. Cómo añoro esa época de sueños hermosos.

Mi vida se partió en dos: antes y después del secuestro de papá. Ahora tenía un solo norte: encontrar a los secuestradores del viejo en la guerrilla.

Mi hermano Manuelito y mis primos Hernando y Panina no estaban. Fidel sólo me encontró a mí, me dio un revólver 38 recortado y me dijo: "Hermano, Conrado fue el guerrillero que secuestró a papá, el mismo que lo sacó de la finca. El juez penal lo va a soltar y no hay más de otra: ¡Lo vamos a matar! Nos corresponde en nombre de la auténtica justicia moral, actuar como jueces y aplicar el castigo: su ejecución".

Tres días atrás, habíamos denunciado a Conrado Ramírez, que se paseaba por el pueblo, vestido de civil con camisa y pantalón blanco, llevaba un sombrero barbisio de color negro y bebía desenfrenado en el bar 'La Cantina', al frente del almacén Singer, en la plaza principal de Segovia. Con mi hermano Fidel fuimos al batallón y le informamos al Ejército que de inmediato lo capturó y lo pusó a órdenes de un juez.

Fidel fue el primero en querer declarar en su contra, pero el juez lo inhabilitó con un rebuscado y absurdo argumento: "Usted es hijo de la víctima. Su declaración está viciada por el dolor y no sirve". *A mí sólo me dijo que por ser menor de edad no me podía tomar ninguna declaración. Buscamos a los trabajadores de la finca, a los mismos ordeñadores que Conrado amenazó con un fusil cuando secuestró a papá, pero tenían pavor de declarar en contra de un guerrillero. Las FARC controlaban la región y en Segovia la mayoría de los cargos públicos eran ejercidos por gente suya camuflada en los partidos políticos tradicionales. Conrado Ramírez había trabajado en la finca de mi padre y el día del plagio iba encapuchado, pero los trabajadores lo reconocieron. Nos juraban en privado que Conrado era uno de los responsables, aunque jamás lo dirían ante el juez, un reconocido militante de las FARC que se escondía en el Partido Liberal. Lo que yo bauticé como guerrilla institucionalizada. La ausencia de justicia fue el detonante de lo que sucedería horas más tarde: La primera ejecución extrajudicial de la Autodefensa en nombre de una auténtica justicia que no existe aún en Colombia, pues hoy los fiscales y jueces actúan por dinero o presiones políticas.*

Eran casi las seis de la tarde y ya estaba oscureciendo cuando dejaron libre a Conrado. Fidel y yo no íbamos a permitir que se escapara. Lo estábamos vigilando. Mi hermano cargaba una pistola y yo, el revólver 38 recortado. Dispuestos a vengar el secuestro de papá, lo seguimos hasta la calle principal del pueblo repleta de hospedajes, misceláneas y ventas ambulantes de ropa, en casetas instaladas al borde de la acera. El guerrillero entró a las residencias Fujiyama y de inmediato Fidel me dijo: "Carlitos, éste aquí se muere. Póngame atención. Yo me hago en la esquina de arriba y usted en la de abajo. Conrado tiene que salir en cualquier momento. Si sale para su lado, le toca a usted; si sale hacia arriba, a mí. ¿Listo?". *Fidel se acomodó y yo me ubiqué en la esquina que me correspondía. Tenía tanto miedo que me sudaban las manos, y en mi mente sólo repetía un deseo:* "Dios mío, que no salga para acá, que no salga para acá". *Afortunadamente caminó hacia el lado de Fidel. Mi hermano ejecutó al sinvergüenza esa la misma noche que fue dejado en libertad. Nos tocó correr mucho para escondernos, pero no tuvimos ningún inconveniente a la hora de volver. La muerte de Conrado le encantó al pueblo entero y a los militares, más. Trataron de investigar quién había sido pero todos guardaron silencio y algunos hasta lo celebraron. Como* sucedió en la obra maestra del teatro español del siglo XVIII *Fuenteovejuna*. Félix Lope de Vega relata cómo en el pueblo de Fuenteovejuna un hombre comete un asesinato en contra del enemigo de todos, y cuando la justicia les indagó a sus habitantes quién fue, contestaron todos a una, "Fuenteovejuna, Señor". Así sucedió con el pueblo de Segovia.

Quince días después, llegamos a la base del Ejército y nos convertimos en los mejores guías e informantes que tuvieron las fuerzas armadas anexas al Batallón Bomboná. Nos presentamos: un muchacho Vanegas, lamentablemente hoy preso, tres trabajadores de la finca, Fidel, mi primo Panina, H2 y yo. Como guías del Ejército, les empezamos a mostrar quiénes apoyaban a las FARC, dónde guardaban la munición, en qué lugar dormían los guerrilleros. En esa época posaban de civiles y guardaban el fusil en las casas, vivían en las afueras del pueblo y los llamaban guerrilla periférica. Con nuestros datos los capturaban y algunos lograron ser procesados. No sumábamos en la Autodefensa más de diez personas. En ese momento nuestra pequeña organización era legal y aún no era delito defender la propia vida en Colombia.

Nuestra venganza continuó después de la muerte de Conrado. Uno a uno fueron ejecutados los secuestradores de mi padre. Obtuvimos información que nos condujo a saber quiénes participaron de manera directa. La segunda ejecución fue la del negro Clemente, que se realizó en una carretera entre Segovia y la vereda El Cañaveral. La tercera fue la de un alias Mortiño, otro guerrillero que participó en el secuestro. La cuarta fue la de Miguel González. Este sinvergüenza era un trabajador de la finca de papá. Fingió no saber nada, pero desde tiempo atrás incitaba a la guerrilla para que secuestrara al viejo. Con su intención buscaba quedarse con la finca 'El Hundidor'. La quinta ejecución fue la de alias 'Maní', el vigilante de mi padre, aquel que más lo maltrató y le decía: "Oligarca hijoeputa".

La captura de un guerrillero nos conducía a otro, y poco a poco descubrimos lo que realmente sucedió con mi padre. Confirmamos que lo habían matado a sangre fría cuando pactamos con un comandante guerrillero la entrega de información clave. Gilberto Aguilar, alias 'Montañez', fue el comandante que decidió voltéarseles a las FARC y nos entregó a los demás secuestradores de papá. Montañez ingresó después a las filas de la Autodefensa y hoy está preso. Lo conocíamos desde que mi hermano Manuelito hacía caminatas juveniles y sin malicia con el Cuarto Frente de las FARC. Su testimonio fue fundamental para encontrar a los autores intelectuales, entre los que estaba Gilberto Gallego, el presidente del sindicato de trabajadores de la Frontino Gold Mine. Fue un caso muy sonado en aquella época. Gallego era dueño del teatro municipal donde proyectaban películas de corte comunista y allí, a la salida del teatro, en plena plaza se le dio de baja. Recuerdo que los sindicatos paralizaron a Segovia durante tres días. Luego vino la séptima ejecución, otro sindicalista gestor del secuestro de mi padre. Ellos eligieron a mi padre como un candidato para plagiar. ¡Así fue como nos arruinaron la vida!

Quedaron algunos que despavoridos, huyeron, pero a mí nunca se me olvida lo que hicieron. Por eso, cinco años más tarde, retuve durante tres años a la familia de otro de los gestores intelectuales del plagio. Al final decidí devolverlos porque todo indicaba que ya había muerto. Nadie sabía de él.

Otros tres guerrilleros que estaban el día que se llevaron a papá, murieron de viejos. A uno más lo mató las FARC por indisciplinado. El penúltimo lo vine a encontrar hace poco tiempo; le estoy hablando de 1995, casi 15 años después de la muerte de mi padre. El tipo era recluso de la cárcel de Bellavista, en Medellín, y no fue complicado ejecutarlo. Pusimos a un bandido a robar en el municipio de Barbosa, que ingresó por el techo de una casa efectuando el mayor ruido posible, se robó una plata. Pretendíamos que lo capturaran para enviarlo a la cárcel, pero la Policía nunca lo cogió y nos tocó mandarlo nuevamente a robar. Esta vez sí lo detuvieron. Logramos que lo mandaran a la prisión de Bellavista y pagamos 5.000 pesos para que lo cambiaran de celda. Allí cumplió su misión, aunque se le fue la mano: le metió treinta puñaladas al secuestrador. Como a los dos años, sacamos a ese muchacho de la cárcel.

Así transcurrieron los primeros años después de la muerte de papá. Iniciamos la respuesta a una guerra que nos desataron, y nuestro sentimiento antisubversivo creció antes que apaciguarse. Éramos unos pistoleros vengadores con una causa por la justicia. ¡Así de sencillo!

Estando con el Ejército nunca realizamos una ejecución. Preferíamos actuar de noche, y por la mañana amanecía un guerrillero muerto. Se buscaba ayudar a las Fuerzas Armadas. Es que yo le digo una cosa, si la sociedad ayudara sin miedo, con todo lo que sabe y ve, la autoridad legalmente acabaría con el flagelo que sea. Pero en Colombia no existe esa conciencia. Hay un egoísmo enorme entre los ciudadanos y una falta de credibilidad en la justicia. Cada quien defiende lo suyo, creyendo que la guerra no lo va a tocar, y la indiferencia de los cuidadanos la capitaliza la guerrilla. *Aquí no hay sentido de pertenencia por nuestra Patria, y eso es gravísimo. He aquí una de las grandes causas de la debacle y el descuaderne del país, como decía el doctor Carlos Lleras.*

Muchas veces se nos acercó un policía o un cabo para decirme: "¿Carlitos, ve a ese hombre en la esquina del cementerio? Es un guerrillero. No hay ninguna prueba contra él. Ustedes verán qué hacen". *Yo le contestaba:* "Si no hay policía ni ejército por aquí, yo mando a los muchachos". *Se coordinaba la acción y dos muchachos caminaban hacia la puerta del cementerio, y al salir el subversivo, lo ejecutaban. Al principio era así como funcionábamos, pero el método se fue perfeccionando con el tiempo para no cometer injusticias y tener la seguridad de que el muerto fuera realmente guerrillero.*

—¿Cuántos años tenía usted en ese momento, comandante? —le pregunté.

Castaño movió rápidamente sus pupilas tratando de recordar, pues para las fechas no tiene buena memoria y menos para recordar la edad exacta que tenía cuando sucedieron hechos trascendentales de su vida.

—*Cumplía mis dieciséis. Eso fue después de mayo, en el segundo semestre de 1982 para ser exactos.*

—¿Cuál fue la primera 'ejecución' que usted realizó directamente sin intermediarios?

"*Eso fue por esa misma época, en Remedios, Antioquia. Un primo hermano manejaba la inteligencia en el pueblo. La inteligencia en ese entonces era un güevón en bicicleta para arriba y para abajo, para ver qué escuchaba. Al verme llegar, mi primo me dijo:* "Hermano, anoche llegó Idelfonso. Llevaba veinte días en el monte y está ahora en la casa". *Idelfonso era hermano de uno de los hombres que secuestró a papá. Además lo andábamos buscando porque su casa era el sitio donde remitían las boletas de los secuestros, las extorsiones y los futuros atentados de las FARC.*

Yo había presenciado ejecuciones, pero no me había involucrado directamente como ejecutor. Además, Fidel no quería que me metiera en nada de eso, pues decía: "Cualquier guerrillero puede estar armado y te puede matar. Nosotros no podemos morirnos. Si nos matan, la causa se acaba y hay que vivir mucho tiempo". *Y a decir verdad, a mí no se me había ocurrido empuñar un arma para hacer una acción militar. Pero ese día no hubo forma de esperar. Me fui armado con un revólver Colt 32, largo, de cinco tiros. Mi primera intención no era ejecutarlo; quería espiarlo.*

Pasaba por el frente de la casa y justo en ese momento el tipo abrió la puerta y salió a la acera. Yo estaba en la mitad de la calle, en todo el frente de la puerta cuando el guerrillero me miró y, de inmediato, me reconoció. Él sabía que los Castaño los buscábamos.

Entonces gritó: "¡Mija, el revólver!" Mi reacción fue inmediata. Saqué el revólver y le disparé, fallé y al ver que no había acertado, pensé: "Este hijueputa me mata de aquí para abajo". Idelfonso entró nuevamente a la casa por el extenso y oscuro corredor que conducía a la sala, y yo ya iba en la puerta corriendo tras él. Cuando lo alcancé en el solar de la casa, estaba agachado sacando una rula. Lo del revólver era mentira. Recuerdo, como si fuera hoy, lo que le grité: "No creas que me vas a matar a traición y amarrado como a mi papá, hijueputa".

Con la rula en la mano, volteó y me miró aterrado. Yo le apunté a la cabeza y le metí un disparo en el cuello. El hombre dio dos pasos atrás y se recostó en la pared. Ahí le metí tres tiros más en la cabeza, los únicos que me quedaban. Era tanta la rabia, que le seguí martillando en seco con los ojos cerrados. Yo solo oía el tic, tic, tic.

Con los ojos aún cerrados, di la vuelta para salir. Sin embargo, le oí un ronquido, un ruido extraño, y pensé: "Éste se me va a parar". Lentamente giré la cabeza por encima del hombro para mirarlo y vi su rostro destrozado por los orificios de entrada y salida de los cuatro balazos.

La imagen fue horrible. Lo vi tan feo y desfigurado que entré en pánico y salí corriendo. Cómo sería el susto que al frente de la casa, y en plena calle, boté el revólver porque me estorbaba para escapar. Corrí, corrí y corrí sin parar. Pasé por las últimas casas del pueblo como un caballo desbocado durante veinte minutos. Trataba de cansar el cuerpo para descansar el alma. Lejos del pueblo, paré y me senté sin saliva al borde de la trocha; en medio de una oscura noche sin luna. La ausencia de saliva no era producto del cansancio, era del terror que me produjo mirar a ese hombre. Cuando lo vi, no sé por qué pensé que así había quedado mi padre.

Permanecí unos días escondido mientras Fidel llegaba de Medellín. El regaño se venía, pero mi mente ya estaba atormentada, pues después de que a uno le pasa la rabia, viene el autocuestionamiento. Viví tres días de fuertes náuseas y mareo.

Cuando Fidel me saludó, me hizo el reclamo muy a su estilo, en un tono de voz fuerte, más fuerte que la mía. ¡Imagínese! Claro que corto y sin una mala palabra. Yo nunca le oí a Fidel mentar la madre. Sólo me *dijo:* "¡Carlitos, por Dios! ¡Cómo se le ocurre ir usted solo a hacer una acción de esas! ¡Cómo es que se va por todo el frente de la casa del tipo, ¡hombre!".

Ya un poco más calmado dijo algo que hoy, veintiún años después, aún le repito a las tropas de la Autodefensa en formación: "A uno sólo le dan dos segunditos para reaccionar. Si no aprovecha ese tiempo, no hay poder humano que logre evitar lo que le va a pasar".

Fidel era en ese entonces un hombre de treinta y cinco años y desde que yo nací, la autoridad en la casa fue siempre compartida por mi papá y él. Después del regaño, su actitud fue la siguiente: "Lo que usted hizo, Carlitos, tiene una sanción y un premio". "¿Por qué?" *—le pregunté.* "Porque cuando ya la había embarrado, lo que tenía que hacer fue lo que hizo, si no, el muerto hubiera sido usted".

Con cierto sentimiento de culpa, le dije: "Pero el tipo no tenía ningún revólver, Fidel". *A lo que replicó de inmediato:*

"Pero si lo hubiera tenido, ¿qué? Mire, Carlitos, yo le traía a usted de regalo una camiseta y unos tenis nuevos. El castigo es que sólo le voy a dar los tenis".

Eran unos zapatos de lona con suela de caucho amarillo. Los quería tanto que cuando llovía me gustaba caminar por la arena mojada para ver la huella que dejaba el labrado de la suela al pisar. Yo ya era casi mayor de edad, pero decía: "¡Qué huella tan hermosa la que deja este tenis!" ¡Cosas de niño!

—¿Y su niñez?

Kenia, su futura esposa, nos interrumpió y con la ingenuidad con que una mujer joven cuenta algo íntimo, dijo con su marcado acento costeño:

—Mira, Mauricio, imagínate que Carlos le clavaba unas puntillitas de cabeza gruesa a los tacones de los zapatos negritos con que se iba a la escuela. Los hacía sonar cuando pasaba por el pasillo que llevaba a los salones, sólo para que todos sus compañeritos lo oyeran caminar: tac, tac, tac, tac. Al oír los pasos, se quedaban callados pensando que era un señor muy grande.

Castaño la miró sonriente durante la corta anécdota y le dijo:

— *¡Amor, cómo cuentas esas cosas!*

De repente, se puso de pie e interrumpió la charla:

—*Bueno, periodista, nosotros nos vamos ya. Hay que cumplirles a los suegros. Mañana muy temprano comenzamos las actividades. De pronto aprovechamos para visitar a mi madre, y podremos avanzar en el libro.*

Ya era la segunda vez que trataba de encarrilarme en la historia de su infancia en Amalfi. Después de conocer los pormenores de la venganza de los Castaño, sentía curiosidad por saber cómo era su vida antes de los catorce años. El secuestro de su padre, sin duda, le dio un giro a su vida.

Por esos días, la vida de Carlos Castaño giraba en torno a su matrimonio. Faltaban apenas quince días para casarse por segunda vez.

—*Soy bien conservador para esas cosas. Soy godito. Sólo he tenido dos mujeres en mi vida: Claudia, la madre de mis dos hijos, con quien me casé a los dieciocho años; y Kenia, mi futura esposa.*

Durante estas dos relaciones tuvo otra de siete años de duración, sin matrimonio ni hijos. A Castaño no le gusta hablar mucho de ella. Únicamente dice que la recuerda con gratitud.

Por un momento hablé a solas con Kenia, antes de abordar el helicóptero que nos condujo desde Antioquia hasta la finca en Córdoba. Entablé una corta charla con ella. Entré sutilmente en confianza al no tomar notas ni prender la grabadora. En ese instante todo lo dicho se fue a la memoria. Por eso, antes de acostarme, decidí recordar la respuesta de lo que era una pregunta obligada para ella: "¿Cómo se conocieron?"

Impresionado por las duras historias que me había narrado Carlos Castaño durante el segundo día de encuentro, tomé la libreta y, mientras me vencía el sueño, descansé al escribir fragmentos de un relato de amor en medio de la guerra: "Yo conocí a Carlos después de un funeral. Había muerto el papá de una compañera de estudio de Montería, y ella me pidió el favor de que la acompañara donde Castaño, pues el papá de ella era un ganadero muy querido en la región y él deseaba darle las condolencias. Cuando conocí a Carlos, me pareció un señor mayor y no se me pasó por la cabeza tener algo con él; en cambio a él, sí. El señor fallecido era un viejo amigo y él trataba de ayudar a mi amiga y a su familia en lo que fuera necesario. Con esa disculpita, me empezó a llamar a la casa. ¿Que cómo seguía?— me preguntaba. Que la cuidara, me decía. Siempre que él le enviaba el chofer a ella, a la salida del colegio, le pedía que me trajera. Como era por la tarde, en mi casa ni se enteraban. Montábamos a caballo y, de vez en cuando, nos invitaba a almorzar, hasta que empezó a llamarme sólo a mí, alrededor de las seis de la mañana. Yo vivía con el teléfono inalámbrico en mi cuarto para que no contestara mi mamá. Después me inventé que tenía un curso de inglés en el colegio y como supuestamente era por la tarde, comencé a aceptar sus invitaciones más seguido.

Un día, llamó a la casa y mi mamá le contestó. Le dijo que yo no estaba y cuando ella le preguntó "¿De parte de quién?", él le dijo: *"De Carlos Castaño"*. Mi mamá colgó y casi le da un yeyo cuando relacionó la voz del teléfono con la del comandante que salía en la televisión. Casi me castigan, pero yo acudí a una excusa: le conté que acompañaba a mi amiga. Mamá me prohibió que volviera pero a mí él ya me gustaba; era tierno, chistoso y me enviaba unas flores divinas. Cada vez se hizo más difícil que yo fuera a verlo. Él me llamaba y me decía, como a las carreras: *"Hola. ¿Cómo estás? Te extraño"*. Y me colgaba. Luego me volvía a llamar y me decía: *"Quiero verte"*. Y volvía a colgar. Cuando por fin pude reencontrarme con él nos vimos en el cruce de dos carreteras. Él venía en una camioneta y yo en otra. Se subió al puesto del conductor, me dijo que tenía mucho trabajo y que no se podía demorar. Me miró a los ojos y dijo: *"Quiero que te quedes conmigo"*. Yo le pregunté: "¿Cómo así?" Y ahí le dio un arranque raro. De pronto se me acercó, me robó un beso y se bajó del carro corriendo. ¡Yo quedé lista! Pasaron varios días. No me llamaba y yo esperaba que fueran las seis de la mañana. Mi mamá me lloró y me dijo: "Si te vuelves a ver con ese tipo, le cuento a tu papá". Cuando volvimos a hablar, él me propuso que me fuera con él. Yo, sin pensarlo, le dije que sí, y me volé de la casa. El cuento es que yo lloraba por dejar a mi familia, pero quería estar con él. Esa misma noche, le enviamos una carta a mi papá y a mi mamá, y luego los llamamos. A los tres días nos reunimos con mis padres en una finca y oficializamos nuestro noviazgo. Yo le dije a mi familia que quería quedarme con él. Que ya era una decisión tomada. Mi mamá lloraba, mi papá estaba muy molesto y sólo le decía a Carlos que me cuidara pero esto se dio después de mucha discusión.

Días más tarde, íbamos a caballo por una trocha en medio de la selva del Paramillo. Se acercó, me dio el anillo y me pidió que nos casáramos.

Desde que me volé de casa, no me he separado de él. Me regaló a Lolita, la perrita que nos hace compañía. Todas las noches, después de orar, nos dormimos leyendo. Sea la hora que sea, él siempre se levanta y me despierta para darme el beso de los buenos días. Hoy, mi mamá y mi papá han aprendido a quererlo y tienen una excelente relación con él. Mi hermanito, ni hablar. Desde el momento en que lo supo fue el más feliz de todos. Dice: "Mi cuñado es Carlos Castaño. ¡No joda!".

Escuela principal del municipio de Amalfí (Antioquia), donde estudiaron los hermanos Carlos y Fidel Castaño.

IV

MI INFANCIA

—*Le cuento que a mí no me gusta ir a la zona donde está mi mamá, es muy lejos de la montaña y corro riesgos, prefiero traerla a un lugar más cercano. Pero a la vieja no le gusta moverse de su casa, ella no cambia su ranchito y nunca le ha gustado el lujo. Yo me la he querido llevar para una casita mejor, en un clima menos caliente. ¡Pero nada! Es caprichosa como ella sola. A mí me gusta picarle la lengua, porque es tremenda. Ahora la va a conocer.*

¿Hoy sí lo dejé dormir? —me preguntó Castaño, mientras conducía.

Sentado en el borde del asiento trasero de la Toyota, con mis dos manos apoyadas en las sillas delanteras, le contesté:

—Sí, aunque, para decirle la verdad, me levanté a las cuatro, a las cinco y a las seis de la mañana, pensando que usted llegaría en cualquier momento.

La tranquilidad con la que se desplaza uno de los hombres más buscados del país me sorprendía cada vez más.

—*Ésta es zona de Autodefensa, es muy difícil que hasta aquí llegue un guerrillero sin ser detectado; tenemos gente nuestra con radioteléfonos cuarenta kilómetros a la redonda, que nos reporta si hay algún retén o un operativo militar, eso sin contar los campesinos, agricultores y ganaderos amigos que nos avisan por teléfono cualquier movimiento inusual.*

—¿Estas carreteras las han construido ustedes?— le pregunté.

—*Claro que sí. Construimos carreteras internas en las fincas y éstas van formando una gran troncal en todo el norte del país. Un día me dio por salirme a la troncal de la Costa, sólo un trayecto de cinco kilómetros pensaba recorrer, mientras tomaba la vía destapada otra vez. Lo normal es que siempre me avisen si puedo pasar o no. Mis hombres acostumbran preparar la salida, pero ese día me fui sin avisar. Salí a la altura del peaje. Como* iba de civil y no veía policía ni ejército, me atreví a pasar. Tranquilamente bajé el vidrio, le di el dinero a la niña, se quedó mirándome y dijo: "Yo a usted lo he visto en alguna parte, ¿dónde?, ¿dónde?", se preguntaba sin darme el tiquete. Me lo dio y dijo: "En televisión. ¡Claro!" "Pero ¿cómo se llama usted?", me volvió a preguntar. Yo le sonreí y seguí; fue graciosa su reacción, pero lo que hicimos fue una locura, y le dije a Kenia: "Si en un peaje me reconocen, no puedo volver a salir del monte".

Luego opté por avanzar un poco más, pero tengo la mala y la buena suerte de encontrarme un retén de la Policía Vial. A los diez hombres de la escolta les hice esconder los fusiles, pues consideré menos imprudente parar en el retén. El policía se me acercó y, al reconocerme, se quedó impávido. Agente, ¿cómo está? ¿Usted sabe quién soy yo, cierto?". Le pregunté con voz serena, y me dijo: "Claro que sí". Entonces sólo me quedó decirle: "Me perdona, pero yo voy a ver unas tropas que tengo por aquí, pero no voy a quedarme".

Aunque me la jugué, para pasar, fue un abuso y un irrespeto a la autoridad que él representa. Lo que me impactó, después, fue su rápida respuesta: "Como ordene, comandante".

Yo me fui de inmediato. ¡Qué susto el que me dio! Desde ese día prometí jamás volver a hacer una gracia de esas.

La casa de la madre del comandante de las Autodefensas Unidas de Colombia es más sencilla y humilde de lo que cualquier persona se pueda imaginar. Sin lujos. Teniendo en cuenta que Castaño se gasta seis mil millones de pesos en el mantenimiento de su organización, unos tres millones de dólares, al mes, se podía esperar, por lo menos, algo más moderno para su mamá. Pero doña Rosa no quiere más de lo que tiene, desea seguir siendo la misma campesina de Amalfi. Atravesamos la puerta y nos aproximamos a una casa de madera, con techo de paja, un baño, dos habitaciones y un corredor que conduce a la cocina. El corredor hace las veces de sala-comedor. Allí, cerca de una hamaca y una hermosa mecedora, se encontraron:

—Hola, mi viejita.

—Ay, mi niño.

Doña Rosa abrazó a su hijo dejando por segundos la cabeza reclinada en el hombro de Castaño.

—Mamá, saluda a Kenia. Y te quiero presentar a un señor que está de paso y te quería conocer.

Castaño me había advertido que así me presentaría para evitar que ella se intimidara conmigo. La habíamos sorprendido cocinando y haciendo las cosas que entretienen a las mamás. Doña Rosa se quitó unas gafas de marco grande y se peinó su cabello corto, poblado por las canas de la edad y la virtud. Después de aceptarle un queso con dulce de guayaba, Castaño la provocó para que hablara.

—*Todos mis hermanos hicieron su primera comunión con el mismo vestido; la hora de ir a la iglesia era cuando uno crecía y le encajaba el traje. ¿Cierto, doña Rosa, que como yo me quedé pequeño y no crecía, nunca me sirvió el vestido y casi no hago la primera comunión?*

Al instante, replicó de pie desde la mecedora donde le acariciaba el cabello a Kenia:

—No hable bobadas, a usted se le arregló su vestido y pudo hacer la primera comunión, como Dios manda; con el padre Toño la hicieron unos y con el padre Montoya, otros.

—*Mamá, pero yo he sido el más adelantadito de los hermanos, el más juicioso, ¿cierto?*

Doña Rosa agachó un poco la cabeza y lo miró como regañándolo al decirle:

—"Árbol que nace torcido, su tronco no endereza".

—*¡Doña Rosa, cómo dice usted eso! Ya sé que quiere más a mi hermano Héctor, que es muy sano, y nunca quiso la Autodefensa, ¿sí o no, mamá?*

—No señor, a todos los hijos los quiero por igual. Estén o no metidos en eso.

Entre pregunta y respuesta, Carlos no perdía la sonrisa al molestar a su mamá, y ella hacía lo mismo, pero trataba de ocultarlo.

—Mire, mi niño, el que inventó las armas debe estar ardiéndose en el infierno.

—*Pero yo que las uso buscando cambiar y mejorar este país, ¿qué, mamá?*

—No, mi niño, el error fue habernos ido para la ciudad.

—*Es que mi mamá dice que desde que nos fuimos para Medellín, todo lo malo nos empezó a pasar.*

—¿Mi viejita ya tiene listo el vestido para mi matrimonio?

—¡Qué matrimonio! No le vaya a hacer ese mal a esta niña tan linda. Ella está muy pequeña para usted.

—¿Pero cuántos años se llevaban mi papá y usted?

—Eso era otra época, déjela que el esté más bien, ¡sí muy linda solita.

—Viejita, usted por qué no se va conmigo y Manuelito, mi hermano, para una casita más cerca, donde yo la pueda visitar, mire que hace rato no la veía y allá va a estar mejor.

Doña Rosa hizo cara de no querer moverse de ahí, la misma expresión tuvo Manuelito, que ya es un señor de cincuenta años y está cansado de huirle a la guerra, pues a donde va como cualquier ciudadano común y corriente, corre el peligro de morir por ser un Castaño.

Mientras doña Rosa me servía otra taza de agua de panela, observé su cuarto. Al frente de una sencilla cama y un nochero ordenado, se ubicaba la mesa que más cuida, pues allí reposa una imagen de la Virgen María, junto a una Biblia y un Sagrado Corazón de Jesús. Las figuras están escoltadas por la foto del padre Leonidas Moreno y el papa Juan Pablo II, juntos.

—Ese cura sí que me ha dado dolores de cabeza, pero es un gran hombre de Dios —dijo Castaño. Como misionero, es el que más ha hecho por los negritos del Chocó, también es el que más palo me ha dado y con el que más diferencias tengo por las "Comunidades de Paz". Él, tratando de salvar su obra, las ha defendido, sabiendo que están infiltradas por las FARC, y la guerrilla las utiliza para hacer fechorías.

—Mi mamá es lo más camandulera del mundo; y es que ha sufrido mucho, se le ve el dolor en el rostro", me susurró.

—Su expresión es dura y llena de nostalgia, le dije.

—Ella es una mártir, y la pena ya la anestesió. Se le murió su esposo y la guerra ya le ha quitado cinco hijos, cuatro hombres y la niña menor. Lo de papá fue lo más duro para ella, casi se nos muere. Ellos habían logrado formar un hogar católico y conservador laureanista. En esa época decían de mi papá que su palabra era una escritura. Él sigue siendo mi ejemplo ideal de rectitud, de ética y valores. Recio, implacable; una autoridad, un patriarca. En esa época se iba a misa de 5 de la mañana y se rezaban los tres rosarios a las 5 de la tarde.

En la casa siempre fue importante trabajar, por eso él nos pagaba salario por nuestra ayuda en la finca, los fines de semana. Nos daba dos pesos semanales, ahorrábamos y luego él le completaba a uno con el fin de comprar los cuadernos para estudiar. Desde niños nos enseñó que uno debía ganarse el dinero para mantenerse. En la finca madrugaba a poner el agua, y me decía: "Carlitos, a echar el agua". Tenía que coger por toda la acequia hasta la toma y encauzarla. Luego me correspondía ir a enrejar las vacas, pues no sabía ordeñar bien, estaba muy 'pelao', de ocho años. Después me tocaba recoger la boñiga vieja y llevarla a una huerta para abonarla, regresaba de llevar cuatro o cinco viajes de boñiga y nos gritaba mamá: "Carlitos y Reynaldo, a 'garitiar'". Yo creo que ese término no existe, pero así le decíamos a llevar la comida a los trabajadores de la finca, que estaban rozando en un tajo de nuestra tierra. En una olla llevábamos la sopa y en una 'jiquera' o 'catanga' cargábamos el seco envuelto en hojas de plátano: arroz, carne, tajadas y arepa.

—Ya era malicioso cuando eso— dijo su hermano Manuelito, quien escuchaba a Carlos Castaño, desde la puerta de la habitación de doña Rosa. Cuenta el 'Mono Candelillo', un amigo y trovador, que le metían piedritas al seco y cuando alguien las mordía soltaban la risa. Carlitos se venía a pelo en la yegua de papá por un despeñadero y frenaba en la puerta del corral. Jugaba a no dejarse caer y decía, después del regaño, "te asustaste, te asustaste".

Regresamos a la sala de la casa y allí fue Teresita, su cuñada, quien recordó cómo hablaba Carlos Castaño cuando era niño:

—Trataba de tú a tú a todo el mundo. Recuerdo que iba una vez con don Jesús, alma bendita, y pasaron por donde don Antonio Arango, el hombre más serio del pueblo, y Carlitos, al pasar por el frente de su negocio, le gritaba: "Como estás, hombre, Toño". "¡Qué hubo, Carlitos!, le contestaba el señor. Don Jesús lo regañó y le dijo: "¿Qué es eso de hombre, Toño? No ve que es un señor muy importante". Carlitos le contestaba: "Tranquilo, papá, que ése es amigo mío".

Victoria, la profesora que le enseñó a leer, cuenta que siempre se hacía adelante. Una vez lo sacó a escribir las vocales y él, tímidamente, salió al tablero. Cada vez que escribía una letra, él la miraba, ella aprobaba y él sonreía, hasta completar las cinco vocales. Cuando terminó, se devolvió a la silla tan seguro como el que más sabía. Ella dice que usted le llamaba la atención por el exceso de respeto que le tenía a ella.

—No era sólo respeto— dijo Castaño. Era admiración por todo lo que sabía la profesora; además, yo quería ser profesor.

—Mamá, pero vea que yo hacía buenas obras cuando era muchacho: le enseñé a jugar ajedrez a la hija del alcalde, después de ganarme el campeonato en la escuela. Pero me ennovié con ella y se acabaron las clases privadas. Les inundé la casa de anturios blancos y rojos a las hermanitas del convento. La monja Carmen Julia y la hermana María Helena fueron alumnas mías, les enseñé a montar en bicicleta. Cuando yo trabajaba los domingos limando los piñones, apretando radios y limpiando ruedas libres, me llevé una de la ciclas del alquiladero 'La Niña' para el patio de la Normal de Señoritas, y allá aprendieron las religiosas. Siempre he sido amigo de las monjas y los curas. En la misa del domingo, leía la palabra de Dios. Recuerdo que en Medellín, antes de ser secuestrado papá, dialogaba con el párroco de la iglesia Santa Rita de Casia en el barrio Simón Bolívar. Al padre Heladio le preguntaba con frecuencia sobre la problemática de Medellín: ¿cómo vivían las personas?, ¿por qué tanta gente junta?, ¿dónde hay empleo para todos? Un cura enseña y hay bastante que aprenderle; además, ellos están dispuestos. Conseguir quién le enseñe a uno gratis o sin ningún interés, es difícil. En cambio a ellos es fácil llegarles y no necesita uno pretextos; charlar con un obispo es delicioso, porque ellos han estudiado un jurgo. Yo a los curas siempre les digo padres, pero cuando estoy bravo con ellos les digo: "¡Vea, sacerdote!"

—No sé si sea un privilegio, pero veo algo y siempre lo recuerdo; para mí no pasa casi nada inadvertido en la vida, quizá por eso retengo tan bien muchas cosas. Mi papá me enseñó de pequeño que no se decía "Colombia" sino "mi Colombia"; nunca le oí decir "el país", siempre decía "nuestro país". Él tenía sentido de pertenencia y repetía que esto era nuestro y que me correspondía cuidarlo. Quizá de ahí venga algo de mi fascinación por lo que hago y por los símbolos patrios. Siempre fui primero y segundo en la Normal de Menores, icé bandera tres veces en un año, pocos repetíamos, y los que lo hacíamos, portábamos el asta por el patio principal de la escuela. Me condecoraron con dos medallitas y un escudo. ¡Los símbolos me han emocionado siempre! Me aprendí el Himno Nacional completo, la estrofa que más me gusta es: "Bolívar cruza el Andes, que riegan en dos océanos, espadas cual centellas fulguran en Junín, centauros indomables descienden de los llanos y empieza a presentirse de su epopeya el fin". No he olvidado el mensaje de Simón Bolívar.

Teresita, quien está aquí con nosotros, fue la primera persona que me informó sobre la muerte de Fidel, ella era la esposa de mi hermano Ramiro. Se quedó con nosotros y ha sido la líder de toda nuestra reforma agraria en Córdoba, cuando Fidel regaló diez mil hectáreas de tierra y fundó un colegio. Ella adelanta otras obras sociales que se han hecho en la zona. A Ramiro, su esposo, lo mataron a los veintiséis años, salía de la feria de ganado donde trabajaba, cuando varios hombres le dispararon. Yo venía de la zona rural, y, cuando llegué a la casa, en el barrio Las Vegas, de Medellín, mamá me esperaba con el periódico El Colombiano. En la sección de sucesos breves, aparecía el nombre de mi hermano, y doña Rosa me dijo: "Mijo, tienen a Ramiro en la cárcel".

Yo leí bien y me di cuenta de que ella no entendió la noticia del periódico: "Los vecinos escucharon el 'tableteo', mientras llegaban las autoridades". Ella no logró comprender el término 'tableteo'. A mí me entró un frío impresionante. Mamá creía que estaba detenido, cuando estaba muerto.

Después fallecieron Eufracio de treinta años y Reynaldo de veinticuatro. Ellos traían unas armas del departamento del Guaviare, en el sur del país. Iban a comprar unos fusiles brasileños a unos traficantes de armas en plena selva, pero los vendedores resultaron ser guerrilla y a la hora del negocio los mataron.

El caso de mi hermanita, la menor de la casa, también le dio muy duro a mi mamá. A Rumalda no le gustaba andar con escolta en la universidad EAFIT. Uno de esos días, al salir de clase, como a las dos de la tarde, un grupo de guerrilleros la secuestró y, al tratar de sacarla de la ciudad, en un descuido de los tipos, a más de setenta kilómetros por hora, ella abrió la puerta y se les tiró del carro. Era una Castaño.

Doña Rosa escuchaba de lejos el relato de su hijo, se acercó a la silla donde estaba Carlos Castaño y le dijo mientras le acariciaba la cabeza.

—Ay, mi niño, a usted le ha tocado estar en todas las tragedias de la familia.

—Bueno, mamá, nos vamos, porque tengo el anillo de seguridad muy disperso y no estoy tranquilo. Cuídese, mi viejita, hasta luego, Manuelito.

Castaño se despidió de doña Rosa, como si en la noche regresara; le dio un abrazo, un beso en la frente y no la volvió a mirar. Su rostro, piel canela, curtido por los años, se tornó nostálgico. Doña Rosa se llevó continuamente su mano a la boca y giraba la cabeza de izquierda a derecha, pero conservaba la mirada fija en nosotros. Yo nunca dejé de mirarla, tenía una bata blanca larga. Inmersa en una expresión de angustia. El estruendo de una escolta más numerosa, por lo menos veinte hombres en dos camionetas de estacas, contrastaba con el silencio de doña Rosa en la puerta del corral, donde inclinó su cuerpo para recostarse en la madera y pensar lo que, según Castaño, siempre se pregunta al verlo partir: "Ay, Dios mío, quién sabe qué cosa mala va a pasar este año".

Nos alejábamos en silencio de la casa de su progenitora. Nuevamente Castaño había fracasado en su intento de llevársela más cerca al monte, donde podría visitarla seguido.

—*Doña Rosa siempre me dijo que el gran sueño de Fidel fue ser un hombre rico, y lo fue. Todas estas tierras por donde nos movemos ahora fueron de Fidel y, antes de morir, las regaló. Se donaron más de diez mil hectáreas de tierra a los campesinos. Había que mostrar en las regiones que lo nuestro funcionaba, y donar la mitad de lo que él tenía era la mejor estrategia, ésa fue la famosa reforma agraria del 91, en Córdoba.*

Al entregarle tierra a más de cinco mil familias y mucho ex guerrillero reinsertado del grupo EPL, sin duda, captábamos fuerza social, y fuerza social es poder. Además, íbamos desvirtuando el discurso de la guerrilla; ellos decían que nosotros éramos unos terratenientes y una antirreforma agraria. Teresita ha estado al frente de Funpazcor, la fundación para la paz de Córdoba. Desde la muerte de Ramiro, mi hermano, ella se ha convertido en la gran canalizadora de recursos, siempre lícitos para nuestra obra social, que, a la postre, acrecienta el apoyo popular a la organización en Córdoba.

—¿Y qué pasó con el resto de las tierras de su hermano?

—*Cuando Fidel murió, dejó unas veinte mil hectáreas de tierra, treinta mil cabezas de ganado y unos doscientos millones de pesos guardados. La mayor parte de su fortuna estaba en obras de arte, pero casi todo se la gastó en la guerra.*

Antes del secuestro de papá, Fidel no le quitaba un peso a nadie, era un hombre rebuscador, pero después todo cambió. Mi hermano nunca buscó la guerra como una forma de hacer negocio y volverse un hombre rico, él se la encontró en el camino.

Lo primero que uno descubre es que ninguna guerra se financia lícitamente. ¡Jamás! Generalmente, todos los ideales son nobles y, aunque no siempre son los más justos, tienen presentación. Le voy a contar cómo se comenzó a financiar esta guerra. A los 16 años, mi hermano se fue de la casa. Cuenta don Efraín Ruiz, el mejor amigo de papá, que un día Fidel se apareció con un maletín de mano en la carnicería y le dijo: "¿Qué hubo, viejo?" "¿Qué más, Fidel? Contáme", *le contestó don Efraín desde el mostrador, cuando, de manera directa, mi hermano le pidió su ayuda:* "Viejo, es que necesito que me prestes dos mil pesos, que me voy para Medellín. No me vas a decir que no y tampoco le digas a mi papá". "Eso no le va a gustar a don Jesús y yo no tengo toda esa plata". *Entonces Fidel le insistió decidido:* "¿Me la vas a prestar, sí o no?"

Don Efraín no creía que mi hermano sería capaz de dejar el pueblo e irse a andar la ciudad. Pero, al verlo salir con el maletín hacia la parada de buses escalera, sacó dos mil pesos del producido y lo siguió. Cuando lo vio subirse al bus, que iba para Medellín, se le acercó preocupado, pues le daba pesar dejar ir al muchacho sin el dinero, le sonrió y le dijo: "Fidel, creí que no era verdad, me los pagas cuando puedas".

Cinco años más tarde, Fidel volvió a la casa, pagó los dos mil pesos con intereses y le compró la mitad de la finca a mi papá; montó el bar en Segovia y se dedicó a trabajar, de sol a sol. Se metía a la finca a levantar el ganado y en la feria revendía reses.

Nunca tuvo ánimos expansionistas, pero vino el secuestro y asesinato de nuestro padre, y mi hermano cambió. Comenzó el enfrentamiento con la guerrilla y se convirtió en lo que fue, hasta el día de su muerte: una máquina de hacer plata.

A partir de ese momento entendí que siempre es más sucio financiar la guerra que hacerla. Tuvimos una mina de oro en Amalfi, con papeles y todo, no daba oro, pero justificaba los robos de mercancía que hacía Fidel en Medellín, con un camión que tuvo en compañía con don Efraín. Un día robaban llantas, otro plantas eléctricas, después lotes de motobombas. Con la mina de oro se justificaba la plata y toda se le invertía a la guerra. Robó madera toda la que quiso, compraba una buena cantidad en efectivo a buen precio y luego mandaba a unos trabajadores en la noche y se llevaba el resto. Imagínese que llegó hasta tener distribuidora de maderas en Bogotá. Hacía lo mismo con piedra 'Peldar' y llegó a producir aguardiente chiviado en su propio alambique. Era un gran tahur y robaba jugando cartas al marcar el póker. Se llevaba caballos de una región y los cambiaba con alguien que se los robaba en otra.

Como verá, Fidel fue antisubversivo hasta los tuétanos pero no tenía todos los escrúpulos. Tuvo una ética rara, nunca permitió que se atracara a una persona y jamás extorsionó a alguien, pero realizaba grandes robos. En las minas de diamantes en Venezuela y Brasil no iba a comprar para vender, estaba pendiente del momento en que salía la remesa para atracarla con unos pícaros. Amigo de Víctor Carranza, transaron en repetidos negocios, no sé si robó en las minas de esmeraldas.

Eso fue al principio, después surgieron las ayudas y las donaciones de la gente víctima de la guerrilla. Algunas casi en secreto. Una vez llegamos a la finca de una de las familias más prestantes de Antioquia, los Bedout. Pedimos ayuda y la respuesta fue tajante, nos dijeron que ellos pagaban impuestos. Estábamos durmiendo en una finca cercana, cuando apareció un hombre con quinientos mil pesos, una donación anónima, pero nosotros sabíamos que venía de ellos, pero no querían que se supiera. ¡Eso era mucho dinero en la época!

Así sucedió con mucha gente, y hoy el sistema de donaciones de simpatizantes antiguerrilleros es más moderno. Siempre están circulando en el país cincuenta cuentas a nombre de gente nuestra, los números de las cuentas pasan anotados en papelitos de simpatizante a simpatizante, de reunión en reunión, de coctel en coctel, y el que quiere enviarle dinero a la Autodefensa, lo hace a través de una consignación anónima o en efectivo. Hace poco recibimos un estimulante regalo de cien millones de pesos y esta es la hora que he buscado y buscado la persona que nos los dio y no la he podido encontrar.

Mientras Fidel conseguía dinero, yo estaba cada vez más al frente de la causa antisubversiva; ya realizábamos acciones en Zaragoza, Segovia, Yalí, Yolombó. Sólo sumábamos unos doce muchachos por el nordeste antioqueño.

Para esa época, la guerrilla había tomado posesión de nuestra finca; vendían nuestro ganado en el pueblo y desplazaron a los trabajadores, después de matar a Germán, nuestro último administrador. Fidel creía que no era posible recuperar el ganado de papá, unas seiscientas vacas lecheras. La zona es limítrofe con el sur de Bolívar, donde regía una concentración poderosa de guerrilla, el Cuarto Frente de las FARC y la compañía Anorí del ELN.

Le dije que lo intentáramos y me fui para el batallón Bomboná, y me recibió un mayor Zárate y luego un coronel del cual no recuerdo el nombre. Me presenté, le conté mi problema, y el coronel me dijo: "Primero ayúdeme a realizar unas operaciones allá, sírvale de guía al Ejército". Yo le dije que sí y, de inmediato, nos trasladaron en un helicóptero hasta la base en Segovia, donde me presentaron al capitán

Francisco Rey, nos dieron unos sombreros, ponchos y nos enviaron a la carretera que de la finca 'El Hundidor' conduce a Segovia. Al primer bus escalera que subía lo detuvieron y, al instante, reconocí cuatro guerrilleros de civil. A la media noche ya se tenía información de un campamento cercano; los atacó el Ejército, dieron de baja cinco guerrilleros y se recuperaron varios fusiles M-14. Nosotros continuamos ayudándoles, mientras les pedía que me colaboraran para sacar el ganado, pero se rehusaron, porque era un riesgo muy alto enviar tropa hacia ese lado, repleto de guerrilla.

No vi otra alternativa que arriesgarme a sacar mi ganado. Lo monté como pude y sólo cuatro camiones lograron atravesar el pueblo. La alcaldesa de Segovia Rita Tobón, quien actuaba como brazo político de las FARC, ordenó parar los camiones y nos los detuvo a la salida de 'El Hundidor'. Ni el director del ICA en Remedios ni la alcaldesa quisieron entender mis razones y sólo dijeron: "Cómo pretenden ustedes sacar ese ganado sin vacunar".

No había forma de que entendieran, porque ya la guerrilla de las FARC les había dado orden de no dejar sacar los animales. ¡No habíamos vacunado, porque nos quitaron la finca!

Los camiones se quedaron en el camino, y me fui para Medellín y en la Gobernación de Antioquia le pedí ayuda al secretario de Orden Público, un doctor Juan Guillermo Heredia. El tipo, sentado en el escritorio, me dijo: "Aquí no podemos hacer nada".

La alcaldesa, en un supuesto acto de "legalidad", ordenó devolver el ganado a la finca. El ganado se lo robó la guerrilla después. Ofendido en el alma, quise regalar la finca, pero la subversión no dejó que alguien la recibiera y se apoderaron de todo. Pero, tiempo después, a ese director del ICA lo ejecutamos por subversivo.

Ése era el poder de la guerrilla institucionalizado en todos esos pueblos. Controlaban: Vegachí, Santa Isabel, El Tigre, Yalí, Yolombó, Remedios, La Cruzada, Machuca, Segovia, Zaragoza y El Bagre. Un fortín guerrillero, y desde allí surtían sus frentes de guerra.

Hoy en día, las cosas han cambiado; veintiún años después, usted puede ir y no tiene ningún problema, es una zona liberada.

Tengo ganas de conceder algún día una entrevista allí. Después del secuestro de papá, en esa finca, no he vuelto, sólo la he sobrevolado cuando las tropas del sur de Bolívar reconquistaron el área.

En ese tiempo logramos muchos éxitos con el Ejército. Ya éramos un grupo más grandecito de treinta hombres. La guerrilla nos miraba con curiosidad, no nos daban importancia y nos decían 'los sapos'. Se referían a nosotros como unos locos, ahí, sueltos. Pero, para desgracia de la guerrilla, descubrimos que no era difícil combatirla; ellos también sienten miedo. Con el transcurrir de los días, vimos la clase de ignorantes que son. Eran poderosos, pero en su madriguera. Aprendimos que cuando estaban armados y concentrados, no había que pelear con ellos; pero la guerrilla tenía que salir, así fuera a tomar aguardiente a los pueblos, a los caseríos o a las veredas. Allí se empezaron a morir. Todos los sábados y domingos ejecutábamos guerrilleros en los pueblos.

En Segovia se nos escapó un hombre muy importante de la guerrilla, Deovirgilio Osorno Otta. Viajó a Rusia y, a su regreso, lo logramos encontrar de profesor en el colegio Colombo soviético, en Medellín. Tenía mucha información sobre movimientos urbanos de la guerrilla. Después de su ejecución, comenzamos a observar algo más fuerte detrás de la guerrilla rural. La fortaleza de la subversión radicaba en Medellín y Bogotá. Comprendí que los que disparaban en el monte eran unos idiotas útiles, pobres serviles, que asumían la guerra como una forma de vida.

Entonces nos preparamos y cambiamos la estrategia, enfatizamos en el rastreo de los hombres de la guerrilla en el sector urbano. El primer coletazo de esta etapa de la Autodefensa se presentó en la vereda Lagartos, entre Remedios y Amalfi. Fue una ejecución muy fuerte, murieron treinta personas. Le voy a contar por qué se hizo. Descubrimos que la guerrilla tenía un 'padrino' en cada pueblo, un hombre poderoso económicamente y prestante dentro de la sociedad. En Remedios, Antioquia, la persona era Mario Gallinazo, quien, cuando lo fuimos a capturar, salvó su vida de esta manera: "No, un momento, a mí no me maten, díganle a Fidel que venga. Fidel fue y el hombre lo contó todo, se le volteó a la guerrilla y nos puso dos guías que nos indicaron dónde estaba escondida la gente de las FARC".

Para que se dé cuenta cómo funcionaban las cosas, le cuento que los dos pagos que se le hicieron a la guerrilla por el secuestro de mi papá, se realizaron a través de 'Paturro', y el contacto de éste con las FARC fue Mario Gallinazo. Nosotros imaginándonos que nos estaba haciendo un gran favor al ser el intermediario, para saber después que se benefició económicamente del secuestro, lo cual se ha vuelto habitual en Colombia.

Con la información de Gallinazo, confirmamos una de nuestras sospechas. En esa época no existía una numerosa concentración de guerrilla. Vivía cada subversivo en sus labores normales; se reunían, sacaban los fusiles, efectuaban la fechoría y se camuflaban después como "población civil". Llegamos hasta Lagartos, una vereda de solo guerrilleros, fue un estruendo, en el periódico titularon "Genocidio en Lagartos".

—¿Y la prensa a quién le adjudicó los más de treinta muertos?

—No específicamente a nosotros. Culpaban a los grupos paramilitares. La guerrilla ya venía acuñando el término con mucha fuerza; su fin era contrarrestar la guerra irregular que le desataban sectores del Ejército.

Lo inesperado sucedió. La guerrilla nunca imaginó que le naciera un enemigo irregular, en forma de resistencia civil armada. De igual tamaño y con sus mismos métodos irregulares para enfrentarlos. El Ejército siempre llevaba las de perder, porque representaba lo legal, ¡pero nosotros actuábamos como ilegales!

Esta clarividencia la poseía el mayor Alejandro Álvarez Henao, del batallón Bomboná, en Puerto Berrío.

Ramón Izasa, 'Caruso', el papá de Henry Pérez, Fidel Castaño y el mayor Álvarez Henao fueron los padres de la Autodefensa paramilitar en Colombia. Al mayor Álvarez la institución le importaba un carajo, y decía: "¡Muerte a la guerrilla!"

El mayor comenzó a preparar y a capacitar gente en Puerto Boyacá. Nunca supe si ese paramilitarismo fue política del batallón, o de quién era, pero el mayor hacía todo ilegal, conseguía carros, prestaba pistolas, daba instrucción con algunos sargentos y otros soldados.

Por esos años, 'Caruso', ganadero y agricultor de la región, ayudó a realizar grandes operativos al mayor. Por la misma época nosotros veníamos actuando en Antioquia y empezamos a oír historias de gente que venía de esa zona, de los vendedores de ganado, los arroceros y los mineros. Entonces, Fidel dijo: "Tenemos que unirnos, estamos prácticamente en la misma zona". Había que atravesar el cerro de Las Mujeres, cuatro días subiendo y tres bajando para llegar a Puerto Berrío, frontera con el Magdalena Medio.

—¿Había caminos o puro monte?

Pura trocha, pero la considerábamos una autopista, ¡éramos campesinos! Conformamos una avanzada de cinco, una retaguardia de catorce *y los demás en el centro. Cerca de cincuenta hombres armados con mini-ingram 9 milímetros, Uzis, escopetas y changones de cinco tiros. Vestidos de civil y sombrero o alguna gorra. Igual que la guerrilla; ellos no andaban de uniforme todo el tiempo, vivían de paisanos, como nosotros, sólo se lo ponían cuando llegaba un periodista. Nosotros no poseíamos ni un fusil.*

Llegamos a Puerto Berrío y en el batallón Bomboná nos presentaron al mayor Álvarez, que nos contactó con 'Caruso'. Una Autodefensa con más recursos, dos camperos Land Rover y un automóvil pequeño Dodge Polara. Ahí comenzamos a realizar acciones juntos, les pedíamos prestados hombres para hacer incursiones en Antioquia y les colaborábamos a ellos en la zona del Medio Magdalena. Cambiábamos hombres porque, manteniendo las tropas en una zona, la guerrilla terminó por conocerlos y los eliminaban día a día. Las relaciones con 'Caruso' prosperaron.

Pero surgieron denuncias al Ejército y se iniciaron investigaciones de la Procuraduría a oficiales. Miembros del Ejército y la Policía empezaron a tratar de acabarnos. Permitían una, dos o tres acciones y luego capturaban a quienes la realizaban. Comprendí que había individuos dentro de las fuerzas armadas, absolutamente antiguerrilleros; con tolerancia tácita de sus superiores, quienes se lavaban las manos cada vez que lo requerían. Como también conocí oficiales que no se transaban y capturaban a la gente que le ayudaba a determinado teniente. Nos capturaron gente y nos mataron varios muchachos. Un día Fidel se levantó y me dijo: "Hermano, esto no es por aquí. Del lado del Ejército no vamos a llegar a ningún Pereira, más adelante nos van a matar, vamos a pelear a nuestra manera". Cuando Fidel empezó, tenía una cosa en la cabeza, ganar la guerra, fuera como fuera. Recuerdo que me dijo: "Es guerra de tierra arrasada".

Seis meses después de llegar a Puerto Boyacá, ya teníamos más de cien hombres nuest y co nzamos a recuperar fusilitos; en una acción con la gente de 'Caruso'. A la salida de San Roque, Antioquia, sabíamos que la guerrilla montaba habitualmente un retén. Amanecí cuando retuvieron un bus escalera procedente de Medellín, nosotros estábamos escondidos en un barranco y les disparamos a cinco metros.

Se recuperaron dos fusiles G-3, uno para los de Puerto Boyacá y otro para nosotros. Así llegó el primer fusil a la Autodefensa. Lo comenzó a utilizar un comandante de nombre Aureliano y mire lo anecdótico, murió fusilado como El Buendía en Cien años de soledad.

La camioneta permaneció diez minutos estacionada el frente de la finca, Castaño no paraba de hablar y yo tampoco pretendía detener su relato.

—*Los demás fusiles los compró la Autodefensa a contrabandistas de cigarrillos y electrodomésticos. Dicha etapa coincidió con la degradación del conflicto, nuestras ejecuciones a guerrilleros aumentaron, la gente se encontraba ahogada por la extorsión y los secuestros. Los agricultores y ganaderos arruinados, cada vez simpatizaban más con nosotros. Las Fuerzas Armadas no los defendían frente a los abusos de la guerrilla. Contábamos con una ventaja insuperable: el verdadero apoyo del pueblo. En cualquier zona teníamos una finca de algún amigo donde llegar, nos daban comida y dormíamos bien.*

¿Nuestro secreto? Capitalizar la estrategia de la guerrilla, que era y sigue siendo ¡espantosa! Lo primero que hacen al llegar a una región es asesinar a las personas que ejercen algún liderazgo sobre la comunidad y continuaban con cualquier persona que generara empleo. Los primeros que se morían en los pueblos, ¿quiénes eran? El dueño de la proveedora de alimentos, de la fonda que siempre hay al terminarse la vía principal. El tipo que viajaba a comprar las cosechas de maíz o lo que hubiera, también se moría. El señor que sobresalía económicamente se convertía en otra víctima. En el pueblo sobrevivían los ricos que aceptaban convertirse en padrinos de la guerrilla.

La guerrilla destruye todo lo que se llame progreso. ¿Qué sucede? Ellos son Gulliver en el país de los enanos. Donde haya una sociedad medio estable económicamente, con empleo, ellos ahí no son nadie, no tienen espacio para la revolución. Pero si la gente está sin un solo líder, sin fuentes de empleo y sin recursos, ellos entran. Al principio saben manejar recursos y logran poner a la gente a trabajar. Pero pasan los días y se ve que no tienen ni idea de lo que es enriquecer una región. Al permanecer la guerrilla las carreteras empiezan a degradarse y, poco a poco, la región se va alejando de los centros de acopio, la zona se aísla del resto del país, y ellos van ganando terreno. Buscan formar una línea fronteriza que les da poder: alejan al Estado, el mismo del que pedían presencia al comienzo de su lucha revolucionaria.

Lo que le estoy contando no es nuevo, lo puede medir con estadísticas o buscar en testimonios y es opuesto a lo que hace la Autodefensa. Además, está escrito en todos los libros sobre el comunismo. El que piense que des-

pués de viejos Marulanda, Cano y Reyes dejaran de ser comunistas, está loco. Eso es tan difícil como explicar que las FARC ahora son un movimiento bolivariano marxista-leninista. Ése es el cuento que le metieron al presidente Hugo Chávez, en Venezuela, para echárselo al bolsillo.

Por eso yo siempre he dicho: "A mí me pueden pintar como 'Satanás' ante el mundo, pero la pregunta que tarde o temprano tendrán que poner en la balanza es: "¿Qué consecuencias genera lo que ha liderado Castaño?", eso es lo importante. Sólo me consuela que yo no empecé esta guerra, y las Autodefesas somos hijas legítimas de las guerrillas en Colombia.

Poco a poco he ido creando un nuevo concepto universal. Un ejército ilegal que en pleno año 2001 no es paramilitar, ni paragobiernos. Que defiende el sistema y el Estado con armas que le quita a la autoridad porque lo reemplaza en varias zonas, pero no lo enfrenta. Pide Justicia y está a su vez al margen de la ley. Es una especie de grupo "Paraestatal". Esto no me lo ha enseñado nadie y si ha ido prosperando es porque ¡es así!

. Castaño se fue y horas más tarde, el cansancio me aniquiló, caí bocabajo y aún vestido en una cama. La finca no contaba con lujos y la habitación era similar a la de anoche: aire acondicionado, una pila de libros sobre el escritorio, un baño enchapado en baldosa. Televisión satelital, un clóset con ropa para cualquier ocasión y la caja de 'mecato' que delataba el lugar como uno de los parajes favoritos de Carlos Castaño.

Se acercaban las 12 de la noche cuando me despertó un repetido e imprudente golpeteo en la puerta, el correo de guerra. Al abrir la habitación, un hombre visiblemente afanado me entregó una carta antes de esfumarse:

—Un mensaje del comando Castaño.

Una hoja amarilla de esos blocs de anotaciones que dicen en la portada: "Especial para tomar notas en reuniones y seminarios". Se les olvidó decir que además también sirven en el monte para enviar mensajes al estilo de los ejércitos del Imperio romano. Para Castaño, la carta perdura como el medio más seguro a la hora de trasmitir algo importante o privado; a pesar de usar con frecuencia el teléfono satelital y la *Internet*, prefiere la nota en papel o las instrucciones grabadas en la mente de su mensajero.

La hoja doblada en forma de sobre indicaba, en su singular caligrafía, cuál sería mi destino a la mañana siguiente:

"Señor Aranguren:

Saludo cordial.

Se han incrementado los operativos en la zona, no quiero poner en el más mínimo riesgo su integridad, en la mañana lo llevarán a un sitio donde habrá condiciones para continuar nuestro encuentro.

Carlos Castaño".

Enseñando a disparar.

V

HISTORIA DE LA AUTODEFENSA

La camioneta Toyota cuatro puertas se detuvo y con dificultad subió a un inmenso planchón de madera, que mueve los carros de orilla a orilla sobre el río Sinú. Habíamos dejado la finca muy temprano y mientras navegábamos para atravesar el silencioso cauce, le pregunté a Iván, el conductor:

—¿Hacia dónde vamos?

—Estamos un poco retirados de nuestro destino, primero recogemos a monseñor, en Montería, y después gastamos unas dos horas por la vía pavimentada y unas tres más por carretera destapada hasta llegar al mar, en el Urabá chocoano; de ahí ascendemos un tramo pequeño hasta llegar al sitio donde el patrón nos aguarda.

Con la respuesta, me quedó claro que los operativos militares obligaron a que Carlos Castaño se moviera durante la noche hasta un lugar seguro. Cuando el conductor habló de recoger a 'Monseñor', me imaginé que llevaríamos un obispo, pero no, es el sobrenombre de un viejo amigo de los Castaño.

Subimos y bajamos por las montañas que hacen parte del cerro del Jockey, hasta una casa incrustada en el fin del mundo. Allí se encontraba Castaño con el hombre con quien hoy comparte la dirección política de las Autodefensas Unidas de Colombia, Ernesto Báez.

Ernesto Báez es el único de los nueve miembros del Estado Mayor de las Autodefensas al que no le dicen comandante; se dirigen a él como el doctor Ernesto. No acostumbra a vestir de camuflado y, la verdad, no le luciría pues en un 'comando' de alto rango que se apoya al caminar en un bastón elegante, como el que usa, no encaja.

—"Soy Iván Roberto Duque, ése es mi nombre; el de guerra es Ernesto Báez" —me dijo

—*El doctor Ernesto fue la primera persona a la que yo le oí el cuento de una Autodefensa civil armada, cuando comencé a realizar operativos conjuntos con las Autodefensas de Puerto Boyacá. En ese momento, para obtener una cita con Iván Roberto Duque, se requería hacer fila. Ernesto pertenecía a la base política de la Autodefensa de Puerto Boyacá y era el pupilo de Pablo Emilio Guarín. Su cuento me interesó, porque en el fondo yo era más político que militar, y él insistía en la necesidad de construir una fuerza social que apoyara la Autodefensa, y una economía real en la zona, distinta a la ilícita. Sembró en mí la necesidad de darle un discurso político a la organización.*

Él había pasado una temporada en la cárcel Modelo, en Bogotá, y cuando quedó libre nos encontramos. En ese año progresaba en la identidad político-militar de la Autodefensa de Córdoba y Urabá. El persistente Ernesto, después de soportar traiciones, fracasos y desengaños en Puerto Boyacá, persistía idealista e incansable a pesar de que las Autodefensas, que él ayudó a crear, se las penetró el narcotráfico y terminó por acabarle su carrera política.

—*¡Yo creo, mi doctor Ernesto, que usted se va a morir y va a estar luchando por la Autodefensa!*

Ernesto interrumpió para decir:

—Comandante Castaño, recuerde esa canción que dice: "Después de que uno viva veinte años de desengaño, qué importa uno más".

—*Al morir Fidel, yo me convertí en un solitario arquitecto político de la Autodefensa, y Ernesto era el complemento irremplazable para transmitir identidad a la organización y transformarla en lo que es hoy. ¡Por Dios! Sería una irresponsabilidad con la historia no incluirlo como una de las almas políticas de este cuento; es uno de mis formadores y faltaríamos a la verdad si no damos cabida a la vida y los pesares de este 'pato' tan sufrido, porque hoy está mejor que nunca, pero atravesó las duras y las maduras.*

Castaño soltó una de sus carcajadas contagiosas y luego se quedó en silencio. Ahí comenzó a hablar Ernesto Báez, cuya particular forma de contar anécdotas hizo más amenas las ocho horas de su relato. Su memoria es prodigiosa, recordaba frases y fechas exactas, nombres con precisión y los detalles mínimos que olvidaba los novelaba.

—Entre 1980 y 1981, era estudiante de la Facultad de Derecho en la Universidad de Caldas. Vivía el ambiente universitario de agitación política, por los sucesos protagonizados por el grupo guerrillero M-19; la toma a la embajada dominicana y el robo de armas en el cantón norte. En la facultad bullían los simpatizantes del 'M', y figuraba como líder estudiantil de izquierda Bernardo Jaramillo Ossa. Diez años después candidato presidencial. El grupo de Bernardo copaba los órganos de poder, el consejo académico, el de la facultad y el consejo superior. En la universidad se estudiaba semestre y medio, porque cualquier asamblea estudiantil convocada por los sectores de izquierda precipitaba un paro de cinco meses, lo cual originaba una inconformidad enorme. Bajo mi orientación, organizamos un grupo, Movimiento de Unidad para la Restauración Académica, MURA. De inmediato tildaron al movimiento de ultraderecha. Nuestro grupo que sólo pretendía impedir tanto paro, se extendió rápidamente por la Facultad de Derecho y diez facultades más. A los dos años superamos la mayoría estudiantil de la izquierda. Eso me ocasionó hasta peleas callejeras. Una noche, en una esquina cualquiera del barrio San Jorge, en Manizales, me enfrenté a puños con unos hombres de Bernardo Jaramillo. Primero hablamos y discutimos, pero me gritaron reaccionario y ultraderechista. No me dejé y los traté de marxistas criminales. Al final, amanecimos todos en el calabozo.

Me entrevistaron de un periódico regional y el reportero me habló de Pablo Emilio Guarín, un concejal por el partido comunista y ahora, desde el partido liberal, lideraba un proyecto político anticomunista, en Puerto Boyacá. Me regaló la última edición de su periódico *Puerto Rojo*. Devoré la entrevista, me impactó y fui a conocerlo.

—¿*Pero qué fue lo que te llamó la atención de la entrevista?* —preguntó Castaño.

—El titular— le contestó Ernesto. En la foto de la primera página aparecían las fotografías de tres hombres de las FARC, 'Jacobo Arenas', 'Braulio Herrera' y 'Manuel Marulanda'. "Estos son los carniceros de la Uribe, más peligrosos como criminales armados de fusil que como pacíficos negociadores de paz". Por esa época, las FARC adelantaban conversaciones con el gobierno de Belisario Betancur, se planeaba la zona de la Uribe como posible sitio de la negociación.

—En la entrevista le preguntaban a Pablo Guarín que si no tenía miedo de la muerte, y él contestó: "En mi familia los pantalones nunca se acaban por las rodillas". El hombre acuñó una frase que hizo carrera: "Si a la vera del camino encuentran mi cadáver, no lo recojan, dejen que los buitres de las FARC lo devoren; recojan más bien mis banderas y sigan adelante".

Castaño, entonces, tomó la palabra, para acentuar la importancia de ese momento en la historia de la Autodefensa.

—*Por esos días, a finales de 1982, se dio la primera reunión de ganaderos, agricultores y comerciantes de la región. Cerca de doscientos cincuenta empresarios se organizaron para defenderse de los atropellos de la guerrilla, con base en las disposiciones legales de 1965 y 1968 que permitían a los ciudadanos portar armas con salvoconductos. El espíritu de la ley pretendía que los ciudadanos se organizaran y cuidaran sus predios, con colaboración de las Fuerzas Armadas. Como era algo legal, surgió la primera asociación de autodefensa colectiva, ACDEGAM, Asociación Campesina de Ganaderos y Agricultores del Magdalena Medio. La reunión se efectuó en Medellín, porque el setenta por ciento de ellos no podía regresar a las fincas.*

Las FARC nunca se imaginaron que esta agremiación de damnificados de la guerrilla se convertiría en el cimiento de las Autodefensas. De calcularlo, nos habrían aplastado.

Existen documentos internos de las FARC en los que planteaban que la población civil no podía estar al lado del Estado; debería, como mínimo, estar al margen.

—Se construyeron cuarenta y dos escuelas y los profesores eran pagados por ACDEGAM; además, se montaron diez puestos de salud y se comenzaron a realizar brigadas de atención básica. La población ya estaba de nuestro lado y el espíritu anticomunista se regó; recuerdo que Pablo Guarín mandó a hacer la valla que está a la entrada del pueblo y aún hoy dice: "Bienvenidos a Puerto Boyacá, tierra de paz y progreso, capital antisubversiva de Colombia".

A los profesores de los colegios se les instruía en darle especial importancia a la clase de cívica: desde aprenderse el *Himno Nacional* hasta los desfiles patrios, para recuperar los valores que se habían perdido en diez años de infiltración guerrillera.

En la emisora teníamos un programa de poesía antisubversiva, era de esa poesía vernácula que gusta al pueblo. Los curas fueron fundamentales en este proceso; en un país tan católico apareció el padre Ciro, quien desde el púlpito y el confesionario, en la calle y en las reuniones con la comunidad, pregonaba el temor marxista, influido por el nuevo Papa, Juan Pablo II, y su posición anticomunista. El padre veía a la guerrilla y le decía a la gente: "¡Ojo, que son ateos! Un comunista es un aliado del diablo, del mismo Satanás".

Ya Pablo Guarín era una figura política, e hizo una alianza con Jaime Castro, el ex ministro y luego alcalde de Bogotá. Ese trabajo político lo llevó hasta el Congreso de la República, como representante a la Cámara; ya la Autodefensa, como proyecto político, estaba funcionando. Para esa época, se dio uno de los debates que hicieron historia en el Congreso de la República, entre Pablo Emilio Guarín y Carlos Enrique Cardona. Fue un verdadero pugilato, pues Cardona, en nombre de la Unión Patriótica, brazo político de las FARC, le reclamaba investigaciones por un gran número de desapariciones forzadas de gente del M-19 y de otras que se dieron en el holocausto del Palacio de Justicia. Esa vez, Pablo Emilio Guarín le dijo: "Usted es un guerrillero vestido de civil, que disfruta de los gajes que la democracia colombiana le ha otorgado; aquí es el pacífico Carlos Enrique Cardona que funge como parlamentario y defensor de los derechos humanos, pero sale de este recinto y es el temible Braulio Herrera, quien, armado con un fusil, secuestra, mata mujeres inermes y campesinos indefensos en los campos de Colombia".

Castaño tomó la palabra de nuevo:

—Pablo Guarín siempre fue antisubversivo y enemigo del narcotráfico. Mientras esto sucedía, Rodríguez Gacha penetraba el aparato militar de la Autodefensa del Magdalena Medio y la guerra de alias 'El Mexicano' contra la UP estaba en su peor momento. Era que Gacha no tenía el poder para golpear militarmente a las FARC, y entonces decidió matar a todos los políticos de la Unión Patriótica. Más de la mitad de los muertos del brazo político de las FARC, que no son todos los que dicen, apúnteselos a Gonzalo Rodríguez Gacha, alias 'El Mexicano'.

La guerra entre este narco y las FARC comenzó cuando 'El Mexicano' tenía un emporio de cocaína en Carurú, un municipio perdido en la selva. Hoy está dominado y explotado por las FARC y allí producen toda la cocaína que le vendían a 'Fernandiño', el capo del narcotráfico en Brasil.

—Mire que la historia no se queda con nada. El hombre que cuidaba los laboratorios de coca era el 'Mono Jojoy', hoy jefe militar de las FARC y miembro del secretariado. El 'Mono Jojoy' y Rodríguez Gacha se reunieron en Medellín porque le habían robado al narco más de doscientos *kilos de coca. Ese día, 'El Mexicano' le dijo al 'Mono Jojoy': "Si no me devuelven esa mercancía, van a tener guerra conmigo". Las FARC le devolvieron parte de la coca; Gacha, confiado, entró en otros dos negocios más y ya cuando los laboratorios estaban terminados, le quitaron cuatro veces más de lo que le habían robado antes. ¡Y ahí comienza la guerra!*

—¿Pero usted, por su lado, ejecutó a muchos hombres de la Unión Patriótica?— preguntó.

—*Yo por mi cuenta adelantaba una guerra contra la guerrilla urbana y puedo tener responsabilidad en la ejecución de treinta a cuarenta guerrilleros fuera de combate, escondidos en la Unión Patriótica. Distinto al odio cerril de Rodríguez Gacha que atacaba todo lo que fuera comunista, yo para esa época ya hacía la diferencia entre un hombre de izquierda dentro de la UP y uno de las FARC dentro de la Unión Patriótica. Los de las FARC fueron los que yo ejecuté.*

Por un momento nos quedamos callados, en especial yo. Castaño acababa de adjudicarse para la historia cuarenta muertos. Aunque seguro en cada caso él tratará de encontrar una absurda justificación dentro de la ética de su guerra. Eran cuarenta vidas, entonces me cuestioné: "¿En qué momento un hombre llega a decidir sobre la vida de otro, sea guerrillero o miembro de la Autodefensa? ¿De qué forma tan imperceptible nos fuimos metiendo y justificando este círculo vicioso de la muerte? El que mata lo hace porque le mataron a alguien, y hoy es cada vez más difícil parar la cadena de odio, y se aprecia cada vez más lejos el perdón". Miré a Castaño y le pregunté:

—Comandante, saliéndome del tema ¿qué es para usted el perdón?

—*Se lo contesto en una sola frase. Es no tener intención de retaliación contra alguien y no reaccionar de manera violenta contra esa persona. Sin embargo, el perdón para mí tiene un límite: cuando la persona sigue representando un riesgo para otros, ahí es castigable. Pero si usted quiere saber si me atormentan esas muertes, le puedo decir esto: a mí también me martilla la conciencia por cosas que hice y no pude impedir, unas por acción y otras porque fue imposible hacerlo. Con la conciencia, que es el espejo del alma, uno no puede hacerse el pendejo; ese examen que me hago no es fácil. Pero aún me desahogo al concluir: la culpa no la tengo yo, la tienen estos que secuestraron a papá.*

Después de un breve silencio, Ernesto Báez interrumpió de tajo y continuamos con la historia.

—Cuando Rodríguez Gacha ordenó asesinar al candidato presidencial de la Unión Patriótica, Jaime Pardo Leal, la vida de Pablo Guarín, el inspirador de la Autodefensa, cambió para siempre. Recuerdo que me dijo: "Esta muerte es lamentable y traerá muchas connotaciones negativas".

—¡Claro! —exclamó Castaño. —*Entre 'El Mexicano' y las FARC existió una guerra sucia por cocaína, no por una ideología.*

—El panorama continuó nublándose, hasta que a finales de 1987 vino la muerte de Pablo Emilio Guarín, lo que significó la consolidación total del poder de 'El Mexicano' en Puerto Boyacá. Nada ni nadie prevalecía frente a él, y las autoridades, menos. La Policía, la Fiscalía, el Ejército, el Das y los alcaldes convivían con los dólares de 'El Mexicano'. En principio se pensó que la muerte de Pablo Guarín fue un atentado de las FARC al más vehemente de sus críticos.

—*Y las FARC no lo negaron* —dijo Castaño. *Recuerdo que el pronunciamiento fue inmediato. El propio Raúl Reyes dijo: "Fue la justicia del pueblo". Las FARC capitalizaron este homicidio y nunca negaron que lo hubieran hecho, pero tampoco se lo adjudicaron. Por mucho tiempo, en Puerto Boyacá estuvieron convencidos de que fueron las FARC las que lo mataron. Pero quien ordenó la muerte de Pablo Guarín fue 'El Mexicano', y Henry Pérez lo sabía pero se quedó callado. Ahora 'El Mexicano', el todopoderoso de la región, controlaba lo político y lo militar en Puerto Boyacá.*

'El Mexicano' llegó a tener mil quinientos hombres a su servicio. Organizó el famoso curso de los instructores israelitas y británicos en 'La 50', así se llamaba la finca donde se realizó. Allí conocí a Yair Klein. Asistí a ese curso porque se abrieron cupos para gente distinta a los hombres de Rodríguez Gacha. Los Castaño obtuvimos cinco lugares, yo ocupé uno de los cupos que teníamos. Mi sobrenombre para la época era 'El Pelao'. El verdadero propósito de 'El Mexicano' con estos entrenamientos era preparar cuatrocientos hombres para atacar la Uribe, donde estarían el Gobierno y las FARC negociando la paz.

Sobre ese curso dictado por Yair Klein se especuló mucho, y yo creo que Klein vino engañado a Colombia, por Ariel Otero y dos militares activos y corrompidos del Ejército. Ariel era un hombre despreciable, fue el segundo hombre de Henry Pérez. El instructor israelí siempre pensó que el Estado colombiano lo contrató para dictar esos cursos.

Me impresionaron mucho sus conceptos y nunca se me olvidará lo que decía: "No temas que te llamen mercenario si eres mercenario de un Estado; a los estados hay que defenderlos con la Constitución y por fuera de la Constitución". *¡Eso era una maravilla para mí! Bueno, al fin y al cabo él era israelita.*

Por esa época, Henry Pérez era un títere de 'El Mexicano', quien tenía un acuerdo con Pablo Escobar para proteger la hacienda Nápoles. En la historia del mundo, nunca hubo un sitio con tanta intensidad en el negocio del narcotráfico, allí hacían los famosos vuelos con envíos de veinte mil kilos de coca mensualmente a los Estados Unidos y regresaban el dinero en bultos. Yo vi llegar un camión repleto de dólares, no los contaban, sólo daban un grito: "Denominación de veinte dólares". Luego los pesaban y sabían cuánto dinero había ingresado. ¡Increíble! ¿A quién se le iba a ocurrir con tanto dinero irse para el monte y pelear contra la guerrilla? ¡A nadie! Escobar y Rodríguez Gacha llamaban a esto el 'eje'.

Ernesto Báez continuó su relato:

—Los pocos que quedaban en ACDEGAM nos acompañaron en el nuevo intento político, la gente honesta que comenzó con nosotros, la misma que al elegir a Pablo Guarín como congresista nos iba a ayudar a elegir a su hijo Óscar. Formamos el Movimiento de Reconstrucción Nacional, MORENA. La parte militar de la Autodefensa, muy alejada de nosotros y cercana a los intereses de 'El Mexicano', comenzó a cometer errores gravísimos, como las masacres de los contrabandistas y la de La Rochela, hecha por la gente de Gacha. Ante los ojos del país, la Autodefensa de Puerto Boyacá era un grupo de paramilitares manejados por el narcotráfico, pero aún no se había destapado toda la podredumbre. El escándalo vino cuando se conoció el famoso *Dossier paramilitar*, publicado por la revista *Semana*, en abril de 1989. Por primera vez se ponía a la luz pública toda la estructura, no se dijo nada que no fuese real.

—*Eso fue un gran triunfo para la guerrilla y un gran perjuicio para la Autodefensa de los hermanos Castaño, que no obedecíamos órdenes de ningún narcotraficante.*

—¿Pero usted seguía siendo amigo de Henry Pérez conociendo que como comandante militar de esas Autodefensas él tenía una alianza con el narcotráfico?— le pregunté a Ernesto Báez.

—No; para ese momento, Henry reflexionó y, días más tarde, se reunió con varios de los antisubversivos que quedábamos y nos dijo:

"He pensado mucho sobre el futuro de la región y yo me voy a separar de Pablo Escobar; pero no puedo tomar esa decisión de la noche a la mañana, cortar de tajo es un suicidio; debo fingir una alianza con Pablo y esa es la única forma de facilitar la captura de Escobar y recomponer esto.

En ese instante interrumpió Castaño:

—*Es ahí donde yo vuelvo a ser aliado de Henry. Siempre lo consideré un amigo, sabía que se había equivocado al dejarse tentar por el poder corruptor del dinero de los narcos. Además, yo necesitaba alguien que me ayudara en mi guerra contra Pablo Escobar. Digo mi guerra porque, a espaldas de mi hermano Fidel, que aún mantenía una buena amistad con Pablo, yo ya venía actuando de manera discreta en contra de Escobar, y durante más de tres años mantuve una guerra fría contra Pablo. Henry también lo hizo, pero Pablo lo descubrió y lo mandó a matar.*

Ernesto Báez retomó la palabra:

—Ahí comenzó la debacle total de la Autodefensa, que ya estaba narcotizada. La situación se agravó más porque esa misma noche su esposa, Marina Ruiz, convocó a una reunión. Asistimos los cercanos a Henry, y Marina nombró un nuevo comandante, al decir: "Yo considero que esto debemos superarlo ya. Henry murió y creo que la persona indicada para ocupar su lugar es Ariel Otero; esto, mientras se calman un poquito las cosas y se nombra un nuevo comandante en propiedad". Nadie se opuso al deseo de la viuda en esos momentos dolorosos, pero pensé: "Esto va a originar una tragedia peor".

—*Yo fui más lejos*— dijo Castaño. *A ese hombre hay que matarlo y punto, era una víbora, una peligrosa serpiente que había estado al servicio de 'El Mexicano'; era amigo del asesino de Galán, llegó hasta el punto de ayudar a que Rueda Rocha se volara de la cárcel y después se lo llevó como escolta para Puerto Boyacá. Fracasado en el Ejército como teniente, era un hombre disociador, que sobrevivía al mantener en guerra a los demás. Infundía miedo y nunca miraba a los ojos cuando uno le hablaba.*

—Y para rematar— replicó Ernesto Báez, se supo que era el amante de la mujer de Henry Pérez, la misma que solicitó que se le nombrara comandante de manera temporal. Así se mantuvo como único comandante. Durante los seis meses se dedicó exclusivamente a robar y a enriquecerse. Un asesino codicioso que intentaba ser un rey Midas. Toda la gente cercana a Henry tuvo que irse. Yo arranqué para el monte, donde me mantuvo durante un mes el viejo Ramón Isaza, quien había anunciado a su manera todos los males que traería el narcotráfico.

Quedé sin Autodefensa, sin proyecto político, sin carro y propiedades, porque todas nos las quitó Ariel Otero. De plata, nada, mejor dicho, quedé llevado del 'hijueputa'.

—Al final del año, Ariel Otero alquiló un vuelo *charter* y se voló con un gran botín de guerra, llegó a Cali y entre lo que se llevó estaba Marina Ruiz, su amante. Antes de irse, Ariel le entregó a Jaime Eduardo Rueda Rocha treinta fusiles con la misión de ubicarse en un sitio estratégico y dar de baja a todos los que él había robado.

—*Yo quise ayudarle a la gente de Puerto Boyacá*—dijo Castaño. *Ejecutamos a Ariel Otero, un bandido muy peligroso. A Marina la dejé libre, terminó en la cárcel y creo que ya salió. Otero fue ejecutado después de un juicio por traición y entregado sin vida a la gente que él había maltratado en Puerto Boyacá. Ese fue el final de ese sinvergüenza.*

—Y ese fue el comienzo de mis problemas —dijo Ernesto Báez. Es que imagínese que cuando encontraron el cadáver de Ariel Otero, a mí me llamaron a indagatoria como presunto responsable de su muerte. Cuando Ariel se voló de Puerto Boyacá, el *Noticiero 24 Horas* me entrevistó y dije en la televisión: "Ariel Otero es un traidor, un asesino y un ladrón".

Cuando encontraron el cadáver de este personaje tirado en una cuneta a la salida del pueblo, tenía un cartón con la siguiente frase escrita: "Muerto por traidor, asesino y ladrón".

Tiempo después me desempeñaba como secretario de gobierno de Boyacá y me acusaron por conformación de grupos ilegalmente armados y me detuvieron para llevarme al patio quinto de la cárcel Modelo. Allí llegué y a las primeras personas que me encontré fueron Francisco Galán y Felipe Torres, comandantes guerrilleros del ELN. Estaban de espalda viendo la noticia de mi captura por televisión, cuando sintieron la presencia de un extraño, voltearon a mirar y era yo el que los saludaba: "Buenas noches".

Años más tarde fui dejado el libertad y busqué reunirme con el comandante Castaño. Nos encontramos a la salida del hotel Dann, en Bogotá.

—*A mí me dio mucha satisfacción volverlo a ver. Recuerdo que hablamos durante cuarenta minutos y veinte días más tarde, estaba en zona de*

Autodefensa. Durante la visita comprendí que hablábamos el mismo idioma y nos entendíamos por señas, en cuanto a la filosofía que buscaba inculcarle a la organización. Fue cuando me dijo: "Esto es lo que yo siempre he soñado, yo quiero recoger lo que hay sembrado aquí y veo la forma de darle más identidad a esta organización. Comandante, usted ha logrado lo más difícil, crear solidaridad colectiva en torno a la Autodefensa, tiene fuerza social y una comunidad que lo rodea".

—Cambiando de tema, ¿cómo y cuándo decidieron usted y su hermano instalarse en Córdoba?— pregunté.

—*Con Fidel buscábamos un sitio que nos diera las garantías, queríamos un lugar cerca de las plantaciones de banano en la zona del Urabá, pero esa zona resultaba impenetrable en 1985. Necesitábamos una zona equidistante, un eje donde nuestra Autodefensa pudiera expandirse, aspirábamos a tener salida al mar y frontera con los departamentos de Córdoba, Antioquia y Chocó. Intentamos entrar al alto San Juan, en el Urabá, y la guerrilla nos mató algunos muchachos. Recuerdo que sacamos un mapa de alto relieve y definimos una nueva zona dónde nacer, el Alto Sinú. Pusimos la punta del lápiz en las tierras alrededor del río, allí existía guerrilla hasta llegar a Montería, pero estar cerca de la capital del departamento de Córdoba conllevaba sus ventajas.*

Nos ofrecían extensiones de tierra abandonadas, a buenos precios y, sobre todo, fértiles. Los ganaderos las dejaron por los continuos secuestros y extorsiones. A lo anterior se sumó la personalidad de los habitantes de Córdoba, otro tipo de costeños, desprevenidos y poco pícaros.

Yo le pregunté a Fidel: ¿Y cuánta plata tenemos? Recuerdo que me contestó: "Mil millones de pesos".

—Comandante, eso en 1985 era bastante dinero, mínimo unos dos millones de dólares —le dije a Castaño y, de inmediato, replicó:

—*Es cierto, pero lo importante era la forma como Fidel lo administraba. Compró tierras por un valor de siete mil millones de pesos y a cada finquero le abonó una considerable cantidad de dinero, el resto lo quedó debiendo. Se hacía el negocio así la guerrilla tuviera ocupadas las tierras.*

La finca 'las Tangas' en la ribera del río Sinú fue la primera zona liberada por nosotros en Córdoba. Ahí combatieron mi primo, el fiel 'H2', Fidel y otros muchachos, a los que meses después llamaban en la región 'los tangueros'. Para la época, yo permanecía más tiempo en la lucha urbana. Fidel logró hacer algo muy importante al comienzo; aguantó la represalia de la guerrilla y pudo vincular gente de otros lugares del país para que invirtiera bajo su protección. Al mismo tiempo, no dejaba que la gente honesta de la región se saliera y abandonara el proyecto. La salida de un hombre honesto y reconocido en la zona infundía miedo, generaba una ola de pánico entre los demás inversionistas. Fidel logró hacer lo que quería, poco a poco y con mucho esfuerzo. De pronto comenzó a llegar mucha más gente de afuera, hubo más apoyo económico y se ganó la guerra en Córdoba.

Nosotros en esa época no contábamos con muchos hombres, no pasábamos de cien combatientes. La diferencia radicaba en que nosotros enfrentábamos a la guerrilla continuamente. Yo manejaba toda la red urbana, era el operativo, por así decirlo. Fui usando esta fuerza, de tal manera que en Antioquia parecía que nosotros teníamos grupo militar inmenso, pero en verdad ese poder fue simbólico y virtual.

¿Qué era lo que se hacía? Después de tener identificados a guerrilleros y grandes colaboradores de la subversión, se realizaban acciones simultáneas; por ejemplo, el 31 de diciembre de 1984 se hizo una que causó revuelo. En un solo día dimos de baja a un grupo de guerrilleros en Medellín, Amalfi, Remedios, Segovia, y concluimos con la ejecución de cinco subversivos más en San Carlos. Los guerrilleros habían bajado al pueblo a pasar el Año Nuevo. Al día siguiente, la noticia era que nuestros comandos urbanos actuaron simultáneamente, con un saldo de veinte ejecutados.

Las operaciones eran limpias, sin un escolta muerto, sin inocentes heridos y, sobre todo, muy rápidas. Esto le dió un poder inmenso a mi hermano Fidel Castaño, tanto que Pablo Escobar se acercó cada vez más a Fidel y se hicieron muy buenos amigos. De todas formas, ya existía un nexo años atrás:

Fidel facilitó que Pablo Escobar ocultara laboratorios de cocaína en zonas controladas por la Autodefensa. Otra de las formas sucias como se comenzó a financiar la guerra contra la guerrilla. Las FARC hacía lo mismo que nosotros. Escobar invitaba a Fidel a las reuniones donde iba a tomar decisiones trascendentales, su único objetivo era verse más poderoso ante los demás, y a Pablo le gustaba mostrar a Fidel.

Mi hermano representó un poder igual al de Pablo Escobar, pero en lo militar y tropero. Nunca se me olvidará que Fidel escondió varias veces a Pablo Escobar en la casa de Santa Helena, en Medellín, un perfecto escondite. En una de esas oportunidades, yo estaba allí con mi hermano, y Pablo se fue a dormir; yo me acerqué al oído de Fidel y le insinué que lo ejecutáramos: "Hermano, nosotros estamos aquí solos, armados y con ese hombre tan peligroso y tan malo arriba durmiendo...". Fidel me dijo: "Tranquilo, que él nos va a ayudar después en la lucha contra la guerrilla".

Fidel siempre albergó esa esperanza, pero yo conocía que Escobar se identificaba con la guerrilla y que además era amigo de ellos. Era evidente el peligro que representaba Pablo Escobar al ser tan amigo de la subversión, pero enfrentarlo representaba una locura, pues en aquella época el cartel de Medellín se mantenía unido y en pleno apogeo.

—¿Pero ustedes le hicieron a Pablo Escobar un trabajo o algo parecido? —le pregunté a Castaño.

—¡Jamás! Para tratar a los Castaño como mercenarios de un capo 'narco', nos tendrían primero que tocar las pelotas. ¡Nunca se dio! Para Pablo Escobar era suficiente tener sentado a su lado a mi hermano Fidel.

Carlos Castaño estudiando.

VI

MI VIAJE A ISRAEL
Y LA LUCHA ANTISUBVERSIVA URBANA

—Buenas noches, señores —saludó 'El Alemán'.

Castaño se puso de pie y le dio un abrazo:

—*Bienvenido, 'Alemancito', lo esperaba más temprano.*

—Llueve y la vía está hecha un fangal, mi querido amigo —respondió 'El Alemán'.

—*Acompáñenos* —le invitó Castaño, y 'El Alemán' tomó el lugar que quedaba en la mesa.

Su piel blanca y su contextura física concentraron mi atención. Un gigante y musculoso comandante. No vestía camuflado, sólo *jean*, camiseta, gorra y gafas oscuras; se asemejaba a un excursionista experto, no a un comandante de mil hombres. Además de controlar gran parte de la Costa Pacífica y el golfo de Urabá. Es uno de los más jóvenes entre los comandantes, tiene veintisiete años de edad.

Después de comer, vino el tercer termo de café, y continuó la charla, que inicié con una pregunta pendiente.

—¿Cuándo se inició lo que usted llamó la lucha antisubversiva urbana?

—*Es difícil puntualizar una fecha exacta porque desde 1980 se inició la persecución a los secuestradores de mi padre y ya se ejecutaba guerrilleros en los pueblos. Mi percepción sobre esta guerra cambió radicalmente después de mi viaje a Israel, en 1983, cuando cumplí dieciocho años de edad.*

—¿Estudió en Israel?

—*Le advierto, cuando hablo de Israel, nadie me detiene, soy un estudioso de la historia del pueblo israelita y la conozco tan bien como la de Colombia, mire: en economía, representa la fortaleza de Estados Unidos y Francia; en cuanto a seguridad, es la contención del fundamentalismo de*

Oriente, un polo a tierra de ese hervidero en el que se ha convertido la región. El invento de la ley del retorno es de una imaginación sutilmente perversa, pero plena de dignidad. ¿Y cómo le parece su FDI? Para quitarse el sombrero. Se funden con su nación en un mismo cuerpo. ¡Maravilloso!

La historia de Israel es deliciosa e ilustrativa. Se debe comenzar por coger un shekel con la mano, es como recibirlo de Cristo, hasta la unidad monetaria la inventaron. Tuve la oportunidad de estar un mes en la Universidad Hebrea de Jerusalén, estudiando ciencias básicas. A los judíos los admiro por su valentía al enfrentar al antisemitismo, por su estrategia de la diáspora, la firmeza de su sionismo, su mística, su religión y, sobre todo, su nacionalismo. ¡Una verraquera!

He estudiado sus gobiernos desde Ben Gurión hasta Sharon. La primer ministra Golda Meir y mi madre son para mí, sin duda alguna, las mujeres que representan lo máximo, en su género, por la excelencia. Con eso le digo todo.

Infinidad de temas aprendí en Israel y a este país le debo parte de mi cultura, mis logros humanos y militares, aunque repito que no sólo aprendí en Israel lo relacionado con el entrenamiento militar. De allí vine convencido de que es posible derrotar a la guerrilla en Colombia. Yo comencé a ver cómo un pueblo logra defenderse del mundo entero. Entendí cómo involucrar a la causa a alguien que tuviera algo que perder en una guerra, con el fin de convertirlo en enemigo de mis enemigos.

De hecho, el concepto de autodefensa en armas lo copié de los israelitas; cada ciudadano de esa nación es un militar en potencia. Me sorprendió ver que el curso que yo iniciaba, lo terminaba simultáneamente un grupo de ciudadanos comunes y corrientes, abogados, ingenieros y médicos. Sin lugar a duda, es un pueblo visionario y ejemplo de superación. Su solidaridad e inteligencia le ha permitido tejer una telaraña de apoyo mutuo. Poseen un sentido especial de la responsabilidad y un profundo respeto entre ellos, pues son conscientes de que sólo juntos pueden sobrevivir.

Mi curso duró un año, tres meses de trabajo y uno de descanso. En los intervalos viajaba a Colombia, permanecía un mes y regresaba de inmediato. Viajé Madrid-Tel Aviv, y allí nos recibió un ex militar del ejército israelí. Como el mismo avión reunía varios integrantes del curso, nos trasladaron en ómnibus hasta una casona ubicada a cuatro horas del aeropuerto. El sitio donde fuimos recibidos y acomodados en nuestras habitaciones era una escuela privada; el grupo lo conformábamos chilenos, mexicanos, españoles y argentinos. Por Europa asistía un grupo de franceses; con ellos hablé de su "legión extranjera".

El curso no tenía nombre, sólo un número, el 562, lo comenzamos cuarenta hombres, algunos se retiraron. El primer día nos practicaron un minucioso chequeo médico y al día siguiente nos levantamos a las cuatro de la mañana a entrenamiento físico, desayunamos y comenzamos a recibir conferencias. Distinto a lo que la gente se imagina, se estudió con más ahínco en un aula que en prácticas. Las conferencias enfatizaban en la forma en la que se mueve el mundo regular e irregular. Estudiamos geopolítica, política, las guerras de Oriente, fundamentos de armamento atómico y manejo psicológico de operaciones. Recibimos charlas sobre el negocio del armamento en el mundo, cómo comprar fusiles. Pero sustancialmente algo me marcó, aprendí a comportarme de una manera distinta.

En lo práctico, recibía instrucción en estrategias urbanas, cómo proteger a un personaje, cómo le matan a uno el protegido o cómo debe ejecutarse, si es el caso. Aprendimos a bloquear un carro blindado y utilizar las granadas de fragmentación para romper entrando a un objetivo, practicamos con lanzagranadas múltiple y entrenamos para dar golpes certeros con RPG7, o introducir el proyectil de un obús por una ventana. Cursos complementarios de conocimiento sobre terrorismo y antiterrorismo, miras nocturnas y paracaidismo, incluso aprendimos a fabricar explosivos manuales. En fin, nos enseñaron de lo que saben los israelitas; pero, para ser sincero, poco se aplica lo aprendido en el tipo de guerra que se ha vivido en Colombia. Me eduqué con buenas bases y lo más importante, allí aprendí a dominar y controlar el miedo.

Era y sigo siendo muy miedoso, me aterra de manera notoria la muerte. Como expresó el ex presidente Misael Pastrana Borrero alguna vez: "Lo duro es la morida".

Allí complementé mi educación, pues se insistía en el comportamiento, en la forma de vestir y de hablar en público. Recibí una clase para aprender a entrar y registrarse en un hotel, moviéndose con propiedad. Se analizaba la forma de actuar ante los policías de inmigración en los aeropuertos, leíamos en bibliotecas y se trabajaba durante largas sesiones la autoestima y la seguridad que debe tener el individuo. Un inigualable proceso en el cual me enseñaron a valorarme y a tener confianza en mí, a ganar en momentos difíciles mediante la intimidación.

Comencé a utilizar saco y corbata, y nunca me vestí de manera diferente mientras visitaba una ciudad, hasta dirigía los operativos urbanos con tal formalidad. Desde los dieciocho años, mi ropero era exclusivamente trajes, no el de un joven de mi edad. Recuerdo como anécdota que por ser el más bajito y liviano del curso, cuando realizábamos maniobras aéreas y nos lanzábamos en paracaídas durante la noche a unas islas del Mediterráneo, debía colocarme un lastre, para equilibrar las velocidades de caída. Aún mantengo contacto con algunos de mis compañeros de curso que no olvidan aquellos saltos.

Mientras viví en Israel gané algunos amigos, entre ellos, un viejo al que me encantaba visitar para oírlo cantar o recitar poesía en hebreo, su lengua nativa, la misma de la Biblia. Emocionante. También tuve la oportunidad de conocer militares de nuestro país, los hombres del batallón Colombia, en el desierto del Sinaí. No conocí, el batallón, pero en mis días de descanso nos encontrábamos en sitios que usualmente frecuentaban; compartía con amigos oficiales y sargentos. Allí conocí en esa época, al coronel del Ejército Alfonso Martínez Poveda, quien más adelante sería nombrado comandante de este Batallón y se encontraba de paso por Israel. Alfonso era hermano del famoso coronel de la Policía Hugo Martínez Poveda, comandante del Bloque de Búsqueda que dio de baja a Pablo Escobar.

Hago referencia a Alfonso porque fue una víctima de Pablo en la guerra del narcotráfico contra el Estado. Dos años después de regresar del batallón Colombia se convirtió en el director la Defensa Civil en Antioquia, para prestar ayuda en prevención y atención de desastres naturales.

Pero Pablo Escobar lo mandó a matar, acusándolo de pasar información a los organismos de seguridad del Estado, decía que Martínez le dio información al general Jaime Ruiz Barrera, 'El Gato', comandante de la BR4.

Ese día, Pablo Escobar eligió a su propio justiciero sin saberlo, pues el hermano de Alfonso, Hugo Martínez Poveda, dirigió como comandante del Bloque de Búsqueda, el grupo de policías que lo persiguió a muerte. Martínez no descansó hasta ver muerto a Escobar. Lo asistía una razón adicional a su obligación como policía. Pablo le había quitado a su hermano. Pero de la guerra contra Pablo y los PEPES hablamos después, pero no podía dejar pasar inadvertido ese inevitable encuentro con el destino, que vivió el bandido de los bandidos, Pablo Escobar.

Al regresar al país, yo era otra persona. En Israel logré abrir mi mente, las ganas de conocer cada vez más del mundo eran impresionantes, aprendí de otras guerras y poseía ya una visión panorámica del país. Traté de absorber todo el conocimiento posible de los judíos, un admirable pueblo, el pueblo de Dios, que siempre ha vivido en guerra y durante miles de años ha estado en función de defenderse, invadir y ganar territorio. El viaje a Tierra Santa fue trascendental en mi vida.

LOS PADRINOS DE LA GUERRILLA

—¿Por qué no hablamos un poco de las personas a las que usted llama "padrinos de la guerrilla"?— pregunté.

—*Los padrinos de la guerrilla siempre viven en la legalidad y son supuestamente prestantes, tienen poder de convocatoria y son personajes en la zona. Pero facilitan los secuestros a la guerrilla y al mismo tiempo le prestan el dinero a las familias para que puedan pagar el plagio. Lo peor es que reciben un porcentaje de las utilidades que arroja el secuestro. La Autodefensa copia el mismo esquema de la guerrilla, con la diferencia de que nosotros no secuestramos, sólo extorsionamos con cariño y casi concertado. Al lado nuestro, los "padrinos" se enriquecen, pueden invertir porque hay seguridad en la zona y su misión es convocar a la gente para que colabore con la causa de la Autodefensa.*

—¿Cómo se cambian de bando los padrinos de la guerrilla?— pregunté.

A medida que la presión militar los va asfixiando se voltean, pues no saben meterse al monte porque son unos 'bacanes'. Optan por sumarse a la fuerza que mayor poder esté ejerciendo. Ellos no tienen una gran razón de fondo que los motive, su única ideología es el dinero.

Permita que ahora le cuente casos tan aberrantes como el del narcotraficante Gustavo Escobar, quien no era familiar de Pablo Escobar pero sí trabajaba con él y, además, era el aliado más importante de la guerrilla del EPL. Este hombre puso a su hermano Emilio 'Ñoño', como el gran testaferro de sus tierras, muchas en sociedad con la subversión. Gustavo fue uno de los más grandes padrinos de la guerrilla que tuve que ejecutar. La información de los nexos del comandante del EPL Bernardo Gutiérrez, alias 'Tigre Mono', con Gustavo Escobar Fernández nos llegó por los días en que los hermanos Castaño llegamos al departamento de Córdoba.

La alianza del narcotráfico y la guerrilla estaba en su mejor momento con Gustavo Escobar, un 'narco' inescrupuloso; tenía poder, relaciones con gente adinerada de Medellín y estaba vinculado a la empresa privada. Un hombre muy peligroso.

A través de su hermano Emilio 'Ñoño', podía vender semanalmente novecientas cabezas de ganado a la feria, en Medellín, el 30% del mercado de la época. Tenía fácilmente quinientos camiones y era uno de los mayores compradores de insumos para fincas. Movía tranquilamente cuatro o cinco mil millones de pesos al mes. Este sinvergüenza trabajaba las fincas con su hermano y generaba empleo, pero arruinó a gente honesta y trabajadora para llegar hasta ese punto. Por eso se tomó la decisión de ejecutar a Gustavo, el cerebro de todo, y dejar vivo al que manejaba las tierras, al testaferro, su hermano Emilio 'Ñoño'.

En el EPL era respetado y querido, era un jefe más de la guerrilla, una especie de patrón y a la vez socio.

Con esto no pretendo hablar mal de la gente del EPL; a ellos los respeto, porque años después dejaron las armas y se reinsertaron de verdad. Mi amistad con esos ex guerrilleros me ha ayudado a conocer más a fondo el modus operandi de la subversión.

Gustavo Escobar convirtió a su hermano en uno de los grandes terratenientes de Colombia, fácilmente lograron acumular cien mil hectáreas de tierra productiva y así fue como la consiguió: Mientras el poder militar del EPL entraba y asolaba una región al secuestrar y extorsionar a su gente honesta, la tierra perdía valor y de pronto aparecían de la nada, como los grandes salvadores, Gustavo Escobar y su hermano Emilio 'Ñoño'. Compraban las tierras a precio de huevo y la gente terminaba agradeciéndoles, porque eran hombres supuestamente prestantes. La misma historia que narró nuestro Nobel en su libro "La mala hora".

Pero, tenga en cuenta que ésta no sólo era una estrategia del EPL, también un método utilizado por las guerrillas del ELN y las FARC. Padrinos de la subversión, como Gustavo, lograron adquirir un elevado número de fincas de la mejor calidad. Fincas bajas, medias y en tierra alta, para ceba, levante y cría de ganado.

Gustavo acumuló muy rápido, porque contaba con el dinero del narcotráfico para invertir y además, casi nada, socio de la guerrilla. No existía para él ningún problema hasta cuando llegué yo.

Recuerdo que le gustaba que le dijeran: "Dotor; no, doctor". ¡Dotor! Imagínese el personaje.

—¿Pero ustedes hacen lo mismo en ciertas zonas para "limpiarlas" de todo lo cercano a guerrilla? —le pregunté a Castaño.

—*Partamos del principio, su pregunta es la respuesta. Somos un mal necesario y debemos ser transitorios; contrarrestamos a la guerrilla con sus mismos métodos, pero el fin es opuesto.*

Fidel y yo estábamos preocupados con lo que le sucedería al país si se dejaba progresar esta alianza, más yo que mi hermano. Fidel cometió el error de decirle una vez a Gustavo Escobar: "Hombre, Gustavo, ¿por qué estás patrocinando vos esta guerrilla?" La respuesta fue tajante: "Fidelio, aquí pensamos distinto, el enemigo es el Estado colombiano y hay que estar con el que esté contra el Estado". Fidel, muy pruden-te, no le dijo lo que pensaba; mi hermano no cazaba una guerra antes de tenerla ya ganada, a no ser que se la cazaran a él.

Pero ese comentario casi me cuesta la vida. Gustavo Escobar intuía que yo era muy peligroso para él, pues, a pesar de la posición conciliadora de Fidel, yo ya había ejecutado gente suya aliada al EPL. Por eso me mandó a matar en dos oportunidades. La primera fue en Medellín. Me confun-dieron con un miembro de nuestros comandos urbanos que viajaba en uno de mis carros y lo asesinaron. En teoría me mataron porque yo me había movilizando esa semana en ese vehículo de vidrios polarizados.

Diseñé varios intentos para ejecutarlo en Medellín y no fue posible. Intenté refugiarme por unos días en San Carlos, Antioquia, y hasta allá arribaron los sicarios. Transitaba por la última calle del pueblo en un cam-pero Mitsubishi, bajaba por una trocha, al lado había un barranco alto, y desde allí me dispararon con pistolas 9 milímetros.

Por suerte no mataron a mis dos acompañantes, Humberto Zea y su esposa Judith. El parabrisas quedó destrozado y el techo del campero, con alguna perforaciones. De manera increíble sólo resulté herido en una pier-na, una bala atravesó mi muslo derecho con dos orificios de entrada y dos de salida, por la posición de mi cuerpo al volante. En el hospital de San Carlos, los médicos diagnosticaron que la herida no revestía gravedad y que podía irme, si lo deseaba. Entonces alquilé un campero Land Rover y me fui en la silla trasera, no quise llevar una camilla, como lo acostum-bran esos camperos convertidos en ambulancias. Preferí viajar sentado, con el suero gota a gota en la mano.

A mi hermano Fidel ya se le había avisado y se vino como un rayo, solo y sin escolta, en su camioneta Ford Bronco, por una carretera llena de guerrilla, una zona brava, entre los municipios de Granada y San Carlos. Ésta es una de las manifestaciones de arrojo y cariño que recuerdo de Fidel. Nos encontramos en la carretera y no me dejó caminar para cambiar de carro. Él mismo me cargó en sus brazos y, cuando me trasladaba a su camioneta, me dijo: "Yo venía a recibir un cadáver, creí que me lo habían matado". Entonces le contesté: "No se preocupe, hombre, que todavía nos falta camino".

Al ver que corría peligro en Medellín, decidí irme para Bogotá y esconderme un tiempo, mientras planeaba la ejecución del padrino de la guerrilla, Gustavo Escobar. Alquilé un apartamento pequeño en la 116 con 11 y me dediqué a estudiar inglés en el Colombo Americano de la calle 114 con carrera 15. Allí decidí hacer el operativo en Bogotá, en el puente aéreo Avianca. Fue una acción limpia, hasta espectacular, podría decir, allí sólo murió el que tenía que morirse. Eso de poner cargas de dinamita o disparar ráfagas de metralleta a lo loco, eso es de bandidos, pues muere gente inocente.

Siempre se dice en la crónica roja: "Bastaron sólo cinco minutos para acabar con la vida del criminal". No, no, no. Fueron días enteros de trabajo y sincronismo en las horas finales. Cuento este caso, para dejar bien claro al país que quien estuviese con la guerrilla era enemigo nuestro, incluidos los narcotraficantes.

Esa mañana nos llegó un dato de nuestro informante 'Carrielito', el hermano de uno de los escoltas de Gustavo Escobar. "Va para Bogotá en su avión". Gustavo tenía tres aviones y dos helicópteros, lo que un 'narco' grande acostumbraba a usar en ese tiempo. Yo lo esperaba con el hombre preparado para realizar la acción. Manuel, un lisiado y enfermo terminal que apenas podía mantenerse en pie y con dificultad daba pasos. Una operación suicida, pero tenía como motivación adicional que su madre y dos hermanos habían muerto en una toma guerrillera.

Manuel se apoyaba en mi hombro y el plan era dejarlo en un sitio cercano a Gustavo Escobar y evitar que éste me viera, pues si me llegaba a identificar, el muerto sería yo. Gustavo contaba con una fuerte escolta, en carros blindados, y en el puente aéreo en Bogotá lo acompañaban nueve hombres.

A paso lento, nos acercamos a la Librería Nacional. Era el sitio perfecto, Manuel tenía que proceder en el instante que Gustavo Escobar saliera de la librería. Justo al frente, hay unas sillas y allí dejé a Manuel.

Recuerdo que un señor estaba sentado leyendo el periódico y le dije: "Por favor, por qué no le cedemos la silla al enfermo".

Los escoltas estaban en la puerta y Manuel sentado a dos metros, con la pistola lista debajo de la camiseta. Ahí me la jugué toda, me fui caminando sin mirar atrás y pensé: "Si Manuel no actúa, me toca a mí". No transcurrió medio minuto, cuando oí los disparos. Fue un disparo seco, un silencio y tres tiros más, seguidos. Después oí por lo menos diez disparos al mismo tiempo. Sin mirar, sabía que Manuel le disparó cuatro veces a Gustavo y la escolta acababa de reaccionar, matándolo.

No lo pensé y aceleré el paso hacia la puerta, pero las cerraron, eran eléctricas, entonces pensé: "¡Madre mía! La gente en el aeropuerto me observó cargando a Manuel". Como la única puerta que no se cerraba de manera automática era la de la salida internacional utilizada sólo para vuelos a Nueva York, salté una cinta roja, que dividía la salida nacional de la internacional y salí caminando; daba pasos largos, pesados y rápidos cuando me escapé.

Ése fue el final de uno de los padrinos de la guerrilla. Hombres como éstos los hay en todas las regiones de Colombia. La gente honesta de verdad lo sabe y al principio no lo dice, pero al final termina delatándolos.

LA LUCHA ANTISUBVERSIVA URBANA Y EL GRUPO DE LOS SEIS

—Cuando yo estuve al lado de las Fuerzas Armadas en la legalidad, noté que para algunos de ellos todo lo que fuera izquierda era guerrilla y, por consiguiente, el enemigo. Yo no estaba de acuerdo con esa apreciación, porque en medio de la lucha antisubversiva urbana conocí sindicalistas respetables que no querían a la guerrilla. Pero también había guerrilleros de las FARC y el ELN, que se disfrazaban de militantes y sindicalistas.

Se veían contradicciones muy raras; por ejemplo, algunos políticos de la UP no compartían el accionar militar de las FARC. Viene a la memoria una conversación telefónica que escuché entre dos comandantes de la guerrilla: "Tenemos un traidor a la causa y es de nuestro nivel". En ese momento me hice la pregunta: "¿cuáles son en realidad los guerrilleros?". De ahí en adelante me dediqué a anularles el cerebro a los que en verdad actuaban como subversivos de ciudad. De esto no me arrepiento, ¡ni me arrepentiré jamás!

Para mí, esa determinación fue sabia. He tenido que ejecutar menos gente al apuntar donde es. La guerra la hubieran prolongado más. Ahora estoy convencido de que soy quien lleva la guerra a su final. Si no hubiera tomado este camino drástico, habría hecho lo mismo que los gobernantes bandidos de este país, alimentar las guerras para que algunos ganen dinero, y nosotros seguiríamos ahí poniendo el pellejo. ¡No, señores! Si para algo me ha iluminado Dios es para entender esto. Convertí este conflicto en una guerra de alta intensidad, que toca los sectores que tiene que tocar: los aliados ocultos de la guerrilla.

El ELN era el que más guerrilleros tenía manejando sindicatos. Las FARC también, pero de una manera distinta; nunca aspiraban a la presidencia del sindicato, siempre lograban infiltrar gente en cargos medios, como los del personero o el tesorero. Las FARC los ubicaba en los principales sindicatos del país: Sofasa, las cementeras, Furesa, instituciones del Estado, la Anuc, las siderúrgicas, entre otras empresas. Ellos camuflaban muy bien allí a sus peces gordos. Los mismo que les manejaban el dinero y además les indicaban a quién extorsionar y secuestrar. Una telaraña tan bien tejida que las FARC se sorprendieron muchísimo cuando se comenzaron a morir. Mi trabajo en la lucha antisubversiva urbana comenzó a dar frutos.

Ellos intuían que quienes podrían descubrir a sus grandes infiltrados no podían ser los militares; esa información provendría de gente muy mezclada: intelectuales o gente del sector económico. "Estos sectores no tienen cómo meterse en una guerra abierta contra nosotros", *pensaban. Para las FARC, estas ejecuciones eran como crímenes de Estado; ellos estaban convencidos de que sus enemigos no tenían acceso a esta gente o a alguna información sobre ellos. Ahí es donde aparece el 'Grupo de los Seis'. Gracias a estos señores, no soy hoy en día un bandido y, aunque en las esferas del poder se sabe algo de ellos, también es bueno que la otra parte del país conozca un poco para bien de la historia.*

—¿Pero quiénes eran? —le pregunté.

Al Grupo de los Seis ubíquelo durante un espacio muy largo de la historia nacional, como hombres al nivel de la más alta sociedad colombiana. ¡La crema y nata!

Para mí fue un privilegio el paso que tuve por las vida de esas personas, y no hay que ponerle un toque macabro, era un grupo de seis colombianos a los que denomino verdaderos patriotas, comprometidos con

Colombia. Ellos me convencieron de la importancia de actuar patrióticamente y dedicar mi vida a la defensa del país, y entregarla si es el caso. Eran personajes de todo respeto y credibilidad, que por su edad avanzada vieron en mí la posibilidad de tener un hombre de la patria.

Déjeme decirle que antes de llegar a ellos, realicé muchas acciones urbanas, más de cincuenta, todas de manera independiente.

Conocí al primero de ellos en 1987, días después de la muerte de Jaime Pardo Leal, candidato a la presidencia por la Unión Patriótica. Viajábamos en su carro y encontré allí un símbolo tallado en bronce que me llamó la atención al verlo por primera vez en mi vida. Le pregunté qué era, y él me lo explicó: Sociedad que se defiende. Y un mes después me invitó a una reunión con dos hombres del grupo. El primer encuentro fue bien secreto y allí me manifestaron su preocupación por la muerte del candidato de la izquierda. "Por Dios, cómo se asesina a Jaime Pardo Leal, eso desvirtúa a la antisubversión".

Coincidía con ellos y tratamos de analizar las razones y las consecuencias de las acciones de Gonzalo Rodríguez Gacha, alias 'El Mexicano'. Uno de ellos exclamó: "Aquí tiene que haber alguien que encarrile esto, Carlos. En Colombia hay gente como usted, con la que se puede trabajar, sólo hace falta un poco de orientación política, un norte y unos derroteros".

Un año después, pude conocer a los demás, por el grado de responsabilidad y seriedad mío. Allí adquirí conciencia de que hay colombianos que, sin estar en el poder, sí están tratando de mover los hilos de la Nación. Le voy a explicar la forma como trabajamos, y lo que voy a contar no implica que ellos sean responsables de estos hechos. Yo les decía: "Señores, he descubierto que algunos de los grandes jerarcas de las FARC y del ELN en la legalidad están aquí". Les mostraba una relación escrita con sus nombres, sus cargos o ubicación de los enemigos. ¿Cuál se debe ejecutar?, les preguntaba, y el papelito con los nombres se iba con ellos a otro cuarto. De allí regresaba señalado el nombre o los nombres de las personas que debían ser ejecutadas, y la acción se realizaba con muy buenos resultados. Nunca vi cómo se identificaba y elegía el objetivo, pero sí veía los efectos por la respuesta violenta de la subversión armada.

Sin ellos, quién sabe cómo hubiera adelantado yo una guerra sin Norte, dado que con ellos o sin ellos lo iba a hacer.

Un día invité a Fidel a una de esas reuniones y a la salida me dijo: "Usted se está acercando al verdadero poder".

No los obsesionaba el dinero ni el poder, eran unos verdaderos nacionalistas que nunca me invitaron ni me enseñaron a eliminar persona sin razón absoluta; allí aprendí que hay cierto tipo de acciones militares que alguien tiene que hacer para impedir que el Estado las haga como tal, y sucede en todas las naciones en formación. Me enseñaron a querer y creer en Colombia, con ellos me convencí de que algunos tenemos que sacrificarnos por el país. El Grupo de los Seis se mantuvo activo hasta los primeros años de la década del noventa, pues varios de sus integrantes fallecieron.

—Si ellos estuvieron en desacuerdo con la muerte de Pardo Leal, el primer candidato a la presidencia por la UP, ¿opinaron lo mismo de la muerte de Bernardo Jaramillo Ossa, el segundo candidato a la presidencia por la Unión Patriótica? Para todos estaba claro que Jaramillo, siendo líder de la UP, había criticado públicamente muchas de las actuaciones violentas de la guerrilla de las FARC —le dije a Castaño.

—*Pardo murió en 1987 y Jaramillo en 1990. En su momento, eran dos países muy distintos. En el noventa, el narcotráfico estaba enfrentado de manera abierta con el Estado y existía ya una 'narcoguerrilla' armándose. Lo único que voy a decir es que a Bernardo Jaramillo Ossa lo mató una antisubversión civil, y no fui yo. Estuve presente el día que se tomó la decisión y manifesté mi desacuerdo. Uno podía abstenerse de votar y, al final, dije: "Yo no quiero ser ni cómplice en esta acción". No lo ejecutó ninguno de mis comandos, pero sí sectores cercanos a las mismas fuerzas que yo conducía.*

—¿Donde se planteó la muerte de Bernardo Jaramillo? ¿Fue en el Grupo de los Seis?

—*Alguien lo hizo y yo escuché simplemente, sí...* —contestó Castaño, un poco incómodo—. *Yo he dicho claramente de cuáles casos soy responsable y de cuáles no lo soy. Además de los que estoy relatando, siempre explico el porqué. ¡Hombre, por Dios! Hoy me arrepiento de no haber impedido la muerte de Bernardo Jaramillo Ossa.*

Debe quedar algo muy claro, en este país no soy el único que dispara, quizá si soy el único que se atreve a asumir sus actuaciones y explicarlas. En Colombia hay casos como el de Jaramillo, en que todas las esferas del poder, los afectados, los beneficiados y hasta los meros espectadores conocen de dónde vino la orden, pero resulta que asumen una especie de silencio absurdo de conveniencia nacional frente a una situación tan grave. La doble moral de la clase dirigente colombiana.

Hay hechos que, por grandes o pequeños, de pronto le dan a uno una inmensa claridad sobre esta guerra.

Alguna vez se presentó una situación que siempre recordaré, y allí sobre el terreno terminé por convencerme de que la pelea con la guerrilla había que darla en el aérea rural y en las ciudades, como yo lo venía haciendo. Eran como las cinco de la tarde cuando llegué al campamento de Fidel, programaba un operativo en la zona rural de una vereda que se llama Tres Palmitas. Entonces mi hermano me preguntó: "¿En qué anda?" *Antes de proponerme que asistiera al operativo, le manifesté mi deseo de manejarlo. Me decía:* "Vamos a ver si todavía sirve para la lucha rural".

Fidel no tuvo inconveniente en dejarme ir, y me dijo: "Van con un informante confiable, tenemos localizado a uno de los guerrilleros más sanguinarios del quinto frente de las FARC, está en la casa de la mamá, ese es el objetivo".

Como a las 11 de la noche nos acercamos al guerrillero. En la avanzada, se alcanzó a percatar de nuestra presencia y con una pistola se atrincheró en la casa de madera para defenderse. En ese momento, la orden fue disparar fuego cruzado desde distintos flancos. De pronto, el guerrillero dejó de disparar y creímos que se logró escapar por el patio, por lo cual ordené que se rodeara a buena distancia la casa. El silencio continuó, entonces ordené el registro con dos hombres más y, cuando entré en la casa, el tipo yacía tirado sin vida en el corredor, que conducía a una de las habitaciones. Seguí buscando en la casa hasta que me acerqué a la cama y debajo se ocultaba un muchacho de diez años, invadido de pánico. Le pregunté a la viejita, que también se ocultó de la balacera arrojándose al piso para protegerse: "¿Quién es el pelao? *Me dijo con la voz aún temblorosa:* "Es mi nieto, el hijo de mi muchacho". *De inmediato, lo saqué de la casa y la señora empezó a llorar. Prendí el radio, le informé a Fidel lo sucedido y le comenté que encontramos al hermanito del guerrillero. La respuesta de Fidel fue categórica:* "¡Hay que ejecutarlo!". "Hombre, Fidel, sólo tiene diez años y tiembla del miedo", *me contestó.* "Ese mismo 'pelao' es el que después lo mata a usted, y no lo dude", *me insistió.*

La conversación por radioteléfono terminó así. Yo debía tomar una decisión, lo miré y di la orden: "Señores, nos vamos y nos llevamos a este pelao". *Opté por capturarlo y entregárselo a la comandancia del Ejército, lo que terminó salvándole la vida pues cuando Fidel sugirió ejecutarlo, me detuve a pensar: "Si lo dejo vivo, puede ser perfectamente un Carlos Castaño en el futuro y me va a perseguir a muerte. Si lo mato, ¿a cuántos niños más me va tocar ejecutar?" Esa reflexión fue bien dolorosa.*

Le dije a Fidel: "Hermano, a los que hay que seguir ejecutando es a los que logran alienar estas mentes ignorantes. Los jerarcas de las FARC son los responsables de que estos 'pelaos' se maten aquí mientras ellos viven en Bogotá felices en hoteles cinco estrellas, viajan al extranjero y hacen propaganda guerrillera mientras esconden sus atrocidades. ¡A esos es a los que hay que matar!"

—¿En ese momento surgió una diferencia con su hermano Fidel? —le pregunté a Castaño.

—*¡Nunca!* —me contestó airado—. *Yo jamás en la vida tuve diferencias o rivalidades con mi hermano. La contradicción la viví yo. Me pregunté y le pregunté a Fidel. ¿Por qué hay que matarlo? Mis argumentos se fortalecían cada vez más, mi premisa era la misma, y recuerdo que le dije a Fidel: "Hay que ejecutar a esos que perversamente ponen a que los campesinos nos matemos entre nosotros". "¿Dónde y cuándo vamos a corregir el problema?", me preguntaba. En mi mente, un pensamiento se hacía cada vez más certero. Esto va a seguir igual y las órdenes se van a seguir dando si los que están en las capitales no se mueren primero".*

Regresé a la ciudad a seguir buscando los cerebros de la guerra. Posaban de no ser guerrilleros, no eran los dueños de las fincas ni les pertenecía el capital, pero vivían de la guerra. Alimentaban a los ejércitos de lado y lado, y respetaban los intereses del establecimiento. Son los verdaderos "señores de la guerra".

—¿Por qué no citamos algunos ejemplos, comandante?

—*Le puedo hablar de hombres como Jaime Ángel del Valle, Jesús Agudelo de Medellín, Jorge Gneco, Luis Felipe Vélez, presidente del sindicato ADIDA, quien desde Medellín podía enviar grupos de diez o quince hombres semanalmente para que se alistaran en la guerrilla del EPL. Adoctrinaba esos muchachos de los colegios Liceo Antioqueño y Pascual Bravo. Él no murió por sindicalista, como lo hizo ver la izquierda, la guerrilla y algunas ONG. Se murió por ser un señor de la guerra que se escondía en un sindicato.*

Después de su ejecución, dije: "Muchos jóvenes de la ciudad y niños del campo se salvan de la muerte con la desaparición de este sinvergüenza".

Otro caso fue el del senador por la Unión Patriótica, Pedro Luis Valencia, también catedrático de la Universidad de Antioquia. Un comando de la Autodefensa irrumpió a las 7 y 30 de la mañana en su casa, en el barrio Calazans, lo capturó y lo ejecutó. Esa misma casa fue lugar de tránsito de muchos secuestrados en Medellín. Al garaje llegaban los milicianos urbanos con la víctima atada de pies y manos, en el baúl del carro, allí se subía un hombre de las milicias rurales de las FARC y se llevaba a la víctima para el monte. Yo supe de siete secuestrados que pasaron por esa casa. ¡Y Valencia era un senador de la República por la Unión Patriótica!

Este hombre era perverso. Antes de ejecutarlo, yo mismo le hice un seguimiento y descubrí que era un teórico de izquierda impresionante; me camuflé entre el público del auditorio y asistí a tres de sus conferencias, y allí me quedó claro que era un alimentador de la guerra, atizaba la lucha de clases y para él los ricos eran los responsables de todo lo malo, era un gran sembrador de odio. La representación de Stalin.

Lo que yo hice fue ejecutar a los guerrilleros activos dentro de las organizaciones de izquierda. Una etapa muy fuerte a la que yo llamé "la depuración". ¡Ojo! Pero se respetó a los líderes de la izquierda colombiana que no fuesen subversivos.

—¿A qué líderes de izquierda admira usted?

—A los sindicalistas que defienden los derechos del obrero, a los personajes líderes de los movimientos de izquierda como Luis Eduardo Garzón y Angelino Garzón, a quienes siempre he respetado. Lamenté que falleciera Bernardo Jaramillo Ossa, quien nunca debió morir. Tampoco se atentó contra hombres como Julio Roberto Gómez, un sindicalista moderado. Muchos hombres del partido comunista nunca fueron objetivo militar nuestro, Gilberto Vieira y Gerardo Molina, los fundadores del PC en Colombia. Respetamos también a Hernán Motta Motta, senador de izquierda, quien llevaba mensajes de las FARC al Gobierno, pero en un tono conciliador; fue un hombre moderado y decente, se mantuvo dentro de su ideología. Carlos Romero fue otra persona a quien le reconocimos su tendencia política, porque nunca fue guerrillero; era un hombre de izquierda, cosa muy distinta.

Como éstos, se dieron muchos casos en la lucha antisubversiva urbana, pero, vuelvo y repito, a mí no me queda la menor duda de que más del cincuenta por ciento de los políticos de la Unión Patriótica los mató 'El Mexicano' en una guerra por cocaína con las FARC.

—Pero con todas esas "ejecuciones extrajudiciales", ¿no cometió usted crímenes injustificables? Usted no es juez para decretar la pena de muerte —observé.

—*Ejecutar a un hombre es un crimen. Yo sólo justifico la muerte de un ser humano en casos extremos de legítima defensa, pero cuando se está en la guerra, es otra cosa. En una guerra irregular como la que nos tocó vivir, es injustificable. Lo único que me deja tranquilo es que esta guerra no la comencé yo; somos efecto, no causa. En la mayoría de los casos se analizaron dos fuentes no conexas, pruebas, grabaciones y documentos que nos permitía tomar la decisión. Eso no quiere decir que en los comienzos de la lucha antisubversiva pude haber cometido graves errores con terceros y conmigo mismo.*

—¿Era consciente de las consecuencias que esto le traería a usted?

—*No. Después del secuestro y muerte de mi padre, yo aún era un niño y estaba enceguecido por el odio, la rabia y el deseo de venganza. Quizá el error más grande de mi vida fue que avancé sin ser previsivo y nunca tuve un terreno allanado al que yo pudiera retornar. Sin darme cuenta, poco a poco fui pasando una frontera de no retorno a la normalidad, hasta que llegue el fin de la guerra.*

Pero sigo teniendo un sentimiento antisubversivo irrenunciable. Lo que pasa es que uno va cometiendo errores y esos excesos quedan temporalmente sumergidos. Pero el hecho de que estén ocultos no lo exime de tener un compromiso más adelante con su enemigos irregulares o con la justicia, espero que no sea frente a la justicia de la subversión institucionalizada; por eso prefiero la justicia internacional, ella podría entender objetivamente mi tragedia. El punto de no retorno nunca es fácil percibirlo. Eso es lo que más le recalco hoy en día a la nueva generación de comandantes y combatientes en la Autodefensa. Les hago ver hasta dónde puede uno dejar avanzar el odio, porque pelear con odio sólo conduce a cometer errores. A nuestras filas ingresan muchachos que por convicción son antisubversivos, pero otros vienen porque han sido víctimas de los excesos de la guerrilla y su odio es inmenso. Ésta es la triste historia del odio que generó el odio.

En medio de la entrevista con Castaño, el comandante 'Alemán' se levantó de la mesa y conversaba en voz baja con varios hombres de la escolta, y por radioteléfono recibía mensajes. Castaño detuvo la conversación y preguntó en voz alta:

—¿Qué pasa, 'Alemancito'?

—Tenemos un enfrentamiento cerca, comandante.

—¿Dónde? —preguntó Castaño, mientras se paraba de la mesa para acercarse al 'Alemán'.

Sin ningún asomo de intranquilidad, Carlos Castaño se acercó y nos dijo:

—*Señores, lo más seguro es que nos tengamos que separar; lamentablemente, no vamos a poder dormir aquí esta noche. Creo que lo mejor es que usted regrese a Montería, porque yo me voy a enmañanar y nos espera una buena caminada. Es posible que me desplace hasta un campamento que tengo selva adentro, en el Nudo de Paramillo, donde pienso estar unos ocho días. Pero antes quiero que nos veamos con Adolfo Paz, 'Don Berna', mi fiel amigo y compañero de Causa y en la guerra contra Pablo Escobar. Adolfo, mi hermano Fidel y yo conformamos la dirección del grupo los PEPES, los perseguidos por Pablo Escobar. Mañana buscamos la forma de reencontrarnos. Creo que va muy bien acompañado por el doctor Ernesto y 'Monseñor', son muy buenos conversadores.*

Mientras pasábamos los maletines de una camioneta a otra, Carlos Castaño alcanzó a cambiarse de ropa, un *blue jean* ancho y unas botas pantaneras de caucho, que le llegaban a la rodilla. Antes de salir comenzó a llover nuevamente y la temperatura daba la sensación de subir, pero no, sólo la humedad incrementaba.

El viaje fue lento porque la vía parecía un jabón sacado de una tina. La camioneta se deslizaba y se enterraba a su antojo en el fangal, mientras el conductor giraba rápidamente la dirección hacia el lado contrario de donde se precipitara el carro.

Con pantano hasta en las orejas, dejamos a Ernesto Báez en una finca cercana, eran las tres de la mañana. Casi no abren el hotel. Llegamos a Montería y el recepcionista salió en piyama. Dormí tranquilamente hasta el medio día, cuando me visitó un enviado de Castaño. Al bajar a la recepción, alcancé a ver una camioneta que me conduciría hasta la finca 'Cocuelo'. Llegué a la solitaria casa de una sola planta, similar a las anteriores, me ubiqué en el kiosco y después del almuerzo vino una corta espera. Escoltado por dos camionetas con veinte hombres, reapareció Castaño.

Con la tropa.

VII

LA GUERRA CONTRA PABLO ESCOBAR

—*El día que Pablo Escobar ordenó mi muerte, salí ileso del atentado y horas más tarde redacté dos cartas. Una a mi hermano, en la que le conté lo sucedido, y otra a Escobar, donde le escribí algo que nadie se atrevía a decirle:*

Antioquia, 1 de enero de 1992

Pablo:

Mientras le he servido en lo que creo debo hacer, según mi criterio, usted intentó matarme a traición. No se extrañe si mañana lo entrega su esposa o cualquier miembro de su familia, cuando descubran que no es un ser humano sino una bestia traicionera lo que tienen en la casa.

Carlos Castaño Gil.

Esta carta le llegó a Escobar y se encolerizó. ¡Ese hombre era un alacrán! Pero las guerras son así, primero hay que sacarle la rabia al enemigo para descomponerlo. Mientras más pantera negra se crea y más intimide, más duro hay que tratarlo.

Alguna vez le oí decir a Pablo: "Cuando un tipo no se deja ver y hay que "bajarlo", no le mande un "combo", mándele dos o tres...". Escobar intentó matarme con tres "combos" integrados cada uno por dos sicarios, en total seis hombres armados.

Al comenzar el día me dirigía hacia Medellín y al aproximarme al peaje de Yarumal, en un campero Mistsubshi con mi esposa y mi hija, reduje la velocidad. A unos cien metros, un taxi Renault 9 que se encontraba estacionado en la berma aceleró de manera abrupta y se hizo adelante de nosotros. Me pareció un poco raro, lo confieso, pero a mí todo en la vida me ha parecido raro. No me gustó mucho, por eso mermé un poco la velocidad de manera desprevenida. Soy excesivamente precavido y des-

confiado, por eso detallé que el taxi lo manejaba un muchacho sin camisa, acompañado por otro joven, y parecía no haber nadie en la silla trasera. De repente, se levantó un hombre en la silla trasera, miró hacia mi carro y volvió a esconderse. Esto sucedió en segundos y me pareció ver que el de adelante le dijo al que se paró: "Míralo".

Ellos pasaron rápidamente el peaje, mientras yo preferí hacerlo despacio, con toda la precaución del caso. El taxi, de manera extraña, no se adelantó, se detuvo en el carril izquierdo, por donde venían los carros en sentido contrario, pero dejaba un espacio libre en la calzada.

De inmediato le dije a mi esposa: "Esto está muy raro. No voy a pasar por el carril derecho". Aceleré el carro al máximo y me colé rápidamente por el pequeño espacio que habían dejado al lado izquierdo, el campero alcanzó hasta patinar cuando pasé por la berma y por algún cascajo que había allí regado. Yo no miré, y cuando el velocímetro subió a cien kilómetros por hora, le pregunté a mi esposa: ¿Usted vio lo que pasó? Ella me contestó: "Sí, fue muy raro". ¿Qué reacción tuvieron cuando me les pasé por el lado contrario? "Todos nos miraron, los tres que estaban en el taxi", contestó.

Seguí avanzando a un ritmo fuerte, entre cien y ciento veinte kilómetros por hora, en una vía con curvas. De pronto pensé que era pura paranoia mía, pero comencé a ver las luces del taxi por el retrovisor. En las rectas avanzaba a ciento cuarenta kilómetros, y el taxi ahí, a la distancia. Las llantas chillaban porque tomaba las curvas a mucha velocidad en tercera y las revoluciones del carro se acercaban a ocho mil, ya iba arriesgando. Desconcertado, decidí meterme por una variante que hay antes de llegar al municipio de Santa Rosa. Yo de trochas y atajos sí conozco. Era una vía sin asfalto, que nos dejaba adelante del pueblo.

Con mi esposa reflexionaba: "Serán unos borrachos, pues es la madrugada posterior al 31 de diciembre y puede ser sugestión mía". Pero no, me iban a matar con mi esposa y mi hija. Años más tarde, capturé a uno de esos hombres y me lo contó todo con detalles. El sicario que iba en la silla trasera del taxi llevaba un fusil G-3 y a la salida del peaje estaba listo para disparar la ráfaga de veinte tiros, justo cuando yo pasara.

Salí de nuevo a la autopista con una tranquilidad relativa, muy atento con el taxi, pero no lo volví a ver. Pasé por el municipio de Don Matías y llegué a un cerro donde están los restaurantes a lado y lado de la carretera, y vi dos motos salir de uno de los restaurantes. Dejé de acelerar para observarlos bien, cuando el parrillero de la moto que iba adelante, como a unos cien metros, dejó caer su gorra. De inmediato presentí, sin lugar a equivocarme: "Comenzaron el operativo y me quieren matar".

Noté que la moto se detuvo y el segundo sicario se bajó y la recogió para darme tranquilidad, pero, al agacharse, le alcancé a ver debajo del poncho una subametralladora M.P5 recortada, una arma fina, que muy poquitos teníamos. De inmediato pisé a fondo el freno y levanté la palanca de emergencia, a unos sesenta kilómetros por hora, para intentar dar un trompo y quedar en contravía y así huir, pero di la vuelta entera y quedé frente al sicario otra vez. No dudé en sacar la pistola y le hice cuatro disparos.

Mientras los tipos tomaban una mejor posición que les permitiera disparar desde la moto, alcancé a ver más adelante que los otros atravesaron su moto impidiendo el paso de los vehículos que se aproximaban en sentido contrario. Yo maniobré el campero y lo arrinconé a un muro de contención amarillo con negro, en el filo de un precipicio tan profundo que mi hija se asomó y me dijo: "Papi, no me vayas a dejar caer ahí, que eso está muy miedoso". Recuerdo que mi hija no dijo una palabra sobre los sicarios y mi esposa me preguntaba: "¿Nos van a matar?"

"Tranquilas, que no va a pasar nada", les dije, y me bajé ordenándoles que se quedaran ahí. Me escondí detrás de una piedra a un costado de mi carro a esperar que salieran los sicarios. Sólo tenía una pistola 7-56 y un proveedor en el bolsillo, ya me había gastado cuatro tiros, me quedaban ocho en la recámara del arma y doce en el otro proveedor. Cuando salieron los que me habían disparado y su moto había resbalado sobre la cuneta de cemento a la salida del restaurante, me incliné, puse una rodilla en el piso y les apunté, recosté mi cabeza en el hombro, mientras mi mano izquierda abrazaba la derecha que empuñaba mi arma. Con la metra en la mano fueron cruzando frente a mí y el sicario me gritó: "¡La cosa no es contra usted, ¡parce!, nosotros vamos es por el carrito!". Luego aceleraron la moto, y yo les contesté: "¡Pase que no voy a disparar!" Mientras se alejaban, no dejé de apuntarles hasta que se fueron. Luego regresé por trochas hasta una zona segura y controlada por la Autodefensa.

El atentado se dio porque Pablo Escobar ya intuía que yo, a espaldas de mi hermano Fidel, le estaba ayudando a las autoridades para que lo capturaran, por eso, la realidad es que no puedo calificar de traición su actitud, como le escribí en la nota, simplemente él era mi objetivo y yo me

convertí en el suyo. Las razones es otra cosa. Además, se le había frustra-
do más de un atentado terrorista, justo de los que yo tenía conocimiento.

—Sospecha que tenía sentido —le comenté a Castaño.

—¡Claro, por Dios! *Desde que conocí a Pablo, en 1984, percibí que*
era un manipulador que siempre me consideró un instrumento. Yo sabía
que tarde o temprano íbamos a rivalizar por las capacidades que cada uno
tenía, aunque con horizontes distintos. Siempre he tenido un concepto
muy claro de la preservación de la democracia y el Estado. Él odiaba a la
clase dirigente y a la oligarquía. Con su poder ya empezaba a sentirse
Estado.

Cuando en 1985 se planeó en mi presencia la toma del Palacio de
Justicia entre Pablo Escobar y Carlos Pizarro, yo no imaginaba a Pablo
tan perverso.

Al lado de Escobar uno se podía convertir perfectamente en un mons-
truo igual que él. Sinceramente, yo creí que Pablo se caía por gravedad, el
propio peso de su accionar endemoniado lo iba a acabar, pero pasaron los
años y Escobar se fortalecía, cada vez era más criminal. Creí que la auto-
ridad iba a terminar con él, pero en mi accionar antisubversivo al lado de
las instituciones y por fuera de ellas, descubrí que no había quién lo pudie-
ra ejecutar, por el grado de corrupción política y judicial que existe en
Colombia.

A principios de 1989 yo ya era un enemigo oculto de Escobar y le sumi-
nistraba información al DAS. En ese entonces se me conoció en la central de
inteligencia como el informante 'Alekos', al que internamente llamaban "El
Fantasma", de lo cual hay registros y grabaciones que lo comprueban. Para
un sector de la Policía, siempre fui conocido como 'Alex'.

—Pero comandante, su hermano Fidel Castaño aún era amigo de
Pablo y asistía a las reuniones del cartel. ¿Qué opinaba él?

—¡Nada! *Fidel no estaba enterado de todo lo que yo tramaba en con-*
tra de Pablo. Luché contra Escobar, a escondidas de mi hermano y del
DAS. En la central de inteligencia no conocieron mi identidad durante
mucho tiempo, siempre fui 'Alekos'. Se lo ocultaba a Fidel, porque mi her-
mano siempre creyó en Pablo Escobar. Se trataban como amigos y con
aprecio. Fue tan 'pablista', que cuando le escribí para contarle que Escobar
ordenó mi muerte, no me creyó. Fidel, como todos sus amigos, le era leal
por el terror que le tenían. En ese momento convenía ser amigo de Pablo
y no su enemigo.

Mi hermano creía en Escobar como en un amigo leal. Enemigo de sus enemigos y amigo de sus amigos. Yo insistí en lo contrario: "Pablo es enemigo de sus amigos y así sobrevive, matando amigos".

Comencé a suministrar información a las autoridades diez meses antes de que estallara el camión bomba con seis mil kilos de dinamita en las instalaciones del DAS en Bogotá, un triste 6 de diciembre de 1989. Recuerdo que mientras los que queremos este país sufríamos al ver cómo fallecieron de manera infame casi cien personas y más de mil quedaron heridas, 'Memín' y el 'Chopo', los hombres de Pablo Escobar que colocaron las seis toneladas de explosivos, celebraban y se sentían mejores que los demás bandidos. ¡No creían en nadie!, a pesar del regaño que les metió Pablo, porque el director del DAS, general Maza Márquez, había salido ileso.

Ellos se ufanaban y contaban abiertamente los detalles del atentado a la gente de confianza, entre los que, supuestamente, me encontraba yo; tan bocones fueron que ese día les saqué la información necesaria para descubrir la bodega donde quedaba la dinamita sobrante del atentado, unos tres mil kilos, que después se utilizarían para realizar tres nuevos atentados con carros bomba de por lo menos quinientos kilos de explosivos cada uno.

Quince días después del atentado, llamé al DAS y pude hablar por segunda vez con el Director de la Central de Inteligencia, Alberto Romero Otero; me lo pasó el coronel Echavarría, de la División de Inteligencia.

Con Echavarría existía cierta confianza porque le había suministrado, en el transcurso del año, cuatro o cinco denuncias importantes.

El seudónimo lo seleccioné, porque durante esos días leía el libro Entrevista con la historia *de la escritora y periodista Oriana Fallacci. También escribió otro libro,* Un hombre, *sobre la vida de 'Alekos', el rebelde griego de nombre Alejandro Panagulis.*

Como 'Alekos' le entregué al director de la Central de Inteligencia la información que evitó la explosión de varios carros bomba en Medellín y Bogotá, donde ubiqué una bodega con dinamita. Le revelé información que evitó la muerte de un candidato presidencial, entre otras denuncias que les salvaron la vida a muchas personas, incluida la del general Miguel Maza Márquez, en dos oportunidades. Más del cincuenta por ciento de los hechos positivos del general Maza, como director del DAS, se deben a mi información como infiltrado de la patria en las filas de Pablo Escobar.

Lo que le dije al señor Alberto Romero está escrito en esta declaración que el Director de la Central de Inteligencia rindió ante la Fiscalía General de la Nación, cuatro años y tres meses después. Léala y la comentamos, es muy importante.

Castaño salió del kiosco de paja y me concentré en el documento. Era la declaración juramentada que el Director regional del Cuerpo Técnico de Investigaciones de la Fiscalía en Medellín, le tomó en las instalaciones del DAS al Director de la Central de Inteligencia, el 28 de marzo de 1994, a las 11 de la mañana, en el proceso 0179, comisión 087.

"¿Jura decir la verdad y nada más que la verdad?" El señor Alberto Romero contesta que sí, cuando le pregunta el fiscal: "Afirma Carlos Castaño Gil que puso en conocimiento suyo algunas actividades terroristas que se desarrollarían en 1989 y 1990". Y Alberto Romero contesta: "A finales de 1989 se produjo una llamada telefónica de una persona que tomó el seudónimo 'Alekos' y manifestó su intención de suministrar información referente a los hechos terroristas que estaban ocurriendo en el país, cometidos por el cartel de Medellín. Anunció que en el barrio San Antonio de Bogotá, en la calle 2ª sur con carrera 19, en una bodega contigua a un taller se encontraba una cantidad importante de dinamita y que en aquel sitio se había cargado el camión bomba que fue colocado contra las instalaciones del DAS. Se gestionó la orden de allanamiento y se decomisó tres toneladas de explosivos. Las diligencias adelantadas por la Policía Judicial permitieron con posterioridad identificar los autores materiales y actualmente responden ante la justicia por estos hechos".

Castaño me había entregado, también, recortes de prensa de la época y así titulaba el periódico *El Colombiano* el hallazgo, un 27 de diciembre de 1989: "Cae fábrica terrorista en Bogotá". El encabezado decía: "Golpe del DAS". Y el antetítulo: "Incautadas 3 toneladas de dinamita. Develado gigantesco plan siniestro".

El propio general Miguel Maza Márquez reveló detalles del hallazgo de la bodega. En la rueda de prensa que dio en el lugar: "Ésta es la fábrica de carros bomba de los jefes del narcotráfico y se tiene pleno conocimiento de que intervino un ex integrante de la organización terrorista vasca ETA. Aquí se preparó el primer atentado terrorista contra mi vida el 30 de mayo de 1989, el carro bomba que destruyó el periódico *El Espectador*, el 2 de septiembre, el vehículo que hizo explosión cerca al hotel Tequendama y aquí también se preparó la carga explosiva colocada en el avión de Avianca HK 1003 volado con 117 personas a bordo, el pasado 27 de noviembre, y, por supuesto, el atentado a las instalaciones del DAS. El proyecto criminal tenía previsto, entre otras cosas, atentar contra conocidos políticos, funcionarios del Gobierno, empresarios y diplomáticos".

Continué con avidez la lectura de la declaración del jefe de la Central de Inteligencia, como si se tratase de una novela, que no podía dejar de leer. Alberto Romero continuaba así su relato: "Posteriormente 'Alekos' llamó y dijo que le agradaba muchísimo la forma y la diligencia como se había hecho la incautación y que él continuaría suministrando información para evitar actos terroristas, pidió un teléfono para comunicarse en horas no hábiles y el día 5 de abril de 1990 anunció que una camioneta Ford F900, de placas TA 5503, contenía una carga de 750 kilos de dinamita amoniacal camuflada, que iba de Medellín para Bogotá a realizar un atentado contra un personaje. Se logró la ubicación del vehículo en la calle 86 con la carrera octava, lugar trasero a la residencia del general Miguel Maza Márquez. La carga fue desactivada por el estrangulamiento de la mecha faltando escasos segundos para que hiciera explosión".

"El 19 de abril de 1990, 'Alekos' informó que en la residencia de la carrera 66B, número 15-06, situada al frente de la cabecera de la pista del aeropuerto Olaya Herrera, en el barrio Santafé de la ciudad de Medellín, estaban unos francotiradores que asesinarían al candidato presidencial conservador Rodrigo Lloreda Caicedo. Esta información se suministró a la Policía Nacional que de inmediato hizo un operativo relámpago, pero por falta de previsión los francotiradores lograron escapar. Se encontró en la residencia un fusil 15 pw, un proveedor y 73 cartuchos, un fusil marca Winchester, calibre 7.62, con mira telescópica de alta precisión, 19 cartuchos y un rocket".

De inmediato, busqué en los recortes de periódico y allí salió publicado en la edición del viernes 20 de abril, de *El Colombiano*, aparecía en una foto el armamento incautado, a tres columnas, y el titular decía: "Frustran atentado terrorista en Medellín".

El documento continuaba con información adicional filtrada por 'Alekos', ese mismo día, según Alberto Romero: "En la plaza José María Villa en Medellín se encontraba una camioneta Chevrolet Luv

DILIGENCIA DE DECLARACION QUE RINDE EL SEÑOR ALBERTO ROMERO OTERO, IDEN
TIFICADO CON CEDULA DE CIUDADANIA NUMERO 2'892.146 DE BOGOTA, RESIDENTE
EN LA CARRERA 28 No. 18_00 TELEFONO 2377709.-

po Celebrity de placas TI-5123 acondicionado con 450 kilos de dinamita-
amoniacal y localizado a una cuadra del centro administrativo de La Alpu
jarra en Medellín, este operativo se coordinó con la Policía para que _
lo efectuaran.- En otra oportunidad cuya fecha no figura acá porque el -
resultado no fué el esperado, suministró la información del lugar al -
cual en lashoras de la noche de ese día llegaría Pablo Escobar en un -
sector cercano a la Ciudad de Medellín y que el sitio estaba acondicionado para recibirlo y había armamento y comunicaciones. Se le avisó a -
la Policía Nacional Cuerpo Elite el cual hizo el reconocimiento de la _
zona parece que no con todo el cuidado del caso y fué detectada y al -
día siguiente allanaron el sector sin que lo hubieran hecho en el sitio
donde se presumía se encontrara, tal vez por una mala apreciación del -
terreno; ALECOS llamó ese día más tarde y pidió que por lo menos se alla
nara el sitio y se decomisara el armamento y se sentía molesto con la -
forma como habían hechos el operativo por lo que se le suministró el -
teléfono de la Jefatura de la Seccional Antioquia y de la Unidad Regional de Inteligencia que estaba siendo desempeñada por OSCAR FREDY PARE-
DES con el cual se comunicó explicándole debidamente el sitio y él con-
un personal de la Seccional Antioquia efectuó el allanamiento decomisan-
do un armamento, chalecos antibalas y algunos ndios de comunicación. Ha
cia mediados del año 90 en una de sus llamadas dijo que iría a estar -
fuera de Antioquia y que no sabía cuando se volvería a comunicar pero -
que para cualquier efecto él quería suministrar su identidad y dijo que
sezllamaba CARLOS CASTAÑO.- Se le preguntó si estaba interesado en el pa
go de recompensa y dijo que eso no le interesaba que lo que había hecho
lo hacía porque no estaba de acuerdo con una violencia tan criminal y co
barde.- PREGUNTADO.- Qué conocimiento tiene Usted sobre la vinculación.-
de los hermanos FIDEL y CARLOS CASTAÑO GIL distinta de la mencionada con
personas vinculadas al Departamento Administrativo de SEguridad.- CONTES
TO.- Ninguna con ningún funcionario del DAS que yo conozcaPREGUNTADO.- -
Sírvase decir si con posterioridad ha habido alguna otra comunicación con
el señor CARLOS CASTAÑO o ALECOS._ CONTESTO.- No, para efectos de la com-
partimentación de a información con el seudónimo de Alecos se manejó to
da información que él suministró y cuando fué necesario coordinar con la
Policía Nacional se le dió el seudónio de El Fantasma._ PREGUNTADO.- Sír
vase decir si desea agregar, corregir o enmendar algo más a la presente-
diligencia.- CONTESTO._ No no tengo nada más que agregar.- No siendo o -
tro el objeto de la presente diligencia se termina y firma como aparece-
por quienes en ella intervinieron una vez leída y aprobada.- Se observó-
lo de Ley.

EL DIRECTOR REGIONAL DEL C.T.I.

CODIGO

El declarante,   ALBERTO ROMERO OTERO

de placas MM 1605 acondicionada con 250 kilos de dinamita plástica y 50 de metralla. Se coordinó con la Policía Nacional quienes lograron el decomiso del artefacto".

Los detalles de la noticia sólo se conocieron el lunes 7 de mayo de 1990. 'Alekos' había informado del hecho 16 días antes y así lo registró en primera página el periódico *El Colombiano*: "Cuerpo Élite descubrió carro bomba". "Evitada tragedia", decía el pie de foto.

Según el artículo "El carro bomba descubierto en la plaza minorista hubiera sido el tercer atentado en menos de un mes. Ya habían hecho explosión dos artefactos al paso de un convoy del Cuerpo Élite de la Policía, el primero en el puente del Pandequeso había dejado diecinueve personas muertas y el segundo, cuatro". Con este operativo realizado por la Policía se evitó una tragedia de incalculables consecuencias", aseguró a la prensa el coronel Carlos Alberto Otálora.

Finalizaba la segunda hoja de la extensa declaración ante el fiscal y Alberto Romero ya separaba las denuncias, sin hacer comentarios, sólo con un punto aparte y continuaba: "El 21 de mayo de 1990 se recibió otra llamada de 'Alekos' e informó de un artefacto explosivo al frente del colegio Helvetia en Bogotá, el carro bomba fue desactivado y contenía 350 tacos de dinamita gelatinosa".

Esta vez no busqué recortes de prensa, miré al vacío y recordé lo cerca que yo estuve de esa bomba, pues acostumbraba a transitar en las mañanas por ese colegio. Ese día no pasé por ahí, gracias a una fuerte gripa. El frustrado atentado causó un inmenso revuelo, pues en ese plantel estudiaban los nietos del entonces presidente de la República Virgilio Barco Vargas.

Seguí leyendo: "El día 27 de junio del mismo año 'Alekos' suministró información que permitió la localización de un taxi marca Chevrolet Celebrity de placas TI-5123 acondicionado con 450 kilos de dinamita amoniacal. Estaba localizado a una cuadra del centro administrativo La Alpujarra en Medellín".

La Alpujarra es uno de los sitios más concurridos de la ciudad, allí se concentran dependencias de la Alcaldía de Medellín, de la Fiscalía y la Gobernación de Antioquia, por eso consulté los pocos recortes de prensa que quedaban, con la curiosidad de verificar lo escrito hacía diez años. El periódico titulaba en primera página, de manera escueta, una noticia tristemente recurrente: "Desactivado carro bomba con

450 kilos de dinamita". Debajo de la información —¡qué paradoja! — el Gobierno anunciaba un tardío proyecto: "Acción social para rehabilitar sicarios".

Concluía la última hoja de la declaración, cuando, de repente, regresó Castaño:

—*Yo le dije que hoy le iba a contar cositas. Está por llegar 'Don Berna', pero si quiere evacuamos preguntas* —me sugirió Castaño.

—Comandante, dice en la declaración que usted permanecería fuera de Antioquia por una temporada y que no quería cobrar la recompensa. Pero, ¿cómo se enteraba de los inminentes atentados?

—*Fácil. En Medellín había mucho bandido a sueldo, incluyendo a los miembros de la organización de Escobar. Pablo quería hacer un atentado y le hacía la propuesta a varias personas que estaban en capacidad de llevarlo a cabo. La gente de Escobar decía: "Hay tanta plata para esta vuelta, ¿quién se le mide?" Así se planearon muchos atentados y, en la mayoría de los casos en los que yo tenía claro que varias personas sabían que un hecho se iba a producir, me atrevía a pasar la información a las autoridades, pues los sospechosos de una delación éramos varios y así podía seguir en mi lucha contra Pablo Escobar.*

Sin embargo, no siempre puede evitar muertes en esa guerra tan absurda. En agosto de 1989, me tocó ver, en la víspera de la explosión, un Mercedes Benz blanco cargado con trescientos kilos de dinamita. Con este carro bomba Pablo pensaba asesinar al coronel Valdemar Franklin Quintero, y a esa información tuvimos acceso muy pocas personas. Quise evitarlo, pero pensé con cabeza fría y decidí callar: "Esto equivale a mi muerte de manera inútil", porque era fácil que encontrara al delator y el monstruo iba a seguir vivo.

Esa noche no dormí, era imposible. Saber que iba a estallar un carrobomba repleto de dinamita al día siguiente fue terrible, pues yo no podía hacer nada. A las 7 y 50 minutos de la mañana en los alrededores del estadio Atanasio Giradot, el carro bomba explotó, como estaba previsto, al paso de una caravana escoltada. Pero una fatal coincidencia se dio, quien cruzaba la calle Pichincha era el gobernador de Antioquia, Antonio Roldán Betancourt, y no el coronel Quintero. Antonio Roldán y varios personas más murieron en el atentado, que, mire lo raro, le causó mucho dolor a Escobar. No sufrió por los inocentes que fallecieron, se lamentó porque consideraba al gobernador su amigo y el pobre Roldán lo era, pero, como muchos, por obligación.

—¿Por qué Alberto Romero, director de la Central de Inteligencia del DAS, terminó declarando ante la Fiscalía a favor suyo?

—*Lo que sucedió, se lo explico así: los hombres de Pablo Escobar que se entregaron a la justicia querían vengarse de alguna forma de los hermanos Castaño Gil. Entonces me acusaron calumniosamente de ser el autor material de la bomba que explotó en el avión de Avianca. Absurdo. Mi trabajo permanente era evitar el narcoterrorismo de Escobar, por lo cual mi abogado solicitó que se tomara declaración a la persona a quien yo le transmití la información en el DAS.*

—Pero si usted era un informante que se autodenominó 'Alekos', ¿cómo se enteraron de que 'Alekos' era Carlos Castaño?

—*Muy sencillo. Las grabaciones con mi voz existen, pero únicamente se enteraron de que era yo porque los visité. Un día llamé a la Central de Inteligencia y pedí que me comunicaran con su director, a quien le dije: "Señor Romero, le habla 'Alekos' ¿cómo está?". ¡Caramba, 'Alekos'!, exclamó, sorprendido, y yo continué: "Algo extremadamente grave está pasando en este país y tenemos que hacer algo o Colombia se destruirá. Yo quiero hablar personalmente con usted". "'Alekos', a usted yo le salgo a donde me diga". "No se moleste, señor Romero, yo lo visito". "¿Aquí?", me preguntó, incrédulo. Entonces le contesté: "Sí, señor, mañana estoy en su oficina en las horas de la mañana". La expectativa era enorme, no sabía cómo reaccionaría Romero al enterarse de mi identidad.*

Lo que motivaba mi determinación fue la fuga de Escobar, pues yo sabía la oleada terrorista que desataría en todo el país, yo conocía la mente enfermiza de Escobar.

Al día siguiente, llegué al DAS, y cinco hombres me estaban esperando en la puerta, y les dije: "Soy la persona que tiene una reunión con el señor Romero". De inmediato me subieron por un ascensor privado hasta el último piso. Yo estaba vestido de traje y corbata, como siempre; me indicaron la oficina y entré. Al verlo, alcancé a sonreír por dentro sin que se me notara mucho; es que le digo una cosa: pocas personas en el mundo son tan parecidas como el ex narcotraficante Jorge Luis Ochoa y Alberto Romero, fundador de la Central de Inteligencia. Su aspecto es el de un hombre gordo y bonachón.

Romero me esperaba parado detrás de su escritorio, yo caminé hasta las sillas para invitados y, al darle un breve saludo de mano, me dijo: "¡Siéntese, hombre!". Al instante percibí que el encuentro iba a ser más tenso y frío de lo que me imaginaba. Recuerdo que antes de iniciar la conversación medió un silencio eterno en el que alcancé a mirar por el inmenso ventanal blindado de su oficina el hermoso cerro de Monserrate, en Bogotá, con su iglesia en la cima.

De pronto me dijo: "'Alekos', nosotros a usted lo dábamos por muerto. Aquí decíamos: al 'Fantasma' lo eliminaron. Incluso, de cada cuerpo sin vida que aparecía en el río Medellín, pensábamos: Ése era. ¿Qué pasó? ¿Por qué no volvió a aparecer?"

Señor Romero, a ustedes siempre les fui fiel, pero sólo una vez les pedí un favor y, como no se me colaboró, sentí ingratitud por parte de ustedes, y, sobre todo, no había confianza para continuar trabajando con el DAS, y como yo trabajo es por Colombia, continué suministrado información a otra institución del Estado. Recuerde el caso del señor Héctor Castaño.

"Sí, 'Alekos', hicimos todo lo que se pudo, pero teníamos encima a una fiscal delegada, con la que trabajar era muy difícil".

"Señor Romero, usted tenía pleno conocimiento de que al testigo de "Las Tangas" el DAS le dio un libreto que recitó al pie de la letra para mantener preso a Héctor Castaño. Y así acusar al único de los Castaño que lograron capturar. El testigo sabía dónde estaban las fosas, únicamente; lo demás fue producto de un montaje que ustedes hicieron. Yo les comenté que ese individuo es hermano de un señor muy mentado, Fidel Castaño. Resulta que ese hombre es mi principal informante contra Escobar y es él quien me ha dado la mayoría de los positivos al DAS, además ustedes saben que no hay pruebas. Simplemente, me dieron la espalda, señor Romero. Yo les pedí algo justo y dentro de la ley, ustedes me dijeron que lo harían y después no cumplieron", y la línea que separa la ingratitud de la traición es tenue, y así no podía uno trabajar con confianza. Entre pregunta y respuesta siempre medió un silencio que mantuvo el encuentro muy lento; yo no dejaba de ser un informante al margen de la ley y él, el jefe de Inteligencia del Departamento Administrativo de Seguridad, DAS.

Alberto Romero aún no sabía mi verdadera identidad, para él yo seguía siendo 'Alekos'.

El Héctor Castaño, del que hablábamos, es otro hermano mío que es casi un cura, nunca estuvo de acuerdo con la Autodefensa y es un hombre muy sano. Él había visitado a Fidel en la finca 'Las Tangas', en el departamento de Córdoba. Resulta que por esa época el DAS montó un operativo contra nosotros y descubrió unas fosas comunes con cadáveres en predios aledaños a una finca de Fidel. Efectuaron un allanamiento en Medellín y culparon a Héctor Castaño, mi hermano, quien, a pesar de no tener cuentas pendientes con la Justicia, es capturado, sin oponer resistencia. Por espacio de tres días lo mantuvieron detenido de manera irregular en la Cuarta Brigada.

Mientras tanto, el testigo fue sacado de los calabozos del DAS, y obligado a leer un libreto para inculparlo en el hallazgo de las fosas. Esos cuerpos eran de la masacre de Pueblo Bello, un error, un horror y una estupidez que ordenó Fidel a uno de sus hombres. La guerrilla del EPL le había robado a Fidel un ganado y varia gente en la vereda tuvo que ver con el robo. Fidel estaba en Europa cuando esto, le consultaron y ordenó "recojan" la gente, pero esta ejecución la hizo el 'Cabezón', uno de los peores hombres de la Autodefensa. Casos aberrantes como este no tienen justificación; tiempo después se le hizo un juicio al "Cabezón" y fue ejecutado. Mi hermano Héctor salió libre a los ocho meses y la acusación se cayó por su peso.

Alberto Romero y yo cambiamos el tema, empezamos a hablar de Pablo Escobar, quien se había escapado el 26 de julio de 1992 de "La Catedral" la cárcel-palacio que le construyó el gobierno de César Gaviria.

Teníamos que hacer algo para controlarlo.

De repente Romero se decidió a preguntar por mi identidad: "'Alekos', ¿quién es usted? ¿Se puede saber o prefiere que sigamos hablando así?" Romero estaba sentado cuando le dije, mirándolo a los ojos: "Soy Carlos Castaño Gil".

Su rostro se descompuso, giró la silla y se paró molesto. Tenía su pistola sobre el escritorio y yo no estaba armado, por eso me acerqué sutilmente a la 9 milímetros, pues no sabía cuál podría ser su reacción. Ya para ese momento Carlos Castaño sonaba como la mano derecha de Fidel, y para Romero era una situación muy difícil, yo creo que alcanzó a pensar: "¿lo arresto o no lo arresto?"

Pero encontrar la respuesta correcta no era fácil, saber que Carlos Castaño era 'Alekos', lo impresionó mucho más y tenía un porqué. En ese tiempo el DAS perseguía a muerte, en el norte del país, a los hermanos Castaño. Uno de sus agentes, Emilio Benze Sabaleta, nos capturó mucha gente.

Romero caminó lentamente hasta el ventanal, mantuvo la mirada fija en la inmensidad de la ciudad hasta que se volteó y dijo: "Esto es un mundo de locos, 'Alekos', y yo no soy un caníbal situacional. Usted no me conoce y yo no lo conozco. ¡Usted debe salir de mi oficina cuanto antes! Ah... haga lo que usted crea que debe hacer, pero tenga clara una cosa, yo recibo información de 'Alekos', no de Carlos Castaño".

Yo salí del edificio del DAS y regresé a Medellín. Nunca más volví a hablar con Alberto Romero. Fue un hombre vertical a partir de ese momento, es un hombre honesto; lo último que supe de él fue un mensaje que me envió vía beeper *con el teléfono de algunas personas de la Policía a quienes les podía seguir suministrando información, para esta nueva campaña contra Escobar.*

Cuatro días más tarde entregué por tercera vez a Pablo Escobar. Estábamos a minutos de incursionar en la etapa final del operativo, y yo mismo me vi obligado a desviarlo por razones que ya le contaré. Nuevamente se salva Escobar.

—¿Cómo sucedió y cuándo se dieron esas delaciones? —pregunté.

—*Yo participé como informante en la operación "Apocalipsis I", el 22 de noviembre de 1989. Pero la primera vez que yo entregué a Pablo Escobar fue en la operación policial "Apocalipsis II", el 3 de julio de 1990. La segunda vez fue a la Policía de Medellín, a través del DAS, y en la tercera yo estuve presente en el operativo, pero decidí abortarlo teniendo a Escobar a escasos mil metros, ya le contaré por qué.*

En "Apocalipsis I", el contacto con la autoridad lo hizo Henry Pérez, el comandante de las Autodefensas de Puerto Boyacá.

Nosotros coordinábamos las informaciones directamente con las autoridades en Bogotá, a través de dos oficiales y un hombre que había sido 'M-19'. Recuerdo que después de tener clara la ubicación de Escobar, le dije a Henry: "Este operativo debe ser silencioso. Si la autoridad le mete helicópteros se corre un riesgo innecesario de un rotundo fracaso. Vamos por la selva con un grupo de la Autodefensa, ejecutamos a Escobar y después se legaliza. Si entra tropa helicoportada, con seguridad que Escobar se escapa". Henry me decía: "Quién sabe, de pronto no". Pero las Fuerzas Armadas, por impresionar y hacer del operativo todo un espectáculo, cometieron el error y, preciso, Escobar se voló.

Lo más tenaz fue que Pablo con ese olfato tan felino no se dio cuenta, no sospechó de Henry porque pensaba: "Henry no va a ser tan idiota de correr el riesgo de ser capturado también. Él sabe dónde estoy, simplemente se acerca en son de amigo, me mata y punto". Esa vez los dos informantes salimos sanos.

Después vino la primera vez que yo entregué a Escobar. A partir de proporcionarles a las autoridades la información, se estructuró la operación "Apocalipsis II".

A finales de junio de 1990, días antes de iniciar la operación, Escobar me mandó a buscar en Medellín; yo aún gozaba de su confianza. Pablo quería que le hiciera un sondeo sobre el accionar de la Policía y el Ejército contra él. Me llevaron hasta 'La Cristalina', el lugar donde estaba escondido con pocas personas, entre ellas el ex narcotraficante Jorge Luis Ochoa, un hombre pacífico y bonachón que visitaba con frecuencia a Pablo. Allí lo vi insistirle, casi rogarle, a Escobar que se entregara a las autoridades y buscara el sometimiento a la justicia. Pero Pablo decía: "Si no derrotamos a esta oligarquía, nosotros no tenemos arreglo, Jorge Luis". Escobar siempre consideró que su enemigo no era realmente el Gobierno, era la oligarquía colombiana.

Cinco días después, llegué donde Henry Pérez y organizamos la información para las autoridades. Yo mismo hice los planos, pinté el sitio sobre el mapa y sugerí la mejor forma de entrar y ejecutar a Escobar. Henry sabía por dónde estaba Pablo, pero desconocía el sitio exacto y en qué condiciones se encontraba. Yo había estado en el lugar.

Cuando supe que la Policía iba a utilizar otra vez helicópteros, le dije a Henry: "Si viene tropa helicoportada, volvemos a fracasar. Pablo tiene la maraña de la selva a cincuenta metros y, apenas sienta los aparatos, atraviesa el pasto alto que sembró y se vuela". Pero Henry, esperanzado, decía: "Pablo es muy confiado, no creerá que están encima".

El contacto con la Policía lo manejó estrictamente Henry, yo le alcancé a decir que me dejara hablar con ellos para que no se utilizaran nuevamente helicópteros, pero era muy celoso, quería todos los méritos como informante, y no me dejó.

Yo insistía que lo mejor era mandarle un grupo de hombres por la vereda Perales, meternos los dos por Nare y así lo bloqueábamos en el cerro. Ahí sí, que entre la Policía y si no le dan lo cogemos nosotros subiendo por la selva.

Al final, la Policía no accedió a la propuesta y sólo pidieron un guía. Henry asignó a Ponzoña, un gran amigo y compañero de Autodefensa, quien viajó a Bogotá y de allí la Policía lo trasladó a Medellín; querían la información y no sugerencias de cómo hacer el operativo. Por nada del mundo iban a permitir que quedara algún antecedente de colaboración civil en el hecho y menos de la Autodefensa. No permitieron que participáramos militarmente.

Mi inquietud había sido premonitoria, yo era el único que había estado con Escobar en el sitio y no se atendió mi sugerencia. Nuevamente el espectáculo avisó del operativo.

Después me enteré de que ese operativo se cayó, porque Hernán Henao, uno de los hombres de Escobar, estaba en una torre altísima que hay en el municipio de Doradal, desde donde logró ver los helicópteros, y le dio a Pablo los cinco minutos que necesitaba para volarse. Ese día, la suerte también estuvo del lado de Escobar, los helicópteros lo alcanzaron y ametrallaron la zona donde estaba, pero de manera milagrosa se salvó.

Jamás diría que la Policía no tuvo intenciones, claro que las tenía, había ganas de destruir a Escobar, pero nuevamente se les escapó.

Allí la Policía dio de baja al hombre que Pablo más quería sobre la tierra, su cuñado Mario Henao. Ese día pudo haber sido Pablo, pero no fue. Escobar descubrió a Henry y no dudó en mandarlo a matar, el ala 'narca' de la Autodefensa de Puerto Boyacá que había sido comprada por Escobar para hacerle contrainteligencia le ayudó. Además en esta operación estuvo involucrada tropa de la Autodefensa de Puerto Boyacá.

En ese momento Escobar desconfiaba hasta de su sombra. Yo aún estaba sano, pero Pablo cada vez sospechaba más de Carlos Castaño.

Después de los fracasos de Apocalipsis I y II, ya había decidido que si iba a entregar a Pablo Escobar, establecería contacto directo con un sector de la Policía que actuara de manera irregular y con el cual podría montar el operativo, para que se viera como una acción de la autoridad. Esto sucedió cuatro días después de la reunión con Alberto Romero, en las instalaciones del DAS, en Bogotá, en los primeros días de agosto del 92.

Al llegar a Medellín, ya sabía dónde estaba durmiendo Pablo Escobar, pues le venía haciendo inteligencia desde su fuga de 'la Catedral', y mi informante lo tenía localizado. Dos días después, de forma irregular, me presentaron en la ciudad a un mayor de la Policía Nacional; a él le dije: "Mañana vamos a ejecutar a Escobar". Yo he hecho dos buenas apuestas en la vida; ese día, convencido de que Pablo se moría, y en la semana en la que de verdad fue dado de baja. La primera la perdí, la segunda la gané.

Programé el operativo teniendo en cuenta hasta el más mínimo detalle. La tarde anterior verifiqué el dato con mi informante, un hombre de Escobar, el muchacho que le montaba las plantas de teléfono. No había posibilidad de que fallara en la acción.

Horas más tarde me senté con el mayor y un joven funcionario del DAS, a quienes dije: "Necesitamos un camioncito cubierto". El mayor dispuso uno de aluminio y nos quedamos de encontrar a las 2 de la mañana en la calle 80. "Yo llevo dos hombres míos y ponga usted ocho de los suyos, y a las diez de la mañana dé por descontado que Escobar está muerto" —le dije, convencido, al mayor.

En teoría, Escobar estaba muerto, pero ¿qué pasó? Se me agudizó el olfato y de manera disimulada aborté el operativo, me enteré que el mayor de la Policía ¡me iba a matar!

¿Era orden de la institución desde Bogotá que la ejecución de Escobar incluía mi muerte? No sé... ¿Para quién trabajaba el mayor? No sé...

Una vez muerto Escobar, seguían conmigo, eso me quedó claro. Escobar tenía penetrados casi todos los estamentos del Estado, pero éste no era el caso del mayor traidor.

—¿Sólo por un presentimiento abandonó el plan?

—Yo intuía que algo así podía presentarse, y estaba preparado. Comenzamos el operativo como estaba previsto. Cuando yo me encontré con el mayor y sus ocho hombres en la carrera 80 con calle 30, a eso de la una de la mañana, todo era normal. Se iba a proceder como lo habíamos acordado la víspera. Pero cuando se subían al furgón los hombres del mayor, uno de los oficiales se acercó y me dice al oído: "No deberíamos encontrarlo hoy". Más claro no canta un gallo, me iban a matar.

Al joven oficial de la Policía que me previno lo había conocido antes de ese operativo y, gracias a Dios, me salvó la vida, hoy somos muy buenos amigos.

Después investigué sobre el mayor y me di cuenta qué clase de persona era; sería capaz de entregar a la mamá con tal de beneficiar sus intereses mezquinos.

No hace mucho tiempo me lo encontré ya está retirado. A pesar de lo que hizo, no le guardo deseos de venganza, pero cuento esto para que el mayor sepa que la historia le cobra lo que hizo. De ahí para adelante, Pablo Escobar mató más de trescientas personas, puso no sé cuántas bombas, y parte de la culpa la tiene el ex oficial.

Transcurrieron los años 1989, 1990, 1991, y en el segundo semestre de 1992, a mediados de agosto, hacía cerca de 30 días se había fugado Escobar y decidimos declararle la guerra abierta, y conformamos con mi hermano Fidel y 'Don Berna', el grupo los PEPES, Perseguidos por Pablo Escobar. Esto fue semanas después de la muerte de los Galeano y los Moncada, cuando Fidel se convenció de lo que yo decía, pues Pablo desató una persecución mortal a sus mejores amigos y socios, entre los que estaba Fidel Castaño. A mí, hacía rato que me quería matar.

Quince meses después, el dos de diciembre de 1993, Pablo Escobar estaba muerto gracias a los PEPES y su unión con el Estado.

El país no puede desconocer que la posibilidad de encontrar a Pablo Escobar se dio porque nosotros se lo entregamos a la Policía reducido a su más mínima expresión, sin avanzada y sin la seguridad que le brindaban sus principales hombres. Fue gracias a la guerra irregular que le desatamos los PEPES como el Bloque de Búsqueda, en un operativo exclusivo de la Policía, sin ninguna intervención nuestra, pudo darlo de baja.

En el sentido estricto de la palabra, el primer grupo paraestatal que ha tenido Colombia en su historia se llama: los PEPES.

Fuimos tolerados por la Fiscalía, la Policía, el Ejército, el DAS y la Procuraduría, y el propio presidente César Gaviria Trujillo nunca ordenó que se nos persiguiera. Los periodistas aplaudían en silencio. ¡Y así tenía que ser!

Los estados se protegen con la Constitución y por fuera de ella cuando se ven amenazados por monstruos como Pablo Escobar. Yo lo que siempre me he preguntado es por qué contra Pablo sí se pudo y contra la guerrilla, no.

¿Por qué no hubo nunca una condena pública de la guerrilla de las FARC contra Escobar? ¡El ELN lo ayudó en una alianza espantosa!

Castaño tomó un sorbo rápido de agua y me dijo, alterado:

—Disculpe, estoy un poco agitado y me desvié del tema, es que hay cosas que me molestan terriblemente. A medida que le vaya contando, tendrá usted una visión más clara de cómo se ha movido este país, durante años.

Yo seguía con mi lucha urbana, que ya incluía a Pablo Escobar, pues su amistad con todas las guerrillas iba más allá de una simple inclinación política. El M-19 le hacía los secuestros y ya había pasado el holocausto del Palacio de Justicia, financiado por Pablo. Muchas veces se escondió en zonas dominadas por el ELN, que le daba protección. Con las FARC tuvo negocios a través de los narcotraficantes, como Carlos Lehder y 'El Mexicano'.

Y para completar, Pablo siempre quiso que le colaborara en su guerra contra el cartel de Cali y los hermanos Rodríguez Orejuela, pero yo en una guerra de mercenarios no le ayudo a nadie. ¡Jamás!

Escobar sabía que Fidel le colaboraría más fácil, siempre y cuando yo no estuviera. Pero aquél, de alguna forma, me necesitaba; mis contactos con las autoridades y mi amistad con varios oficiales era muy importante para él, y en más de una oportunidad le di información, para evitarle males menores y ganar su confianza, en bien de mi intención.

—¿Y cómo lo hacía? —le pregunté.

—Era muy sencillo. Yo manejaba en Medellín una red urbana anti-subversiva con muchos contactos y Pablo sabía que, cerca de mí, se podría enterar de lo que el Ejército y la Policía pensaban de él. Toda la vida he tenido amigos en las Fuerzas Armadas y, de alguna manera, si no hablaban conmigo lo hacían con mi gente, entre ella, muchos ex militares o ex policías, ya miembros de la Autodefensa. Eso sin contar la información que me llegaba de gente en la legalidad, a la cual Pablo ya no tenía acceso.

Le daba a Pablo tres o cuatro datos verdaderos, dos falsos y callaba muchos importantes. Sabía en qué estaba, era una guerra fría contra Escobar y debía cuidarme mucho. ¡Esto no era jugar doble! Era jugar a favor del Estado. Si esto me hace traidor, entonces habría que considerar traidores a los defensores de la Patria. A mí me enorgullece que me tilden de traidor de Pablo Escobar y por eso siempre estuve intencionalmente a su lado.

En ese momento un fuerte ruido nos distrajo. Dos camionetas entraron en la finca, y Castaño dijo:

—Ése debe ser Adolfo. Qué bueno, ahora sí podemos comenzar con la historia de los PEPES.

Salimos del kiosco a recibir al famoso 'Don Berna', quien se baja-ba serenamente de la camioneta, y Castaño me comentó:

—Adolfo cojea, porque en un atentado recibió diecisiete impactos de bala y perdió su pierna derecha, sin embargo va a todas partes y monta caballo.

Berna se acercó despacio, pues, aparte de la lesión, su considerable peso no le ayudaba para movilizarse rápido, pero su actitud era la de una persona vital.

—Qué bueno tenerlo por aquí. Le presento al periodista que está escri-biendo el libro que le comenté.

Volvimos al kiosco, tomamos asiento, y Castaño siguió:

—*Los perseguidos por Pablo Escobar ya habíamos realizado algunas acciones, aún no teníamos nombre y necesitábamos identificarnos de alguna manera. Nos preocupaba la reacción de la prensa y el Bloque de Búsqueda de la Policía, pues había que dejar en claro que nuestras actuaciones eran independientes.*

Un día le dije a Adolfo: "Berna, ya sé cómo nos llamamos de hoy en adelante: 'los PEPES'.

Se rió y me dijo: "Eso son pendejadas suyas, hombre, eso es una marca de blue jeans". Entonces repliqué: "Cuántas rosas son feas hasta que sale una bien bonita; espere para que vea". Ese día se emitió el primer comunicado en el que firmamos como 'PEPES', pero los perseguidos por Pablo Escobar ya completábamos varios meses actuando.

—Desde el 19 de junio de 1991, Pablo Escobar se sometió a la justicia en el hotel cinco estrellas en el que se convirtió su cárcel La Catedral! Le pidió a su amigo y socio Fernando Galeano, que lo visitara y lo asesinó. ¿Con esta muerte nacen los Perseguidos por Pablo Escobar? —pregunté.

—Sí, señor, aunque el grupo, como tal, se conformó meses después, —contestó 'Berna'—. Yo era el jefe de seguridad de Fernando Galeano, y el viernes 3 de julio de 1992, casi un año después de haberse entregado Pablo, éste lo citó en 'La Catedral', para hablar de una fuerte suma de dinero que los hombres de Escobar le habían robado a Fernando, cerca de veinte millones de dólares, se llegó a especular. Antes de salir para la cárcel, le dije a Fernando: "Patrón, no suba a 'La Catedral', mandemos a otra persona porque le tengo mucha desconfianza a Pablo". Pero Fernando sentía que Escobar nunca le haría daño, pues hasta ese momento le sirvió como al mejor de los amigos.

Fernando subió al cerro donde estaba incrustada La Catedral, y yo me quedé muy preocupado. La última frase que oí de Fernando fue: "No te preocupes, que yo vuelvo temprano, no quiero que me coja la noche por allá".

Ya Escobar le había quitado dinero a mucha gente que estaba en el negocio, entre ellos a Pablo Correa, Rodrigo Villa, Alfonso Cárdenas y a un sobrino de los hermanos Ochoa. Los atracó y después los mató. Nosotros manteníamos alguna relación con los trabajadores de Escobar, quien les decía cosas como ésta: "El que tenga en Medellín más de veinte millones de pesos es secuestrable". Era la degradación total. Pablo descendió a ese nivel pues perdió a su primo Gustavo Gaviria, su mano derecha en las finanzas. La Policía dio de baja al hombre que le manejaba el negocio del narcotráfico, debilitó su economía y ningún bolsillo aguanta múltiples guerras.

Peleó con el Estado. Colocó dieciocho carros bomba. Financiaba la guerra contra el cartel de Cali. Ofrecía a los asesinos a sueldo cinco millones de pesos por agente de la Policía asesinado. Ordenó la muerte de más de doscientos policías en Medellín, horror que a ninguno nos gustó, pero nada qué hacer, la mayoría de las personas en la ciudad se mostraban amigas de Pablo por obligación. Imponía un principio perverso: "O están conmigo o están contra mí".

Sin excepción quien ejerciera el "business" tenía que darle una cuota para colaborar en su lucha contra la extradición. Fernando le daba desde cien hasta doscientos cincuenta mil dólares mensuales.

Escobar arrodilló una ciudad, puso a tambalear un país y desafió a los gringos; hasta hoy, es una de las recompensas más caras que han ofrecido los Estados Unidos por un bandido, cinco millones de dólares.

La llegada a 'La Catedral' era muy singular. Por lo menos cien soldados la custodiaban, pero todos al servicio de Escobar; con decirle que a la Policía le tenía prohibido subir...

Fernando llegó a la cita con Pablo, acompañado del conductor y un escolta, quienes fueron obligados a quedarse afuera.

Yo intuía que algo grave ocurría, pues Fernando no quería pernoctar allá y eran ya las 10 de la mañana del sábado. A esa hora me informaron que acababan de secuestrar a Mario Galeano, un hermano de Fernando. Mientras confirmábamos si era gente de Pablo, nos dieron las tres de la tarde, cuando nos enteramos de que un grupo de hombres armados intentó secuestrar a Rafael Galeano. Se les escapó, y ya nosotros estábamos seguros de que era obra de Pablo, y comenzamos a sacar a la familia Galeano de Medellín, conscientes de que se iniciaba un enfrentamiento con Escobar.

Al día siguiente, Pablo me llamó. Con una tranquilidad absoluta, que infundía terror, me dijo: "Éste es un golpe de estado económico. No quiero publicidad. Si usted quiere trabajar conmigo, le respeto la vida". "Ah... y necesito que me entregue a Rafaelito Galeano, aquí le paso a Rey". Rey era la chapa o sobrenombre del 'Arete'. En esa época a mí me decían 'Raúl'. Recuerdo, como si fuera ayer, cuando el 'Arete', uno de los bandidos de Escobar pasó al teléfono y me dijo: "Nosotros andando a pie, con los zapatos rotos y la plata pudriéndose... qué ironía". El 'Arete' se refería a los cerca de veinte millones de dólares que ellos le expropiaron a Fernando. Quien se robó ese dinero fue un trabajador de Pablo, al que le decían 'Tití', cuya novia era la hija del hombre que cuidaba la caleta con el dinero. El 'Tití' y su novia mataron al viejo, se robaron los veinte millones de dólares, se los llevaron a Pablo y le dijeron: "Eran de Fernando y del negro Galeano, y algunos, por la humedad del sitio, se estaban pudriendo, patrón".

De inmediato, interrumpí para preguntarle a 'Berna':

—¿Entonces Pablo decide matar a Fernando y también ordena que asesinen y le quiten el dinero a sus otros socios, los Moncada?

—Correcto —me contestó. Kiko y William Moncada también murieron en 'La Catedral'. Recuerdo un dicho muy popular para esos días: "Cuando Pablo estornuda, a Medellín le da gripa". Esto lo logré hacer mientras engañaba al 'Arete', y cada vez que éste me preguntaba por Rafael Galeano, yo le decía: "No sé dónde está en este momento, pero no se preocupe, cuente con eso, que yo les colaboro". En esos instantes, yo ya sabía que Pablo había matado a Fernando y a Mario Galeano, entonces aproveché para pedirles: "Hagan un gesto de buena voluntad y devuelven los cuerpos". Recuerdo que el 'Arete' preguntó y Escobar le dijo: "El de Mario, tal vez; el de Fernando, imposible".

No me iban a entregar el cadáver de Fernando, porque ya lo habían arrojado al río Cauca, después de torturarlo de manera cruel. Atravesaron sus manos con un taladro, mientras le preguntaban dónde tenía más dinero.

Después de una tremenda golpiza, Pablo ordenó su muerte, le pegaron un tiro en la cabeza y luego lo sacaron al patio de la Cárcel, donde lo amarraron y lo sentaron en una silla rodeado de ropa vieja. Le rociaron gasolina de la cabeza a los pies para incinerarlo y después con una motosierra lo partieron, con el fin de recoger en una sola bolsa los restos y no dejar huella del hecho. El cuerpo de Mario lo recuperé. Fue asesinado y torturado igual que Fernando. Entonces me reuní con Fidel Castaño y nació la idea de unirnos en contra de Escobar.

Castaño intervino para complementar lo dicho por 'Don Berna':

—Pero esto no fue tan rápido. *De la muerte de Fernando Galeano a la creación de los PEPES, como organización, pasaron algo más de tres meses, y en noviembre de 1992 se formó la dirección de los Perseguidos por Pablo Escobar, aunque ya operábamos desde unas semanas antes como tal; ya se había escapado Pablo de 'La Catedral'. 'Berna' lo combatía por su lado y yo por el mío, pues tras la fuga de Escobar, había que saber quiénes estaban con quién.*

La primera reunión se dio en una casa que teníamos en el barrio El Poblado, allí estuvimos Fidel, 'Berna', Rodrigo 'Doble Cero' y yo. El grupo lo conformamos nosotros, cinco personas adicionales sobre el terreno y por lo menos cuarenta PEPES más completaban la estructura.

—Sí, señor, asintió 'Don Berna'. Es que Pablo la emprendió no sólo contra los Moncada y los Galeano, sino contra todos. El Gobierno decidió cambiar de cárcel a Escobar y envió una comisión a negociar el traslado. ¡Cómo sería el miedo que le tenían! Esto condujo a que Escobar retuviera al viceministro de Justicia, al director nacional de Prisiones y se volara de la cárcel.

Por esos días, hablé con Rodolfo Ospina Baraya, quien me dijo: "Es necesario acabar con ese monstruo, porque nos va a matar a todos". 'El Chapulín', como le decían a Rodolfo, nieto de el ex presidente Mariano Ospina Pérez, nos hizo el contacto con José Santacruz, Miguel y Gilberto Rodríguez Orejuela.

El apoyo y la ayuda del cartel de Cali sería determinante, especialmente en dinero y contactos. Me reuní con la cúpula del cartel de Cali y, al regresar, le manifesté a la dirección de los PEPES que teníamos el apoyo de esta gente.

—¿Cuánto costó la guerra irregular que ustedes le desataron a Escobar? —le pregunté.

—Cuantificar la guerra contra Pablo es muy difícil, en los quince meses que duró se gastaron más de cincuenta millones de dólares, la mayor parte la puso el cartel de Cali, en especial los hermanos Rodríguez Orejuela.

—¡Tanto! —insistí.

—Con el pago de informantes, logramos que mucha gente de Pablo se volteara y ayudara a eliminarlo. La información no la dan gratis, y para delatar a Escobar la gente cobraba duro.

Castaño intervino:

—*Pero los Rodríguez Orejuela no pusieron todo el dinero, yo diría que no les costó un peso. Ellos la supieron conseguir, que es otra cosa. Una de las fuentes de dinero que tenían era las cuotas que les pedían a los arrepentidos, un grupo de 'narcos' que le había ayudado a Pablo Escobar y no querían morir en la guerra. Un solo arrepentido llegó a dar diez millones de dólares.*

Quien manejó la relación con el cartel de Cali fue 'Berna', yo vine a conocerlos siete meses después de ser creados los PEPES.

Por el rostro que hizo Castaño cuando 'Berna' mencionó a los hermanos Rodríguez Orejuela, era evidente que a Castaño le incomodó siempre la relación circunstancial con el cartel de Cali.

'Berna' siguió con el relato:

—Las primeras reuniones del grupo las hicimos en casa de Fidel, quien fue el líder de los Perseguidos por Pablo Escobar. Era el jefe, tenía un nombre que infundía miedo y respeto; por su experiencia aceptamos todas sus recomendaciones. Carlos Castaño y yo éramos los mandos operativos y permanecíamos en Medellín, porque Fidel rara vez venía a la ciudad, permanecía en las fincas de Córdoba.

Después de las primeras acciones de los PEPES contra Pablo, no sólo sus enemigos intervinieron, todo Medellín nos ayudó a eliminar al bandido de los bandidos.

Castaño interrumpió nuevamente y dijo:

—*Ahí es donde se da esa reunión tan importante en Medellín. En enero de 1993, la sociedad se organizó para defenderse de Pablo Escobar. A nombre de Fidel Castaño, mi hermano, cité a unos de los cincuenta personajes claves de la ciudad y algunos del país. Asistieron políticos, gobernantes, ex gobernantes, industriales y gerentes de empresas. Aparte de los dolientes de los Moncada y Galeano, estaban también los representantes de un grupo de 'narcos'.*

Algunos de los presentes comentaron que ayudaron a Escobar por físico terror y una de esas personalidades tomó la palabra para decir, atemorizado: "Por estar aquí, Pablo de pronto hasta nos mata la familia".

Mi hermano se levantó y replicó en tono amenazante: "Si Pablo les mata la familia por ayudarnos, yo les mato hasta el último de sus parientes, si le ayudan a él". El salón se quedó mudo y, de pronto, uno de los convocados exclamó: "¡Éste es el principio del fin de Pablo Escobar!"

De ahí en adelante, 'Berna' y yo estuvimos en la muerte de por lo menos treinta grandes secuaces de Pablo Escobar. Nosotros hacíamos los operativos irregulares, encontrábamos al enemigo y lo ejecutábamos como los PEPES. El Bloque de Búsqueda de la Policía, por su lado, asestaba otros golpes, algunos de ellos con nuestra información.

Los PEPES nunca hicieron un operativo conjunto con la Policía, y de eso nos cuidábamos mucho, no queríamos ocasionar un problema a la institución como tal, éramos unos aliados tácitos. Gente de bien se nos acercaba y nos decía: "Es importante que el Bloque de Búsqueda de la Policía sepa esto". Nosotros servíamos de puente y ellos confiaban en nuestra información.

Pablo había colocado días antes un carro bomba.

—*Después de este acto terrorista, comenzamos una estrategia igual a la Pablo, pero sobre sus propiedades. Dinamitamos los edificios 'Mónaco', 'Las Colinas' y otros que tenía en Medellín, también la finca 'La Manuela', cerca de la represa de El Peñol, las propiedades que más quería, por lo cual comenzó a preocuparse Pablo.*

—*No sólo le acababa de salir un enemigo irregular con la misma capacidad de él, sino que ese enemigo comenzó a ganar adeptos, pues al emitirse el primer comunicado de los PEPES, muchas personas en Colombia celebraron la aparición del grupo.*

—Mientras golpeábamos a Escobar —dijo Berna—, éste nos mató mucha gente que nos daba información, uno de ellos fue un muchacho al que apodaban 'Pingüino'. Escobar quiso dar un escarmiento y ordenó que le pegaran tremenda matada, cien tiros, por sapo. La guerra contra Escobar tuvo unos diez meses de toma y dame. También se nos murieron el 'Cabezón' y 'Calambres', dos informantes importantes.

Pablo tenía inmensas reservas de dinero y la pelea era para largo. Escobar no había perdido aún gente de importancia.

A partir del primer semestre de 1993, poco a poco, la balanza se fue inclinando a nuestro favor y la información proveniente de los PEPES, y suministrada a través de personajes públicos, era cada vez más importante para el Bloque de Búsqueda de la Policía, pues muchos falsos informantes enviados por Escobar le hacía perder trabajo y tiempo. En el Bloque no conocían a fondo la estructura sicarial de Pablo, y esa era nuestra ventaja, aparte de ser irregulares. Yo creo que llegamos a tener un poco más de cien informantes regados por Medellín. Inclusive pagamos datos de cien y hasta de ciento cincuenta millones de pesos, aparte de lo que pagaba la Policía a sus informantes, que no llegaba al treinta por ciento.

Así cayeron en operativos exclusivamente de la Policía, pero con información nuestra, "El Chopo", 'Tyson', 'Tilton', 'Enchufle', 'Pasquín', 'El palomo' y muchos otros.

De un momento a otro, la presión sobre Pablo se incrementó y es cuando comienzan a entregarse sus hombres cercanos. Primero 'Popeye', "El Arete", después el 'Osito' su hermano, y vinieron luego dos capturas importantes, la del 'Titi', hecha por la Policía, y la de 'Boliqueso', realizada con información nuestra. Ésta última fue muy importante, porque se logró ubicar unas caletas con armas y dos mil kilos de dinamita.

En este instante interrumpió Castaño y dijo:

—*No hay que olvidar, Adolfo, que a través de un importante intermediario, nuestra ayuda al Bloque de Búsqueda de la Policía aumentó. Don Alfonso Berrío prestó como veinte casas y nosotros les conseguimos diez más, para que ellos instalaran los trianguladores para rastreo de llamadas telefónicas por toda la ciudad.*

—El operativo que condujo a la muerte de Pablo Escobar fue el que marcó la caída del 'Chopo', el segundo de Pablo, que se hacía llamar "el Pablo Escobar de la calle" —continuó 'don Berna'. Fue mesero del hotel Intercontinental y terminó siendo el encargado del aparato sicarial y terrorista de Pablo. Desde la clandestinidad, Escobar daba la orden y él mandaba a colocar los carros bomba, ponía en marcha los secuestros y realizaba los asesinatos que el capo le ordenara. El 'Chopo' figuraba por encima de todos los bandidos, que le tenían respeto y hasta terror; era un hombre bajito y gordito a quien lo acomplejaba mucho su temprana calvicie.

Nosotros conocíamos de la importancia del 'Chopo' y persiguiéndole a su gente, logramos ubicar a dos de sus bandidos entrando al centro comercial Unicentro, en Medellín. Los capturamos y los encerramos en una de las casas de los PEPES. Sin acudir a la violencia para que lo delataran, Carlos les dijo quiénes éramos y qué expectativas de vida tenían: "Muchachos, están en manos de los PEPES, y ustedes no tienen nada que hacer en esta guerra, sus minutos están contados".

Al instante, se voltearon a nuestro favor, como todos los anteriores, y nos detallaron dónde se ubicaba el 'Chopo', "Yo tengo una cita con él en un lugar", dijo uno de ellos. Al momento se le informó al Bloque de Búsqueda de la Policía, los muchachos cobraron la recompensa en dólares. La Policía ya tenía el dato, pero no lograban identificar al 'Chopo'. Con la foto que lo rastreaban nunca lo hubieran encontrado, estaba muy cambiado. Por eso prestamos dos guías nuestros para que le ayudaran al Bloque de Búsqueda, a la hora de identificarlo. Lo ubicaron en el apartamento y, después de un enfrentamiento, la Policía lo dio de baja. Fue un golpe definitivo contra Pablo, de ahí en adelante se inició la cuenta regresiva. Los PEPES y el Estado lo condujeron a la desesperación.

En la etapa final de la lucha contra Pablo, me hice amigo de uno de los muchachos que controlaba los equipos de interceptación de llamadas. Con frecuencia me presentaba en la sede del Bloque de Búsqueda, cerca de un parqueadero, por el estadio Atanasio Girardot. Estaba allí la CIA, la DEA y miembros de las fuerzas especiales de la Marina de los Estados Unidos. Con los que más hablé fue con los hombres de la DEA.

Ese dos de diciembre se respiraba desmoralización; se veía el cansancio y el agotamiento. Todos salieron a almorzar a la escuela Carlos Holguín y en el parqueadero nos quedamos pocas personas. Carlos estaba en una acción militar que fue noticia tres horas antes de la muerte de Pablo: ejecutó a Gustavito Gaviria, el hijo de Gustavo Gaviria, uno de los hombres fuertes del Cartel. Un golpe terrible para Pablo, pues Gustavito tenía veintiocho años y ya se había convertido en un capito de capos, lo poco que le quedaba a Escobar.

Cuando los trianguladores de llamadas lograron localizar a Pablo, un oficial llamó más de cuatro veces por radioteléfono a decir que lo tenía ubicado, entre las carreras 70 y 80 y las calles 44 y 50. Yo escuché todo por radioteléfono, pues nosotros teníamos acceso a las frecuencias del Bloque. Recuerdo que decía: "Está hablando y creo saber dónde está".

Yo me quedé en un parqueadero cercano al sitio donde se presumía que estaba Pablo, a la espera de la noticia, que llegó en medio de una gran algarabía. Acaba de morir Pablo Escobar, y —para ser honesto—, a mí no me dio ni alegría ni tristeza. La gente del bloque gritaba de la emoción y en Medellín hubo fiesta, con decirle que llegaron a tirar voladores y hasta mataron marrano. Ahí nos abrazamos todos.

Al encontrarme con Carlos, que estaba eufórico, me dio un abrazo y, llorando, me dijo: *"Aquí ganó el país, esto es algo apoteósico, muy grande"*.

—*Es muy importante dejar algo en claro para la historia* —replicó Castaño, buscando especial atención. *A escondidas de un sector del Bloque de Búsqueda de la Policía, un oficial de apellido Guerrero comenzó a realizar ensayos con un equipo de triangulación de llamadas, donado por el gobierno francés a la Policía. Un equipo demasiado aparatoso y no tan moderno como los gringos. Me cuentan que las pruebas las efectuó con el general Vargas Silva, quien se escondió en la plaza de toros de Medellín, hizo tres marcaciones y Guerrero lo localizó. Así logró respaldo para su obsesión, ubicar a Pablo a través de una comunicación. Ese hombre rastreaba llamadas telefónicas de día y de noche.*

En el Bloque de Búsqueda, le contaban a uno que el trabajo no era muy institucional, cada oficial de importancia aportaba lo suyo al comandante del Bloque. Pero la constancia que acabó con Pablo Escobar fue la del mayor Guerrero, de la Policía Nacional, quien fue el cerebro de una persecución a través de esos trianguladores de frecuencias. Por terquedad única y exclusiva de este hombre, sin que nadie se lo ordenara, se logró la ubicación y muerte de Escobar. Él estuvo durante meses montado en una camioneta que tenía una pequeña antena parabólica en el techo, y desde allí pudo localizar el sitio exacto donde Pablo hizo sus últimas llamadas. La eliminación de Escobar se debe en gran parte a la terquedad de este mayor, del cual no se ha dicho nada.

Con esto que cuento, no quiero demeritar el trabajo del coronel Hugo Martínez Poveda, comandante del Bloque. Este coronel no dormía de tanto trabajar, no pensaba en una cosa distinta en su vida que acabar con Escobar. Pablo le mandada casetes en los que le decía: "Le mato al papá, a la mamá, a los hijos, a los hermanos". Escobar creía que lo iba a amedrentar, como lo hizo con otros, a los que les decía: "Me recibe plata o plomo". Pero no, Martínez emprendió una lucha incondicional e institucional contra Pablo y no me queda la menor duda de que si no la hubiera ganado así, habría acabado con Escobar de manera extrainstitucional o irregular. Pablo Escobar nunca imaginó que al asesinar al militar Alfonso Martínez Poveda, creó uno de los lazos que más adelante lo ahorcó.

Pablo llegó a ofrecer más de un millón de dólares por la cabeza de Martínez, quien no salía del Bloque de Búsqueda por obvias razones; se mantenía en su búnker desde donde controlaba las operaciones. Cuando se realizaban los operativos, arribaba a los sitios después de estar ejecutado el personaje, como en el caso del 'Chopo'. Pero al lugar donde se dio de baja a Escobar, ese hombre llegó más rápido que nunca.

Yo me enteré de lo sucedido en el operativo final porque un civil que trabajaba con el Bloque de Búsqueda de la Policía me mantenía informado. Los denominaban "los C4", y César Merchán era uno de ellos. Inmediatamente fue eliminado Pablo, me llamó y en dos palabras me dijo: ¡Listo Escobar!

No tenía duda, Pablo acababa de morir, sentí una paz inmensa. Me atreví a llamar a Caracol Radio, en Medellín, y antes de ser confirmada la noticia por el Bloque de Búsqueda, la di minutos después de ser dado de baja Escobar, pero como no era autoridad no me creyeron y la información la entregó al mundo RCN Radio, pues su periodista estaba cerca al comandante del Bloque.

Tiempo después conocí al mayor Aguilar, quien no tuvo nada que ver en la ubicación de Escobar, pero fue uno de los oficiales que disparó contra Pablo y lo dio de baja en el techo de la casa vecina por donde se pretendía escapar; el otro oficial fue el sargento 'El Boliviano". La sinceridad de Aguilar me sorprendió, al decirme que estaba arrepentido de haber pronunciado estas palabras frente a los vecinos de la casa, quienes salieron a mirar lo sucedido: "¡Ahí lo tienen!, y ya nos vamos, paisas 'hijueputas'". Después entendió que se había equivocado, pues Antioquia entregó a Pablo. Cuenta Aguilar que asistía a una reunión de poca importancia, cuando Guerrero le informó que tenía localizado a Escobar: "El mayor Guerrero me llamó una, dos, tres y hasta cuatro veces, para decirme que tenía identificada la casa donde estaba Pablo; yo no le creí y salí lentamente para el sitio. Y ya Guerrero lo había visto en un taxi entrando a la casa donde después fue eliminado".

Aguilar estaba reemplazando al oficial Danilo Gonzáles, quien era el encargado de realizar el operativo final, y por alguna razón había salido ese día de la ciudad. Al llegar Aguilar, la casa fue rodeada y, gracias a la ubicación de Guerrero, se ingresó al sitio indicado. Localizar esas llamadas fue un acto más divino que humano, era como si mi Dios dijese a Guerrero: "Ayúdate, que yo te ayudaré".

El comando de la Policía que entró a ejecutar a Escobar derribó la puerta de la casa y, a cuatro metros de la sala y la cocina, en un pequeño patio, estaba 'El Limón' colgando su ropa recién lavada, y, al ver la autoridad, sacó su pistola, pero de inmediato fue dado de baja el último de los secuaces de Pablo. Escobar subía por una escalera al segundo piso de la casa y, al sentir el estruendo, corrió por un pasillo hasta una habitación por donde pretendió escaparse a través una ventana. Salió y saltó hacia el techo de tejas de barro, que formaba una parte del primer piso, y ahí lo alcanza Aguilar y lo da de baja. Escobar no alcanzó a pronunciar palabra, lo que cuentan que dijo antes de morir, hace parte del mito. Él no usaba pelucas ni cosas de esas, lo que hizo fue movimientos tan arriesgados como ver a su familia veinte días antes del operativo final.

Me contó Claudia, la hermana de María Victoria Escobar, la mujer de Pablo, que ellas se reunieron con Escobar días antes de su muerte. Allí les dijo: "Cuando uno está cansado de la guerra, va perdiendo la vida... Anoche mataron al 'Angelito', y me había dicho que ya no quería seguir más".

Pablo no quiso entender que lo matarían tarde o temprano.

Yo considero que todos los policías que enfrentaron a Escobar tuvieron una actitud heroica y son para mí unos verdaderos patriotas. ¡Eran unos tigres! ¡Qué gente tan buena! Esto lo digo así haya corrido mucho dinero por debajo de la mesa del cartel de Cali y de cualquier otro lado. Es normal que en estos casos la corrupción haga de las suyas, y era tan difícil mantener ese grupo que días antes de ser eliminado Escobar, se iba a disolver. Fue creado para que de manera drástica actuara e hiciera una cirugía, pero uno no puede prolongar por años una operación, porque se van enfermando los médicos. Es que le digo algo, si no salen los PEPES, la Policía se inventa un grupo igual. Cuando nace un mounstro del tamaño de Pablo Escobar, se requería a Dios y hasta el diablo, contra él.

—¿Pero muere Pablo Escobar y qué pasa con ustedes dos? La respuesta de 'Berna' llena de reclamos y la de Castaño corta:

—Hasta ese momento, yo fui un consentido del Ejército, instruido por el Ejército, capacitado por el Ejército, apoyado y hasta protegido. Pero yo sabía lo que venía para mí, iban a comenzar mi búsqueda para capturarme o darme de baja. Éste es el costo que colombianos, como yo, hemos tenido que pagar en esta guerra; no pude volver a vivir en una ciudad.

—Días después de la muerte de Escobar, comenzaron a buscar a los PEPES y a mí me dictaron orden de captura por conformación de grupos ilegalmente armados —dijo Berna.

—*Periodista, yo quiero a 'don Berna', porque cuando la situación está difícil, cuando la noche es oscura y el futuro no se ve, cuando es evidente que ya todo está perdido, el hombre llega sereno y presto a dar ánimo, su tranquilidad y compostura me calman. Más que positivo, es realista, pero nunca se amilana ni se disminuye.*

Cuando nos alejamos de Medellín por la persecución que desataron las autoridades en contra nuestra, siento que en el caso personal, mi vida llegó a un punto de quiebre. El paso de la legalidad a la ilegalidad fue muy duro. Dejar de ser el personaje para convertirme en el bandido. No podía ser el hombre de las tertulias, de las reuniones con los gerentes de las empresas y el mundo de la economía.

Tenía que dejar los amigos de la Iglesia, que tanto me ha encantado tener, se acabaron para mí los almuerzos frecuentes con obispos y sacerdotes. Las charlas con los buenos filósofos, esquiar en El Peñol, volar cometas en el cerro de Matasanos o subir en bicicleta el alto San Félix. Se inició mi nuevo destino; meterme al monte.

'Berna' se paró de la mesa y dijo:

—Comandante, debo irme.

Lo acompañamos hasta la puerta y allí pronunció la frase con la que cerramos el episodio de la guerra contra Pablo Escobar.

—Señor periodista, nunca se le olvide esto: "Los narcos sólo se unen para matar o traicionar un amigo".

Castaño sonrió y repuso:

—Si alguien los conoce fondo, es Adolfo. ¡Hasta pronto, amigo! —se despidió Castaño.

Nudo de Paramillo.

VIII

¿QUIÉN ERA FIDEL CASTAÑO?

—¿**A** su hermano Fidel lo acusaban de la masacres de las fincas Honduras, La Negra y Punta Coquitos, las primeras en Urabá?

—*Sí, él estuvo acusado desde marzo de 1988 y fue condenado injustamente, pero el Tribunal Superior de Orden Público lo absolvió de perpetrar las citadas masacres, en junio de 1991. Lo condenaron por concierto para delinquir, nunca por ordenar esos cuarenta y siete asesinatos. Tampoco tuvo nada que ver en las masacres de Segovia y la Mejor Esquina. Para esa época un grupo de la Autodefensa del Magdalena Medio, comandado por Ariel Otero, fue contratado por personas ajenas a nosotros, con el fin de hacer esas ejecuciones en Currulao, cerca al municipio de Turbo, en el Urabá. Nosotros aún no operábamos en el Urabá, sólo en Córdoba.*

—¿En una época les decían a los paramilitares o a los miembros de la Autodefensa los 'Mochacabezas'?

—*A partir de un caso en la zona de las Changas, la guerrilla, en su guerra de desinformación, nos acuñó el término de los 'Mochacabezas', regaron el cuento y asustaron a la gente de la región. Un reservista del Ejército, a quien un comandante del EPL, al que apodaban 'Boca de Tula', le había violado una hermanita, entró a nuestra organización y tiempo después lo enviamos a un operativo. Había detectado un grupo de guerrilleros en una cantina y a él se le asignó ejecutarlos, pero antes de realizar la acción se enteró de que eran los compañeros de 'Boca de Tula'. Al entrar en el sitio, el muchacho cogió un machete que había sobre unos bultos de maíz, y sin mediar insulto decapitó a uno de los guerrilleros, una escena macabra.*

Después de la investigación que hice, me consta por primera vez que una cosa de estas se haya presentado. Acepto este hecho como la única oportunidad en la que un miembro de la Autodefensa decapitó a una persona. Hay cuerpos que al recibir una sola ráfaga de fusil, se han partido en dos o han visto mutiladas sus extremidades. Lo que no acepto es que se diga que en la Autodefensa nosotros sometemos los enemigos a vejámenes; es falso y nunca ha sucedido. Es distinto que un comando nocturno tome de manera silenciosa un campamento guerrillero y le ocasione la muerte al enemigo con arma blanca, como cualquier ejército. Insisto hoy y siempre que si se presenta un único caso donde en las AUC se haya utilizado una motosierra para cercenar y mutilar una persona, ese día me someto a la justicia. Nunca ha sucedido pero continúa la campaña de desprestigio. Hace poco, el Ejército capturó en el Naya varios miembros de la Autodefensa, la mayoría de ellos con sus fusiles. Al presentarlos ante la prensa, se dijo que se les había incautado dos motosierras. ¡Por Dios!

Es una zona maderera donde en cada finca hay motosierras. Se dijo que cercenaban personas, ¿y las pruebas?

Acepto que al enemigo, si hay que hacerlo, se le meta un tiro, y punto. Pero nunca se le ha quitado la vida a nadie con una motosierra.

A partir del caso 'Boca de Tula', la guerrilla, con el cuento de la combinación de formas de lucha, ha mutilado los cadáveres de sus hombres cuando son ejecutados por la Autodefensa, con el fin de perjudicarnos.

Muchas de las cosas que ocurren en la guerra no se conocen porque la Fiscalía y, en especial, la gente de Medicina Legal con frecuencia no tienen acceso a las zonas donde se han presentado los combates o llegan tarde al lugar de los hechos. La guerrilla pone bajo intimidación dos campesinos a que le digan a la prensa que los paramilitares hicieron atrocidades, pero nunca hay pruebas.

Mire, debe quedar claro que las características de este conflicto las determinó la guerrilla desde su origen, nosotros nunca hemos inventado un arma o un método distinto a los que ellos han utilizado en esta guerra irregular. Lo único es copiar los métodos de la guerrilla para agredirnos. Se ha presentado también una guerra de desinformación controlada por las ONG de izquierda y algunos periodistas, que financia en Colombia y fuera del país la subversión. Nosotros no planteamos ese tipo de estrategias porque no somos comunistas y no tenemos nada que esconder, reconocemos nuestras actuaciones y errores.

En el año de 1990, la Autodefensa controlaba Córdoba. Iniciamos en el Alto Sinú y Fidel se extendió por la parte baja del río Sinú a los municipios de Valencia, Tierra Alta, Montería y las tierras hasta el golfo de Morrosquillo, en el mar Caribe. Expulsamos a la guerrilla del EPL del departamento, los ganaderos y agricultores volvieron a la región. El entonces gobernador Oche Elías Náder le planteó a un grupo de senadores de la República tramitar la amnistía y el indulto para la Autodefensa de Córdoba, pero el tema no tuvo acogida y el ministro de Justicia dijo que no existían mecanismos jurídicos y sólo nos quedaba el sometimiento.

Al conocer la decisión del gobierno, la gente honesta de Córdoba nos presionó para que entregáramos las armas, pues ya tenían un acuerdo con el EPL. La guerrilla que lideraba el comandante Bernardo Gutiérrez haría un armisticio si Fidel Castaño abandonaba las armas. Nosotros comprometimos nuestra palabra con la gente de Córdoba, que si el EPL concluía la guerra, nosotros también. Los habitantes de la región dudaban porque al no recibir perdón jurídico, como sí lo recibiría por parte del Gobierno la guerrilla del EPL, no respetáramos la intención de desarmarnos y permitir la paz en el departamento.

Pero como nosotros sí tenemos palabra y siempre hemos sido presionables por la gente de bien, terminamos accediendo.

Fidel le manifestó al grupo de siete ganaderos y a su líder regional don Rodrigo García: "Si el gobierno les responde a los reinsertados y también a ustedes con el batallón que les prometió para controlar la zona, yo no seré un obstáculo para la paz de Córdoba", y el EPL entregó sus armas.

Los fusiles que la Autodefensa le entregó al Gobierno sumaron doscientos noventa y cinco, más de los que entregaron tres guerrillas en diferentes procesos de paz que se dieron en Colombia. El de la corriente de Renovación Socialista, el PRD y el Quintín Lame. Y mire cómo es la vida, para ellos sí hubo indulto.

La principal motivación de Fidel para dejar las armas fue haber visto parte de su obra construida. Controlaba siete municipios y prácticamente un departamento; regalando la mitad de su fortuna, aún le quedaba abundante tierra y ganado. Asumió el proceso de paz como la posibilidad de no enfrascarse en una lucha sin regreso.

A los cinco meses de la entrega de armas, el Gobierno incumplió los acuerdos con los reinsertados; nunca se instaló el batallón permanente del Ejército que les prometieron. Los espacios que dejamos quiso tomarlos la guerrilla de las FARC, que además persiguió a los ex guerrilleros del EPL que abandonaron las armas, considerándolos traidores de la revolución, cuando lo único que soñaban era vivir en paz.

Después del incumplimiento de los acuerdos por parte del Gobierno, afronté diferencias con mi hermano, por una contradicción que él vivió días más tarde.

La actitud del Gobierno produjo una inmensa decepción en Fidel. Mi hermano era incansable, pero hallaba una sinrazón a pelear contra la guerrilla, por la debilidad de los gobernantes. Su desconfianza en los gobiernos era cada vez más notoria, al constatar que la clase dirigente era la responsable de todos los males que sucedían en el país.

Ese día mi hermano estuvo a punto de entrar en una auténtica apostasía de sus ideales. Contactó a la guerrilla para iniciar conversaciones persona a persona con los comandantes del quinto frente de las FARC. Como garante envió a mi cuñada Teresita. Por parte de la guerrilla asistieron a la finca 'Las Tangas' tres comandantes y allí se realizó sin que yo me enterara, la primera y única reunión de las Autodefensas con las FARC.

Días más tarde, informado del insuceso, le pregunté: "Hermanito, ¿qué es esto?"

"Vea, 'Pelao', aquí el problema es el Gobierno, y estando nosotros con la guerrilla creo que podemos moderarla y hasta conseguir lo que siempre hemos querido en la Autodefensa. Penetrando la guerrilla puedo ser el comandante".

Y nada raro sería, Fidel era capaz. Pero en ese instante reflexioné: "Aquí se está desdibujando todo", y luego le dije: "Hay dos cosas a las que yo no puedo renunciar, a mi hermano y a mi ideología. Dígame cómo vamos a hacer, pues yo soy antisubversivo". De inmediato replicó: "Yo también soy antisubversivo".

Discutimos por un rato y concluimos que sustentar ese cambio no era coherente.

Un momento muy delicado, pues en Colombia no se ha necesitado nada distinto para tomarse el poder que las FARC y los Castaño juntos. Fidel entró en una contradicción tremenda, durante corto tiempo. Luego volvimos a tomar las armas para defender lo que el Gobierno desprotegió y se ingresó al Bajo San Juan para entrar al Urabá.

Fidel descubrió cómo se manejan los hilos del poder en el país y en un kiosco de la vereda Las Cruces me dice: "Yo no quiero ser más un idiota útil del sistema, de la clase política y económica corrupta del país.

En el fondo usted lo es, Carlos... Para qué hablar, si al final nos van a negociar".

¿Por qué?, le pregunté, y me dijo: "No sé cómo... pero nos negocian".

La discusión comenzó porque yo le insistía mucho a Fidel que permitiera una entrevista que mostrara su rostro y diera a conocer sus puntos de vista. Yo le decía: "La gente debe saber quién es usted". Pero él me repetía que no.

¿Por qué?, le preguntaba otra vez, y el me repetía, convencido: Porque somos un instrumento, 'Pelao'.

"Y qué importa", *exclamé.* "Nos negocian, porque somos un instrumento de una cosa que nos está explotando y nosotros hacemos lo mismo", *me respondía.*

Fidel tenía el concepto de que en Colombia hay un Estado donde un grupo de políticos y millonarios manejan todo, lo llamaba la oligarquía; yo lo llamo burguesía. Me decía que ellos eran los responsables de todo lo malo, así evidenciaba sus contradicciones al comprender que no se podía dejar utilizar por la oligarquía, pero a la vez tenía claro que él terminaba prestándoles un servicio. Fidel fue más paramilitar que yo, pues mientras mi hermano estuvo vivo, la Autodefensa nunca tuvo identidad, él sentía un respeto exagerado por el poder institucional.

Para esa época, en la organización no se revisaban con detenimiento los métodos y las consecuencias de las acciones militares que realizábamos, tampoco se efectuaban con frecuencia ejercicios de táctica y estrategia. Nunca un norte lejano, sólo metas inmediatistas.

—¿En qué se parecían usted y su hermano Fidel?

—¡En nada! *Bueno, en algunas cosas intrascendentes sí, pero en lo fundamental éramos muy distintos, nos unía el ser antisubversivos y hermanos. Y por supuesto fuimos entrañables. Fidel era mi confidente y el gran cómplice. Juntos éramos peligrositos para cualquier enemigo, hacíamos un buen dúo porque nos complementábamos a la perfección, tal vez por polos opuestos.*

En el temperamento arrancaban las diferencias. Soy un tipo cascarrabias y me enojo diez veces en el día, pero vuelvo y me contento en otras diez oportunidades. Soy explosivo, condeno a una persona y la absuelvo con facilidad. Me provocan y me sacan la rabia al instante, pero no soy un ser rencoroso y siempre he estado dispuesto a perdonar o a dialogar con mis enemigos.

En cambio, a Fidel era difícil verlo enojado, era autoritario pero sin tratar mal a nadie, no gritaba y jamás acudió a una palabra vulgar. Sin ser explosivo como yo, cuando le cogía odio a una persona era para toda la vida. Mi hermano peleaba con rabia y yo no lo hago así. Odiaba a sus enemigos, mientras yo sólo desprecio a los míos. Le encantaba la ganadería y amó la tierra, si por mí fuera yo no tendría una finca ni para ir a pasear. Me quiso enseñar de ganadería, pero no me dejé. Soy un montañero enamorado de la ciudad, y si uno ama al campo, se requiere estar en la ciudad con poder y dinero para poder hacer algo por la tierra. Desde el campo no se puede hacer nada por el campo.

—¿Comandante, la Autodefensa de hoy es lo que soñaba su hermano Fidel?

—*No sé...* —contestó Castaño e hizo una pausa, uno de sus silencios—. *Creo que el espíritu es el mismo, pero lo que se ha construido después de su muerte es distinto.*

La guerra le dio la posibilidad de hacer las dos cosas que más quería, atacar la guerrilla y volverse un hombre rico. Su estrategia era comprar tierras y hacer trabajo social, a medida que iba sacando a la guerrilla se volvía un hombre cada vez más acaudalado. Si para las guerrillas es un negocio empobrecer las regiones, para Fidel representó un próspero negocio enriquecerlas. Antes que nada, mi hermano fue un capitalista que no vivía sólo para la causa. En cambio, yo sí he apartado muchas cosas de mi vida por la causa, entre ellas el dinero. Puedo asegurar que idealistas así sólo hay tres en las AUC, el 'Alemán', Rodrigo y yo, de eso no me queda la menor duda. En mi vida, la Autodefensa es la prioridad y estoy convencido de que, poco a poco, voy creando una ideología, eso es lo único que lo conserva a uno eternamente.

Otra de las diferencias entre mi hermano y yo era que Fidel poseía mucho más conocimiento, siendo empírico. En su forma de ser se notaba una mezcla de percepción elemental campesina con la visión de un acaudalado hombre de negocios. Él fue del pueblo y quiso trabajar por la gente pobre, generoso con su familia y la gente a su alrededor. No se puede negar que fue sensible socialmente, regaló en vida la mitad de su fortuna y siempre generó empleo lícito.

Fidel no quería a la oligarquía, pero mire los contrastes de la vida, le gustaba vivir como un burgués. En el monte austero, con decirle que no permitía ni aire acondicionado ni televisores en las fincas de Córdoba. Se vestía de manera sencilla y mandaba a remendar los pantalones. Pero cuando viajaba a Europa, sólo usaba trajes Ermenegildo Zegna o italianos Beltrami. En sus comidas nunca faltó un añejo vino de las selectas cavas francesas, el único licor que tomó en su vida. No se bajaba de los mejores Bordeaux, Chateau Perlus, o un buen Margox. Se movía en la lógica de donde fueres, haz lo que vieres.

Para la época, yo había leído más que él, pero mi hermano viajaba muchísimo y conoció gente de diferentes ámbitos. Hoy en día yo no soy un profesional en nada, puedo picar temas de filosofía, historia, química, literatura, arte o cine. Pero Fidel, en cambio, fue un profesional en materia de arte francés.

Tuvo grandes amigos en París, la mayoría pintores de tercer o segundo renglón. En compañía de un curador de arte pagaba dos años de alquiler por una habitación en el hotel Ritz de la Ciudad Luz. Visitaba con frecuencia la galería Malboro, y en Nueva York la City Hall.

Sus viajes a Cartagena eran habituales y allí disfrutaba noches enteras hablando de arte con el maestro Alejandro Obregón, él tomando tinto y el pintor con su media botella de aguardiente. Fue amigo del maestro y por sus manos pasaron varios de sus mejores cuadros, entre ellos, las Flores carnívoras, El águila y la flor de arratamacho. Del maestro Fernando Botero también adquirió obras, entre ellas La familia, Los amantes, El guitarrista y El baile del tango. Recuerdo que uno de estos cuadros lo prestó al lobby del hotel La Fontana, en Bogotá, sitio amable donde siempre se hospedaba al viajar a la capital.

Fidel se inclinó al arte porque le gustaba, pero, sobre todo, porque era un excelente negocio. Me decía que un buen cuadro podría llegar a dar doscientos mil dólares de ganancia y uno mucho mejor, después de comprarlo al reducidor, podría llegar a los cuatrocientos mil dólares. Para él era normal mantener treinta cuadros para negociar, deber veinte, tener cinco en compañía y cinco propios.

Yo creo que la familia más amiga de mi hermano Fidel fue la de unos judíos, a la que años más tarde le compró su casa en el barrio El Poblado, en Medellín. Halaby Uribe y en especial el viejo William Halaby, con quien compartía a menudo.

Fidel fue un gran hermano y también mi papá durante mucho tiempo, yo tenía catorce años cuando murió don Jesús, mi padre. Fidel ya tenía treinta y un años cuando todo comenzó.

Él siempre me mantuvo económicamente y yo no recuerdo haberme ganado un peso o haber trabajado para alguien distinto a él. Le manejaba el dinero a Fidel y jamás me pedía explicaciones sobre mis gastos. Fui el hijo que nunca tuvo y heredé su iniciativa. La campaña antisubversiva la comenzó Fidel, yo me vi abocado a seguirla, él me dejó la tarea empezada. Y para eso sí soy bueno, para terminar lo que alguien empezó, sucedió con los PEPES y ahora con la Autodefensa. A pesar de mi corta edad, me convertí en su sombra, a los tres años de iniciar la lucha antisubversiva, la responsabilidad en lo militar la tuve siempre yo, Fidel nunca estuvo pendiente de dónde se compraban las municiones y los fusiles, tampoco de la gente. Se concentraba en sus negocios y en la próxima región que penetraríamos. ¿Cómo lo haríamos?, ¿cuánto tiempo permanecería ahí?, ¿dónde continuamos después? Fidel fue en la primera etapa de nuestra Autodefensa el estratega y yo el táctico.

La revista Semana *se inventó el cuento de que le decían 'Rambo' y hasta lo llegó a comparar con Silverster Stalone, por su gran estado físico y sus capacidades militares. Pero Fidel no sólo fue un hombre de guerra, un hombre familiar, sino un* gentleman, *un ganadero, un paramilitar y, sobre todo, un experto en arte francés.*

—¿De los cuadros que coleccionó su hermano Fidel, usted posee algunos, comandante?

—*De su colección no quedó casi nada, sus obras más preciadas las vendió entre 1990 y 1994, antes de morir, y el dinero lo invirtió en la guerra. Sólo queda por ahí un óleo, que es más un recuerdo familiar. En nuestra casa de Medellín está el retrato de Fidel, que en muestra de amistad le hizo alguna vez el pintor indígena Oswaldo Guayasamín.*

—Su hermano murió un 6 de enero de 1994, un mes después de la muerte de Escobar. ¿Cómo fue la transición suya a comandante general?

—*Con la ausencia de Fidel en el primer semestre de 1994, la Autodefensa estuvo muy quieta. Antes de realizarse la reunión, donde me nombraron como la nueva cabeza de la organización, pasaron algunos meses. Durante esos días la Autodefensa estuvo medio a la deriva y cada uno de los comandantes seguía los lineamientos que se habían trazado, yo no quise darle un cambio tan rápido. Como nuevo líder de la organización, yo quería unir a los demás comandantes, por eso fui muy sutil a la hora de instaurar los nuevos derroteros.*

Pero en mi mente ya venía creando el tipo de Autodefensa que tenemos hoy. Aunque, en razón a la verdad y a la sensatez, el Estado no es sólo el Presidente, es decir, asumí el mando pero compartí el poder, que más que democrático fue colegiado. La primera dirección de la Autodefensa la integraron: El 'Mono' Mancuso, Jorge 'Cuarenta', Hernando y el primo 'Panina', que ya se retiró. Cuando esto, no éramos las ACCU y menos las AUC, eso vino después, lo que pasa es que la prensa nos llamaba las Autodefensas Campesinas de Córdoba y Urabá.

Después de conformada la primera dirección, se acordó que en lo militar el manejo sería concertado. Los cambios que impuse se vieron en lo político. Mi primo Hernando fue un gran aliado, entró a colaborarme en todo y me apoyó como estratega militar, así nos convertimos en dos cabezas regionales otra vez, mi primo en lo militar y yo en lo político.

En ese momento la Autodefensa dio un giro en su metodología, pues con Fidel la expansión era lenta y a mí me gustaba atacar aquí, desplazarme y atacar allí.

—¿Ahí es donde le da usted su viraje y orientación personal a la Autodefensa y comienza el proceso de politizarla?

—Es correcto. Con la ayuda del comandante Rodrigo, 'Doble Cero', redactamos los primeros estatutos de las Autodefensas Campesinas de Córdoba y Urabá, lo que se comenzó a llamar oficialmente las ACCU. Desde ese momento también entró en vigencia el primer régimen disciplinario interno. Mientras la formulación de un norte político quedaba claro en lo militar, iniciamos la fuerte propagación de la Autodefensa en Urabá, allí se dio la etapa más dura de toda esta guerra, la lucha por controlar el Eje Bananero asediado por las FARC y una disidencia del EPL. Todo esto sucedió entre junio de 1994 y el 18 abril de 1997, cuando nacieron las Autodefensas Unidas de Colombia.

Castaño en la escuela de comandantes en la selva del Nare, en Antioquia.

IX

EL CARTEL DE CALI

—Con molestia atendí una llamada Miguel Rodríguez Orejuela a quien le tengo desconfianza: "Mompa, vos sabés que te he preguntado dos o tres veces por Fidelio, pero no me has dicho nada, y necesito saber, porque alguien del Gobierno me ha preguntado que si es verdad...". A Fidel, le di vida a través de la prensa, pero entre la gente cercana ya circulaba el runrún de su fallecimiento.

Como era obvio, seguí ocultando la muerte de Fidel, pero presentí en Miguel Rodríguez el interés de confirmar un chisme para pasarle la chiva, quizá a su candidato a la Presidencia. Sin lugar a dudas, Miguel pretendía obtener mérito con alguien. Trató de feriar la noticia de la muerte de mi hermano, maquinación dolorosa para mí. La relación con los Rodríguez fue circunstancial y temporal. En la época de los PEPES, me entrevisté con ellos siete veces. Cumplirles la cita en ese momento era normal, ellos eran los "jeques" y este tipo de relaciones en un país como Colombia es obligatorio manejarlas. Durante la lucha contra Escobar, varias veces me prestaron helicópteros para movilizarme. A pesar del nexo que existió, yo por naturaleza he sido un 'antinarcos'. He desconfiado de los narcotraficantes por el hecho de ser tales. Desprecio el narcotráfico porque siempre, tarde o temprano, destruye lo que toca. Acaba con ideologías y principios, acaba con todo.

Mi relación con Gilberto Rodríguez fue y será distinta a la que tuve con Miguel. Independiente de lo que sea, Gilberto es un caballero, un señor, y punto. Así me pasen cuenta de cobro por lo que estoy diciendo, yo sentí aprecio por Gilberto Rodríguez Orejuela. Es un hombre que mira a los ojos y admite sus equivocaciones. Me impresionó que pensara en una fórmula para acabar con el narcotráfico y la guerra de este país, cuando tenía la soga al cuello, próximo a ser capturado. Casi ninguna persona del mundo irregular piensa en enmendar sus errores cuando se está hundiendo.

En marzo de 1995, dos meses antes de ser detenido, me localizó: "Mompa, por qué no vienes en un avión privado, yo te digo a donde llegas y nos vemos".

Le dije que sí iría pero dilaté el viaje. Pasaron los días y la segunda vez me habló Miguel Rodríguez: "Mompa, tengo un proyecto muy interesante de mandar a hablar con los enemigos tuyos. ¿Vos tenés algún inconveniente?" Le contesté: "Si no van a estar contra mí, yo no veo ningún problema".

Para una reunión con las FARC querían tantear mi posición, así lo entendí, pero días después de nuevo me buscó Gilberto para solicitarme un favor: "Mompa, quiero que usted me facilite la ida allá para poder hablar con ellos".

Los Rodríguez sabían que yo tenía una persona para hablar directamente con el secretariado de las FARC. Ese contacto lo conservamos toda la vida y se llama Heriberto Loaiza, uno de los hermanos Loaiza, veterano de la violencia partidista. Las FARC lo nombraron por ser un contemporáneo de Manuel Marulanda. A través del tiempo se ha ganado el respeto de la Autodefensa y de las FARC. Cuando hemos tenido que hacer canjes de prisioneros, se convienen a través de este hombre, que lleva y trae razones, sin ningún problema desde el Nudo de Paramillo, en Córdoba, hasta las selvas del Caquetá, donde se ubican las FARC.

Sin ningún interés, les facilité a los Rodríguez este contacto con las FARC, pero no volví a saber de ellos y de su reunión con la guerrilla. Quince días después, Loaiza regresó a Córdoba y me impactó su informe: "A la reunión no me dejaron entrar y el hombre del cartel de Cali que acompañé a la selva fue Gilberto Rodríguez".

Imaginaba que iría Santacruz, Miguel o Pacho Herrera, nunca Gilberto, él es un hombre de sesenta años que no está para esos trotes. Me alteró que Loaiza se quedara por fuera de la reunión, en especial, porque apareció misteriosamente en el sitio de encuentro Javier Ocampo, un peso pesado de las FARC en la legalidad, a nivel de los miembros del secretariado. Es dueño de múltiples empresas que contratan con el Estado y el sector privado en Arauca y Casanare. Es una persona adinerada, pero su capital es de la guerrilla. Ocampo es aún uno de los padrinos de las FARC. Es de este tipo de gente que vive de la guerra, que está bien conmigo y con las *FARC. Cuento quién es porque últimamamente estoy muy inquieto con él. Fue compañero de estudio de 'Raúl Reyes', uno de los guerrilleros que asistió a la reunión con Gilberto Rodríguez Orejuela.*

No me demoré en entender que algo plantearon los Rodríguez a nombre mío sin consultármelo y para eso me pidieron a Loaiza, no para que los guiara por la selva, pues con Javier Ocampo llegaban sin problema. Gilberto caminó disfrazado y con un sombrero de baquiano. Se hizo pasar por campesino y mientras almorzaba tranquilo en un restaurante del municipio de Carurú, ingresó un grupo de siete militares y se sentaron en la mesa de al lado. ¡Me imagino el susto de ese hombre!

Al enterarme de los pormenores de lo sucedido, llamé a Gilberto y viajé en un avión privado a Cali para pedirle una explicación. Recuerdo que aterricé en un aeropuerto clandestino y la reunión con Gilberto se dio en plena pista, al lado del avión. El piloto mantuvo la aeronave encendida mientras Gilberto me comentó las razones que les asistieron para ese acercamiento con las FARC: "Mompa, después de una reunión Miguel nos dijo que no teníamos una opción distinta a buscar un indulto. Al decir esto, mi hermano, que es el abogado de la familia y se entiende con las cortes, los jueces y sus propios parlamentarios, comprendí que lo nuestro está perdido. Si vamos a terminar pidiendo indulto es que aquí no hay regreso. Por eso propuse hablar con las FARC y hacer mejor una propuesta de paz, para acabar con el narcotráfico, la guerrilla y las Autodefensas".

Al instante, le repliqué a Gilberto Rodríguez: "Yo no estoy buscando a las FARC para nada y no necesito que nadie hable por mí, y eso debe quedar claro para ustedes". *La reunión terminó, me subí al avión y regresé a Córdoba. Nunca le creí y deduje que algo propusieron en mi nombre.*

Buscaban desesperadamente protección y analizaron que resultaría más viable por el lado de la guerrilla que por el mío, acertaban al pensar que yo nunca permitiría algún acercamiento de los 'narcos' a las ACCU.

Los narcotraficantes poderosos han intentado de mil maneras adueñarse de la Autodefensa, y no lo han logrado. Narcotraficantes, como Orlando Henao Montoya, llegaron hasta apropiarse temporalmente de algunos de mis intelectuales quienes actuaron para él, en mi nombre y sin autorización. A estas personas las recuperé después.

José Santacruz intentó que la Autodefensa lo protegiera siempre y, en la guerra contra Escobar le presté alguna ayuda, pero le insistí en el sometimiento a la justicia como su única salida. José siempre me dijo: "Después que esté muerto Escobar, ahí sí...". Y para ser honestos, es más fácil que las Autodefensas se narcoticen a que se pueda politizar un narcotraficante.

Cuando Santacruz logró fugarse de la cárcel de máxima seguridad me buscó y la razón me llegó siete días después. Al enterarme impedí su acceso a mí y dilaté cualquier comunicación con él hasta cuando otro 'narco' de Bogotá me entregó unos casetes donde Santacruz habla con uno de los hombres fundamentales de las FARC. Santacruz se comunicó con un delegado de "Estandarte". Esa era la clave de 'Raúl Reyes', miembro del secretariado de las FARC. Allí acordaron que la guerrilla le suministraría protección y en las negociaciones de paz, lo incluirían.

No se debe olvidar que Santacruz era el encargado del lavado de dólares y manejaba algunas rutas de narcotráfico en el cartel de Cali. Las conversaciones entre Santacruz y las FARC se comenzaron a dar en la cárcel 'Picota'.

Para aceptarlo, la guerrilla le exigió algunas cosas, entre las que estaba la cabeza de Carlos Castaño Gil. En las conversaciones, Santacruz dice: "Cuenten con que el enemigo de ustedes va a desaparecer". Al ejecutar a Santacruz, eliminé a un traidor. Yo confiaba en él tanto como en Gilberto.

Decidí ejecutar a José Santacruz Londoño y se lo entregué al general Rosso José Serrano. Para hacer esto no detuve mis actividades antisubversivas y, mientras enfrentaba unas milicias urbanas en Itagüí, prendía las antenas hasta obtener la información. Como conocía gente cercana a Santacruz, comencé a seguirlo, y me enteré de que asistiría a una reunión con miembros de las FARC, en Llano Grande, Antioquia, en las goteras de Medellín.

Cogí el teléfono, llamé al conmutador de la Dirección General de la Policía y me contestó un coronel al que le dije: "Le habla 'El Patriota', tengo una información importante para capturar al narcotraficante José Santacruz". Me pasó a otro oficial, que en alguna oportunidad conocí. Al identificarme me saludó: "Lo que venga del lado suyo, se sabe que es bueno". Me comunicó con el general Rosso José Serrano, ante quien me presenté así: "Soy Carlos Castaño, comandante de las Autodefensas. Tengo conocimiento de que el narcotraficante José Santacruz Londoño se está uniendo a las FARC y esto representa un delicado problema para el *país; la autoridad lo busca y yo puedo dar un informe de cómo encontrarlo".* *Entonces el general me dijo:* "Usted como que ha ayudado ahí por los laditos con la institución y con el país. Una más no sobra y no hace daño".

"En efecto, general, estoy comprometido con el futuro del país y no quiero que esto suceda".

"¿Usted cree que es necesario que nos veamos personalmente?", *me preguntó.*

"Creo que es inconveniente para usted, mi general. Pero le solicito que la información se le dé a un grupo de oficiales brillantes de la Policía, que alguna vez conocí. Así me sentiría seguro al transmitir estos datos", dije.

"Usted puede solicitar los que quiera", *contestó.*

Pasé el nombre de los que quería que adelantaran el operativo y se realizó con excelentes resultados. Cumplí con dar el dato, en qué carro iba y de dónde a dónde. El operativo final fue exclusivo de la Policía.

Castaño en uno de los doce encuentros con Mauricio Aranguren.

(archivo personal)

Su matrimonio con Kenia, el 15 de mayo de 2001.

(archivo personal)

A los 17 años en el Peñol-Antioquia.

(Foto: MAM)

(Foto: MAM)

Carlos Castaño en uno de sus centros móviles de comunicación, 10 de mayo de 2001.

(Foto: MAM)

Con Salvatore Mancuso, miembro del Estado Mayor
de las AUC y comandante militar de las ACCU, noviembre 2 de 2001.

(Foto: MAM)

(Foto: MAM)

Carlos Castaño dictando instrucción a mil hombres, en el Nudo de Paramillo, 31 de octubre de 2001.

(Foto: MAM)

Caminata rumbo al campamento madre de las AUC, abril 26 de 2001.

(Foto: MAM)

En uno de los siete helicopteros de las AUC, abril 25 de 2001.

Última fotografía de Fidel Castaño seis meses antes de su muerte.

Fidel Castaño y Jesús Antonio Castaño en finca el Hundidor, 1979.

Con sus dos hijos del primer matrimonio, en 1992.

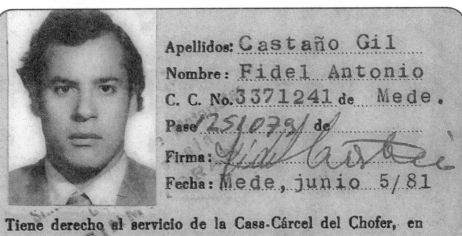

Jesús Antonio Castaño, padre de los hermanos Castaño Gil.

(archivo personal)

Fidel Castaño.

(archivo personal)

Retrato en óleo de Fidel Castaño por Oswaldo Guayasamín.

X

MIS ENCUENTROS CON SERPA

—Monseñor Isaías Duarte Cancino me invitó a Cali. En la época que a Carlos Castaño Gil lo buscaban las autoridades en todo el país. Decidí que asistiría como una de mis últimas cinco salidas a la ciudad. Antes de viajar, le dije a monseñor: "Su excelencia, me manda el carro al sitio que acordemos y usted responde por mí... ", le recordé de manera amistosa y de la misma forma me contestó: "No hay inconveniente Carlos, usted duerme en mi casa".

La confianza con monseñor Duarte nació del ejercicio de su labor pastoral como obispo de Apartadó. Si hay un sacerdote que ha sido equilibrado en esta guerra, es él. Las críticas severas contra mí las hizo monseñor Duarte Cancino durante la etapa de las masacres que perpetraron las FARC y la Autodefensa en el Urabá. No dudó en condenar internacionalmente a la guerrilla y a nosotros. Crítico para lado y lado.

Su actitud se orientó a defender siempre a la población y sindicarnos a los actores armados. Lo considero un amigo y una persona elevada en el trato. Distinto al cardenal Pedro Rubiano, con él tuve la oportunidad de hablar largo y de varios temas. Este señor se dirige a uno como si él fuera emperador.

Monseñor Duarte Cancino es oriundo de Santander, el mismo lugar donde nació el ex ministro del Interior y candidato a la presidencia Horacio Serpa. Elementos que auspiciaron el encuentro.

Ingresé a las 9 de la noche a la casa de monseñor, en un tradicional campero de cura; blanco y de dos puertas. Monseñor me instaló: "Ya vengo, Carlos, voy por Horacio", dijo.

Una hora más tarde, acudieron Serpa y monseñor Duarte, y a las 10 de la noche efectuamos la reunión. El ministro inició con una intervención en la que criticaba con vehemencia actuaciones nuestras. Le expliqué que no se podía creer que esta guerrilla es romántica e idealista como por años la han pintado. Me preguntó: "¿Qué posibilidad hay de llevar a la Autodefensa a un desarme y de someterla a la Justicia, por la vía jurídica y no política".

—"Doctor Serpa, por ahora nosotros no hemos pensado en el sometimiento ni de manera política ni jurídica. El día que lo decidamos será cuando se acabe la guerrilla, en ese momento nos desarmaremos de una manera política, no hay otra posibilidad".

Serpa estimaba que nos entregaríamos al día siguiente, como lo hizo Ariel Otero con la vieja Autodefensa de Puerto Boyacá. Se notaba que no me conocía bien y además ni era consciente de todo lo que yo era capaz; se imaginó a Carlos Castaño como un echador de bala, sin cerebro. Y eso que me presenté a la reunión bien trajeado, con saco y corbata. Al final dijo: "Hace falta una nueva reunión. Carlos, vaya y consulte con la gente que está detrás de usted, les habla y les indica de qué se trata".

"Doctor Serpa, para serle sincero, no hay a quién consultarle, si quiere hablo con algunos pocos amigos que tengo", le contesté al ministro e intuí, al instante, que valoraba a Carlos Castaño como un estafeta, y quizá podría caber alguna razón. De tanto hacerme el pendejo, la gente se estaba creyendo el cuento.

La reunión se disolvió y veinte días más tarde se convocó el nuevo encuentro en la casa de monseñor Duarte Cancino, en Cali. Recuerdo que el ministro Serpa le dijo a monseñor: "Pero dígale a Carlos que lleve la gente que quiera".

La propuesta del Gobierno la consulté con mi almohada y, para no quedar mal ante el ministro Serpa, invité a la reunión a unos amigos, a Hernán Gómez Hernández y a don Rodrigo García, mi segundo padre.

Horacio Serpa asistió con retraso a la reunión, a las seis de la tarde, pero las horas previas fueron agradables. Charlé con monseñor Gutiérrez, de calvinismo, Martín Lutero, los anglicanos, la vida, el perdón, el amor, Jesucristo, la legítima defensa. Una delicia de obispo, brillante.

Al llegar Serpa, monseñor Duarte nos ofreció un whisky, pues ya venía la comida en camino. Antes de comenzar a comer, pensé: "Ahora sí puedo hablar fuertecito". Cuando estoy en mi territorio formalizo las reuniones al máximo, pero cuando estoy en el de otro, trato de informalizarlas lo más posible.

—"Bueno, doctor Serpa, ¿cómo va el gobierno?"

—"Bien, bien...", *respondió mientras probaba la sopa.*

Cuando el encuentro se convino, el proceso ocho mil, por los dineros del narcotráfico en la campaña del presidente, ebullía.

—*"¿Estima que se superan los obstáculos, doctor Serpa?"*

—*"Sí, sí", contestó de manera evasiva.*

—*"Pero, ahí no se ha conocido mucho de lo que pasó. ¿Sí hubo lo que dicen que hubo, ministro?".*

Monseñor me reclamó: "Carlos, haga el favor de comer".

Como estaba más informal que nunca, seguí: "Es muy triste, doctor Serpa, estar hablando de la paz de este país con alguien que ha hecho lo mismo que todos los anteriores".

Ahí sí me regañó duro monseñor: "¡Carlos, haga el favor de comer!".

Serpa paró de comer y dijo: "Vamos a comenzar unos diálogos con la Autodefensa en aras de la paz de Colombia, el Gobierno está dispuesto a buscar alternativas para adelantar un proceso con ustedes".

"*Doctor Serpa, la Autodefensa no tiene nada que hablar con este Gobierno ni con otro mientras la guerrilla no produzca hechos de paz".*

El aire de la reunión se enrareció. Intervino Hernán Gómez, viejo amigo del ministro. Para aclimatar el encuentro, evocó un episodio de la campaña presidencial: "Recuerda, doctor Serpa, cuando unos campesinos, en una manifestación en Barranca le dijeron a usted: "Dotor Serpa, nosotros semos de FILA". Pues ahora déjeme decirle: "Nosotros semos serpistas".

Sonreímos menos don Rodrigo García, quien dijo: "A mí sácame de ese cuento". *Hombre más conservador y laureanista que don Rodrigo no hay.*

El gobierno de Samper propuso desmontar la Autodefensa con decretos de sometimiento. Una amnistía pero en términos jurídicos y no políticos. Ofrecimiento dentro de la legalidad.

El presidente Ernesto Samper buscaba desmovilizar la Autodefensa como un acto de gobierno, inmerso en la crisis política que enfrentaba. Al final de la reunión, el doctor Serpa dijo: "deberíamos emitir un comunicado de prensa, para informarle al país de esta reunión".

En la Autodefensa, el gobierno de Ernesto Samper será siempre bien recordado, ni nos percatamos que pasó por el Palacio de Nariño, sólo estuvimos pendientes de su juicio. Al tiempo que Samper nos enviaba mensaje de que no nos iría a perseguir, ofrecía mil millones de pesos como recompensa por mi captura y me mandaba a decir que era su obligación. Ofreció que en la práctica no se realizaría persecución contra nosotros y cumplió, no la sentimos. Mi visión sobre Sampe es que en cuatro años gobernaron los gringos. Años en los cuales los americanos fueron tolerantes con la Autodefensa y no hubo mucha presión norteamericana para perseguirnos, como existe ahora, desde que le di la cara al país y el narcotráfico ronda a la guerrilla y a la Autodefensa.

La reunión con el ministro Serpa terminó temprano. Un poco distensionados, conocí otra faceta de él: Una persona agradable y resulta delicioso a la hora de conversar. Un hombre del pueblo; eso no se lo quita nadie y creo que de verdad siente el pueblo; no debe ser carreta todo lo que dice. Eso populismo solo no puede ser. Varias de las cosas irregulares que hizo Serpa tenían que haberse hecho, y las hizo con un sano propósito. Lo que tiene Serpa de bandido por un lado, por el otro lo tiene de patriota. Serpa cayó en una telaraña muy brava que le tendieron.

—¿Le simpatiza Horacio Serpa para presidente?

—¡Nunca! El hecho de que le reconozca sus cosas buenas, no quiere decir que no le critique las malas o que sea mi candidato. Serpa es un hombre irregular, le ha tocado moverse concertando con actores irregulares y un hombre que esté en la legalidad, no puede hacer esto, menos un futuro presidente.

Es un político con la capacidad para gobernar Colombia, pero no creo que pueda gobernar con autonomía. Y tengo claro que él será el próximo presidente. Es el candidato del establecimiento, lo que llamaba Álvaro Gómez Hurtado "el régimen". Es el candidato del poder económico, la maquinaria política, las FARC y los narcotraficantes. ¡Les conviene a todos!

Con esto no estoy diciendo que el doctor Serpa recibe dinero de los 'narcos' o que vaya ser el presidente de los narcotraficantes, no. Lo que pasa es que aquellos se las ingenian para apoyarlo por fuera y no pactan con el candidato, pero sí lo hacen en las regiones, donde se va a mover, como siempre, ingente dinero del narcotráfico durante la campaña presidencial.

A los 'narcos' parece olvidárseles algo, una cosa son los políticos de candidatos y otra como gobernantes, ahí se equivocan con Serpa. El doctor Horacio es el que menos les va a ofrecer, olvidan que Samper fue el que más los persiguió y en la práctica acabó con el cartel de Cali. Es el *presidente que más resultados ha ofrecido en materia de narcotráfico, impulsado por los gringos, por supuesto. Téngalo por seguro, Serpa hará lo mismo.*

Hablando de candidatos, lo que acabo de decir me sirve para esbozar un buen ejemplo en el caso del candidato a la presidencia Álvaro Uribe Vélez, a quien no conozco personalmente. La base social de la Autodefensa lo considera su candidato presidencial pero ahí mi gente se equivoca; Álvaro Uribe le conviene al país, pero no a las Autodefensas Unidas de Colombia. Es el presidente que menos nos podrá ofrecer, seguro dará resultados militares en contra nuestra y poco reconocimiento a nuestra lucha antisubversiva.

Álvaro Uribe Vélez es, en el fondo, el hombre más cercano a nuestra filosofía. Su idea de crear las Convivir, unas cooperativas donde los ciudadanos colaboraban de manera organizada con las fuerzas armadas, suministrando información y en algunos casos portando armas amparadas para su defensa personal, es el mismo principio que le dio origen a la Autodefensa. Su propuesta nació a raíz de varias conversaciones con empresarios bananeros del Urabá. Como gobernador de Antioquia, logró sacar adelante cooperativas de seguridad, con las cuales nunca estuve de acuerdo. No voy a negar que a las Autodefensas les sirvió, pero no tanto se avanzó con ellas. Quienes las aprovecharon fueron los narcotraficantes, que se dedicaron a montar pequeñas Convivir en sus fincas. Era habitual ver cinco camionetas Toyota, con un 'narco' adentro escoltado de manera impresionante y sus guardaespaldas portando armas amparadas por el Estado.

Álvaro Uribe Vélez defendió las Convivir en forma honesta, porque él no veía más allá de los municipios cercanos al departamento de Antioquia. Allí la gente de bien les dio correcto uso, lo que validó en parte su propuesta. Pero con los 'narcos' sueltos era muy peligroso abrir este camino, por eso siempre me opuse.

Mire lo paradójico, los candidatos que están más lejos de la ideología de las Autodefensas son los que más tienen que ofrecernos.

—Bueno, completemos la lista de opcionados a la Presidencia con Noemí Sanín, por quien usted manifestó públicamente su admiración. ¿Podrá ser presidente?

—*La sigo admirando. Su honestidad no está en tela de juicio. Es una gran colombiana, pero para una situación como la que vive Colombia no sería la presidenta ideal, tal vez si el gobierno Pastrana hubiera dejado el proceso de paz en un punto de no retorno a la guerra, sí. Mi censura hacia ella no es de género, conozco y admiro muchas mujeres pantalonudas. Ella sí puede tener la autoridad, lo que no tiene es la correa que se va a necesitar para manejar a Colombia. El presidente deberá ser más osado y arriesgado en los años que vienen, Noemí contribuiría a fortalecer un estado de anarquía.*

—Si fueron tres encuentros con Horacio Serpa, falta uno. ¿Dónde fue el último?

—*Usted ya lo debe de saber* —me contestó. *¿No se lo contó Ernesto Báez cuando venían del cerro del Jockey anoche?*

Pensé durante cinco segundos, recordé la historia y exclamé:

—¡Claro! Sí, sí. Tiene razón. Pero Ernesto Báez no conserva recuerdos gratos de esa reunión con Serpa, al ex ministro no lo bajó de "logrero electoral y mamador de gallo".

Conocí a Horacio Serpa —así me narró la historia Ernesto Baez— cuando se desempeñaba como ministro de Gobierno del presidente Virgilio Barco, y me acerqué a él para buscar una salida jurídica para patrulleros de la Autodefensa del Magdalena Medio. Cuando digo los patrulleros, me refiero a los de a pie, no a los dirigentes como Henry Pérez y Ariel Otero, que tenían asuntos penales y debían resolverlos de otra manera.

Una día cualquiera, opté por no volver donde ese señor. Siempre consideré que se burló de nosotros, porque a cambio de ayudarnos nos pidió apoyo político para Ernesto Samper en la zona del Magdalena Medio.

En medio de todos esos antecedentes, muchos años después, como ex candidato a la Presidencia, vino Horacio Serpa a las Autodefensas Unidas de Colombia a mediar por la libertad de la senadora Piedad Córdoba, en un secuestro político que se realizó.

La reunión se realizó en un lugar muy apartado, un campamento escondido en medio de las selvas del Nudo de Paramillo. Cuando me tocó intervenir, le hice a Serpa unos comentarios sobre lo que había ocurrido en el pasado y él me contestó con unas afirmaciones distintas a lo que pasó, entonces no aguanté y me enfrenté a Serpa: "¡Falta a la verdad!, y no le permito que venga aquí a cumplir una misión humanitaria y, al momento de tocar temas que pertenecen al pasado, trate de desconocer cuál fue su verdadera actuación con nosotros en aquella época".

Carlos Castaño intervino y dijo: *"No, señores, cálmense, no se trata de esto"*.

Con gran habilidad, Serpa propuso un cambiazo. Quería que liberáramos a la senadora Piedad Córdoba y nos quedáramos con él. Hecho que no dudaría en capitalizar políticamente, como lo hizo la senadora después. Obviamente, nosotros dijimos que no. Si ya estábamos encartados con Piedad, imagínese con Serpa.

Ese último encuentro entre Horacio Serpa y Carlos Castaño lo evoco con frecuencia, no por lo que le acabo de relatar, no. Porque me sirve para mostrar a los amigos por qué Carlos es el más godo de los godos, ¡un recontragodo!, conservador a morir.

A Horacio Serpa, jefe legítimo del Partido Liberal, lo recibió en una ramada vulgar, en el más lejano e inhóspito de los lugares de la selva del Paramillo, a donde se llega después de ocho horas de camino en mula. El sitio donde se reunieron fue una mesa coja y de cuatro tablas. La comida fue un tamal espantoso, eso no era un tamal, ¡no señor! Era un envoltorio con huevo, carne de cerdo, chicharrón gordo, carne molida. Lo irritante y malo para el corazón, justo lo que podía acabar a Serpa de un infarto.

La reunión se disolvió y no se aceptó la propuesta del canje. Serpa regresó a Bogotá y nosotros lanzamos otra iniciativa para devolver a Piedad Córdoba; exigimos la presencia de una comisión del Partido Conservador para ponerle fin al secuestro. Pero irracional, la senadora se opuso. Ella maneja aún esa torpeza del sectarismo político y, en medio de su retención, no quería saber nada de los conservadores y le decía a Castaño que ella no deseaba que sus adversarios políticos vinieran a rescatarla.

Pero como al que no quiere sopa se le da . dos tazas, en la comisión venía nada más ni nada menos que el hijo de Laureano Gómez, ex presidente conservador y padre de la derecha colombiana, el senador Enrique Gómez Hurtado, hermano del ex candidato presidencial Alvaro Gómez.

Cuando se supo la noticia, me llamó Castaño y me dijo: *"¡Hermanito, hermanito! ¿Sabe quién viene mañana? Nadie menos que Enrique Gómez, ¡esa eminencia!"*

El padre de Castaño fue conservador laureanista, y Carlos por muchos esfuerzos que haga, no puede disimular su condición de ¡ultragodo!

Como hacía ocho días atendimos a Horacio Serpa en la selva, pregunté: "¿En dónde vamos a recibir a los conservadores?"

"Ya el 'Alemancito' me tiene listo el lugar; salimos madrugados".

De inmediato intuí: "Éste, como es de godo, no va a poner a caminar por la selva a Enrique Gómez y menos lo va a hacer subirse a un muleto viejo por el Nudo del Paramillo, como con el pobre Horacio Serpa".

Cuando llegamos al sitio de reunión, cercano al mar Caribe, Castaño le preguntó al 'Alemán': *¿Dónde vamos a recibir a estos señores?*

"Muy cerca, como a quince minutos, en una escuelita simpática", dijo el 'Alemán'.

"Vamos, quiero revisar el sitio", dijo Castaño.

No escampaba y las carreteras por la zona de Necoclí son trochas, no eran huecos sino cráteres en la vía. Comencé a ver esa cara dura que pone Castaño cuando denuncia su mal genio, sin decir nada.

"¡Alemán! ¿Hacia adelante esta carretera sigue así de mala?", le preguntó Carlos.

"Sí... ha llovido a cántaros", respondió el 'Alemán'.

Castaño se enfureció: *"Cómo va a creer usted, hombre, que voy a traer ese personaje por semejante trocha. Hágame el favor y nos vamos de regreso, ¡ya!".*

Y yo acordándome por la trocha que metió este hombre al pobre Serpa. ¡Esto es mucho godo!

Después vino la preparación del sitio en una vereda cercana, escogido por Carlos, hizo quitar una mesa de billar en una cantina y pidió dos mesas. Cuando le trajeron dos fabricadas con madera vieja, protestó: *"No, señor. Me hacen el favor y me buscan cuatro mesas Rimax de plástico y un buen mantel".*

Ríase el problema para conseguir un mantel en esa vereda invadida de pobreza: *"Si no hay mantel, consíganme una sábana blanca, ¡limpia e impecable!"* Y así fue.

Cuando ya estaba todo listo, se pelearon dos perros al frente de la cantina y este hombre llamó al escolta y lo vació: *"Me hacen el favor y me sacan estos animales de aquí. Mientras yo esté reunido con estas personalidades, no quiero nada de ruido".* Entonces hubo que montar un retén para perros y marranos.

De la comida, ni hablar. En veinte años de guerra, yo no me he comido un plato de langostinos tan delicioso como el del almuerzo de ese día con Enrique Gómez. Los mandó a traer fresquitos del mar.

Ya en la conversación —Carlos, lleno de compostura—, observaba al viejo Enrique y, mientras éste hablaba, Carlos lo miraba con una reverencia impresionante hasta que el doctor Gómez lo miró y le preguntó: "¿Cómo le digo, comandante, Carlos, señor Castaño?".

Entonces intervine y sugerí: "Excúseme, señor senador. Le puede decir copartidario sin ningún problema". Ahí todos nos reímos.

Después de terminar el almuerzo y ponernos de acuerdo con los detalles de la entrega de la senadora Piedad, se acercó Carlos y me dijo, emocionado: *"Mírelo, doctor... ¡El hijo de Laureano Gómez!"*

Castaño se dirije a caballo al campamento madre.

XI

MI SEGUNDO PADRE

—*La vida me quitó un padre pero me dio otro. Por eso cuando las FARC le colocó una bomba de cincuenta kilos de dinamita a don Rodrigo García, un escalofrío recorrió mi cuerpo y mi mente se turbó. "Es un anciano, ¡por Dios!" Las instalaciones de la Federación de Ganaderos de Córdoba quedaron destruidas y él se salvó de milagro. Esa misma noche coloqué siete petardos a sedes guerrilleras con fachada legal. Decidí hacer una lista de los grandes jerarcas intelectuales y teóricos de la subversión con el fin de responder si me tocaban a don Rodrigo. De ahí en adelante las FARC y el ELN saben que en una semana les "recojo" a buena parte de los hombres que mantienen ocultos en la legalidad. El viejo no hacía nada distinto a lo que hace el periodista Alfredo Molano o el sociólogo Alejandro Reyes Posada de la Universidad Nacional, asesor del ex comisionado de paz Víctor G. Ricardo. Yo nunca he intentado ejecutarlos.*

Otros intelectuales de la guerrilla, como Carlos Lozano e Iván Orozco, han penetrado las instituciones. Orozco llegó a ser asesor en materia de derechos humanos del Vicepresidente de Colombia, Gustavo Bell. Al enterarme le mandé a decir al presidente Pastrana que en su Gobierno se encontraba un hombre de las FARC y que sería objetivo militar nuestro. No nos creyó y lo trasladó a un cargo en el consulado de Holanda. Pero al descubrir que en Europa sólo hablaba en contra del Gobierno y del Plan Colombia, lo destituyeron. El presidente me envía un mensaje con el representante a la cámara Luis Carlos Ortosgoitia: "Dígale a Castaño que yo sí escucho cuando me denuncia un guerrillero infiltrado en el gobierno". ¡Mentira! El presidente no lo sacó por lo que yo revelé.

Desde el día que la guerrilla atentó contra don Rodrigo, organicé varios comandos urbanos dedicados a seguir guerrilleros ocultos en la legalidad. Sé dónde viven, dónde trabajan y les mantengo interceptados los teléfonos.

La guerrilla lo sabe y por eso no me lo han vuelto a tocar. Abusan cuando no encuentran quién se les enfrente, pero conmigo es distinto. La destrucción recíproca asegurada es lo que mantiene a las potencias con respeto mutuo. Guardando las proporciones, lo mismo sucede entre la guerrilla y las Autodefensas. Yo les respeto su gente y ellos a la mía. Tampoco nos tocamos las familias. Cuando me han secuestrado un familiar yo les he secuestrado los suyos. En una semana retuve a siete familiares de los miembros del secretariado de las FARC. Los custodié durante cuatro meses en el monte hasta que entregaron a mi ser querido. Este equilibrio permite que la guerra no se empantane. Pero de los canjes de secuestrados con las FARC le comento más adelante.

Acaba de llegar el conductor con el amigo 'Monseñor'. Como apenas son las siete de la mañana, seguro tendrá tiempo para visitar a don Rodrigo y a Hernán. Le deseo suerte en Montería. Yo por mi parte salgo para el Nudo del Paramillo. Mañana lo recogerá un helicóptero en una finca cercana y nos encontraremos en la selva. El campamento no es el lugar más cómodo pero el sitio es hermoso. Sé que le gustará".

Castaño saludó a 'Monseñor' y partimos hacia Montería.

'Monseñor', cómo siguió de la espalda? —le pregunté.

—Yo no vuelvo a hacer un viaje de esos. ¡No joda...! Hace tiempo que no visitaba a Castaño porque te dicen: "vamos cerca" y mentira, faltan cuatro horas brinque que brinque por estas trochas.

—Me contó el Comandante que usted se dirige a casa de don Rodrigo García.

—Sí, anoche le dije a Castaño que deseaba hablar con él.

Él es un personaje en la región desde hace muchos años. Se hizo célebre desempeñándose como vocero de los ganaderos en la época más difícil de Córdoba, años antes de que surgiera Fidel Castaño. Don Rodrigo García llegó a decir un día ante la prensa y el ministro del interior Horacio Serpa: "Las Autodefensas de Córdoba, lideradas por Fidel Castaño, se recordarán siempre como las libertadoras de la región". Otra vez se atrevió a declarar: "Fidel se merece una estatua...".

¡Oye...! Esa vaina se tornó polémica. A don Rodrigo lo entrevistaban todos los noticieros y la prensa escrita. En una época habló tan fuerte en contra de la guerrilla que teníamos miedo de andar con él.

Antes de que la Autodefensa mandara en Córdoba la situación era complicada. En el gobierno de Belisario Betancur, a comienzos de

1982, nombraron secretario del presidente al señor Alfonso Ospina. Aunque él no era de la región, había heredado numerosas tierras aquí. Hicimos ¡cipote fiesta! Esperando que con su nombramiento alguien nos sacara de la violencia guerrillera que padecíamos.

Asistimos a una reunión política en su honor. Conmovidos y felices al verlo, escuchamos su discurso:

"Señores finqueros: poseo tierras en la región, soy de aquí y conozco sus preocupaciones". Se detuvo y aplaudimos. ¡Era nuestro hombre! Pero continuó con esta perla: "Yo les digo algo: aquí no pasa nada; lo que ha llegado es una guerrilla de "pípiri pau...".

No se imagina la cara de desconcierto y desilusión de todos ahí; salimos defraudados. Hasta el coronel de la Policía se preguntó:

"¿Y ahora qué haremos?" Entre 1982 y 1988, la guerrilla del EPL y las FARC secuestraron a más de 90 ganaderos, fusilaron siete mil cabezas de ganado y se alcanzaron a robar cincuenta mil reses, estos carajos.

¿Cómo se llama ese monumento? —pregunté abruptamente al llegar a Montería.

—Ese es el 'Monumento a la Paz' del maestro Torres— me contestó.

Desde la ventana de la camioneta alcancé a ver dos estatuas que con sus brazos alzados entrelazaban las manos. Una representaba a un campesino y la otra a un soldado sin ninguna insignia. Es el único monumento en bronce, distinto al de Simón Bolívar, en Montería.

—¿'Monseñor', las estatuas son un campesino y un soldado del Ejército, no?

—¡No hombre, que va! Aquí todo el mundo sabe que el monumento representa al campesino unido con la Autodefensa. Lo construyeron en octubre de 1999. Cuando Castaño lo ve, dice: *Que el monumento invita al ciudadano a convertirse en paramilitar*. En las escuelas, a los pelaos les enseñan que el monumento significa la unión de los civiles con la autoridad.

Por un momento reinó el silencio y recordé las palabras de Castaño acerca de don Rodrigo García: *Él es más radical que yo en el concepto de la guerra pero a pesar de su verticalidad, siempre me ha demostrado que no se deben utilizar todos los métodos en un conflicto.* "Se puede derrotar militarmente al enemigo, pero al final perder la guerra", *me explicaba. El fue un bastón, mi apoyo y mi gran consejero espiritual después*

185

de la muerte de Fidel. Su condición de historiador también me acercó más a él y siempre lo he considerado un orientador intelectual. En la Autodefensa es una autoridad moral, ética y crítica sobre todos nosotros. Yo ya vivía una etapa en la que buscaba ansioso el conocimiento que no había adquirido ante la imposibilidad de estudiar en una universidad.

Con él dialogábamos frecuentemente sobre la importancia de la doctrina, la mística y los principios. En general, sobre lo institucional, lo perfecto para mí, pues en esa época estaba tratando de darle identidad a la Organización. Los estatutos y el régimen disciplinario de las ACCU se encontraban en la puerta del horno. Recuerdo que don Rodrigo me insistía:

"Organización que se respete tiene una oración, un único uniforme, unas insignias y un himno. De lo contrario esto de la Autodefensa no funciona".

Arribamos al centro de la ciudad donde, en una antigua pero cómoda casa esquinera, vive don Rodrigo. Al tocar la puerta nos abrió él mismo y nos hizo pasar a su oficina, enmarcada por una inmensa biblioteca de libros que parecían incunables. 'Monseñor' se despidió y prometió regresar al mediodía, para trasladarme a casa de Hernán Gómez Hernández.

Don Rodrigo vestía una guayabera azul clara acorde con sus canas y su acento costeño, pausado y sonoro. Emitía frases perfectamente redactadas, como para escribirse sin necesidad de correcciones. Después de escuchar la historia de la violencia de Córdoba, omití lo innecesario y le pregunté:

—¿Le molesta que a la gente de Córdoba y Urabá la llamen despectivamente amigos de los "paras"?

—Cuando hoy nos dicen que somos paramilitaristas, se olvidan de todo nuestro pasado, en el que solicitamos, insistimos y hasta rogamos que se nos brindara fuerza pública para protegernos de la guerrilla. Parecíamos no formar parte de Colombia y de eso fue testigo la prensa que registró mi clamor. Después de tanto insistir, nos instalaron la XI Brigada, su aparato administrativo, pero sin soldados suficientes. Vino luego el ministro de defensa Guerrero y resultó uniéndose a nuestras críticas, pues los soldados en el batallón permanecían de pantuflas porque les prestaban las botas a los que salían de servicio. ¡Se fija!

Al ver esto, los ganaderos abrimos una cuenta secreta en un banco para ayudarle a la XI Brigada y al batallón de Canalete. Le comprabamos a la fuerza pública desde gasolina hasta colchones. Todavía tengo los recibos. Varias veces tocaron a mi puerta, a las 11 de la noche, ganaderos con uno y dos millones de pesos, que en los años ochenta era mucho dinero. Me lo daban y rogaban no contarle a nadie. Ese fue el aporte de muchos al Ejército colombiano, pero no resultaba suficiente con una guerrilla que crecía con los dineros de la extorsión y el secuestro.

Los cordobeses produjimos toda clase de esfuerzos para ayudar a sostener el Ejército. Eso no cuenta hoy. ¡Se fija!

Ahora sólo importa que somos amigos de los paramilitares. Pero nadie sabe por qué y hasta dónde. Eso no le preocupa a nadie porque este país es así y punto. Inconsistente desde el Presidente hasta el último obispo.

Un conflicto tal en un pueblo como el nuestro resulta terrible, porque todos en el país se van relajando y poco a poco se pierde la capacidad de reacción y raciocinio. El colombiano se ha liberado de la responsabilidad sobre su propia vida, la del vecino y su coterráneo, algo más grave aún. Por eso ve usted la crisis que padecemos. El egoísmo y el individualismo cerril de nuestra sociedad son los culpables. ¡Se fija!

En una época los partidos políticos representaron las ideas de un porcentaje de la población. Pero hoy nada de aquello sucede, los partidos son agencias burocráticas y de "serruchos".

No se producen ideas importantes que aglutinen a la gente. Por eso es tan difícil que haya líderes. No es que no nazcan. Claro que están ahí. Lo que pasa es que el país vive una crisis moral, intelectual y política profunda, por eso el pueblo no los reconoce.

Yo le explicaba a Carlos Castaño que esta realidad era más grave que la existencia de la guerrilla. Es la razón de fondo de la guerra en la que estamos.

En medio del abandono y olvido estatal inmersos en una tremenda violencia guerrillera, se apareció el señor Fidel Castaño como un ángel de justicia y de revancha —por qué no decirlo. Nos dejamos llevar por la sed de venganza debido a las heridas que nos dejaron las extorsiones y el gran número de secuestros. En la prensa se justificaba la guerrilla y algunos periodistas sostenían que nosotros nos merecíamos la violencia porque no pagábamos buenos jornales. Hasta un general de tres soles me dijo aquello y yo le pregunté airado:

"¿General, y cuánto le paga usted a sus soldados? Usted les paga menos a sus soldados de lo que yo a mis trabajadores y sus hombres no pueden dejar de ser leales a la Patria y a usted. Lo que se perdió fue el principio de la honradez. Yo creo, señor general, que usted esta peleando del lado que no es".

Durante diez años, en la Federación de Ganaderos luché contra la guerrilla por sus fechorías, con el Ejército y la Policía porque no nos cuidaban. ¡Se fija!

En ese entonces los subversivos seguían creciendo y corrompieron aún más a los políticos que se dedicaron a saciar sus intereses mezquinos, su ansias de dinero y poder, acomodándose a la embestida de la guerrilla. La gran ganadora fue la subversión. Lo anterior tiene lógica dentro de sus ideas. Corromper el Estado para que se caiga más fácil y así la conquista comunista sea más cómoda. Lo peor es que esta idea no ha cambiado en la guerrilla.

Entonces ocurrió lo que sucede siempre que no existe Estado: la autoridad la ejerce el que controle la metralleta más grande y más rápido dispare. ¡Autoridad primitiva!

Las ausencias totales y vergonzosas del Estado colombiano nos llevaron a pensar que la única opción para sobrevivir era Fidel Castaño, que con un número pequeño de hombres había golpeado a la guerrilla en Córdoba como el Ejército aún no lo lograba. Se sumó que el gobierno finalmente envió la primera brigada móvil a Córdoba. Bien equipada y comandada. En dos meses y medio temblaba la guerrilla en Córdoba y Fidel por su lado continuaba dándole derrotas certeras a la subversión. Entre la fuerza pública y Fidel Castaño se erradicó la guerrilla de aquí. Después entregó sus armas y quiso vivir en paz pero el Gobierno retiró la brigada móvil y el Ejército nunca ocupó los espacios que dejaron el EPL y las Autodefensas. Se nos vino encima las FARC, el ELN y un grupo disidente del EPL. Recuerdo que Fidel retomó los fusiles y me comentó: "Don Rodrigo, se da cuenta por qué yo no quería entregar las armas".

La justicia privada fue la única alternativa. De ella no es partidaria nadie pero se instaura y se acepta por la falta de Estado.

—¿Qué aprendió de usted Carlos Castaño?

—Yo siento que en las primeras declaraciones de Carlos a la prensa se distinguen varios temas que hemos hablado él y yo.

Por un tiempo largo logré que Castaño mantuviera ciertos límites en la lucha pues temía que se desbordara y su movimiento se tornara demasiado cruel. Cuando declaró que ejercería justicia contra los corruptos y mataron un tesorero ladrón, yo le envié una carta recordándole nuestras charlas sobre los peligros del poder. Me contestó:

"Leí su carta ante el Estado Mayor y usted sale derrotado ante la mayoría de la comandancia, pero déjeme decirle que usted tiene razón, don Rodrigo".

Ante la guerrilla Castaño debía comportarse como un enemigo de guerra. Pero frente al Estado, las instituciones y su gente, no podía convertirse en juez.

La captura del jefe guerrillero del frente Carlos Alirio Buitrago del ELN descubrió para mí la esencia de Carlos Castaño. A cambio de la libertad del guerrillero demandó la liberación de un significativo número de secuestrados y cuando se los entregaron cumplió a cabalidad devolviendo al subversivo. Pero se le formó un problema en la Autodefensa porque los demás comandantes exigían aniquilar al tipo. No importaba que Carlos incumpliera su palabra. Entonces se reunió con todos y cuando las críticas lo arrinconaban, alguien le dijo:

"Comandante, qué tal que no se encontrara él preso, sino usted; ¿qué sucedería?"

Él contestó: *"Sí, yo sé que me matarían al instante pero yo no soy igual a ellos. ¡Yo no soy un asesino!"*

Esa vez me conmoví porque caí en cuenta de que todo lo que había discutido con Carlos Castaño obedecía a su sinceridad, y que él era consecuente con sus ideas y respetuoso de su palabra. Carlos nunca se ha considerado un asesino y pienso que él es sólo el instrumento de una guerra que no comenzó.

También le he jalado las orejas de vez en cuando. Cuando resolvieron necesario pedirle plata a la gente, ahí les llamé la atención.

"Se convertirán en otra guerrilla. Cuando uno toma el camino de la extorsión y secuestro, no existe nada ni nadie que lo pare". Hice estas críticas porque siento a Carlos Castaño como un hijo y él me preocupa mucho. ¿Cuál será su porvenir? No conservo certeza de que saldrá bien librado de todo esto, especialmente en un país de sinvergüenzas donde la política se practica por debajo de la mesa y en donde todos los días se traicionan unos a otros. Aquí la moral y la ética son débiles.

Carlos sueña con que algún día él y yo nos sentemos en la Avenida Primera de Montería a conversar y tomar tinto. No le gusta la clandestinidad ni el monte. Lo suyo es la política.

A veces se desespera y trato de minimizar sus problemas al exaltar la labor positiva que ha llevado a cabo y le repito que gracias a él no nos encontramos esclavizados por una guerrilla marxista. Hay momentos en los que experimenta frustración sintiéndose atrapado en el camino oscuro de la sinsalida de la guerra, buscando la paz. ¡Eso es tener conciencia y, en mi opinión, cristiana!

Al morir Fidel Castaño, Carlos aún un 'pelao', se me presenta en la oficina. Me dijo:

—*"Don Rodrigo, deseo oír sus reflexiones porque tengo un problema; soy el sucesor de Fidel"*.

—*"Carlos, usted es demasiado joven para esto, pero es el sucesor. Aquello no se puede cambiar y debe aceptarlo así. Le aconsejaría que atienda su conciencia y recuerde su hogar católico, donde alguna vez le prendieron el bombillo de la conciencia. Cada vez que éste se encienda, tome noción de que se sobrepasa la raya. Atiéndalo y no lo desestime. Ojalá, Carlos, encuentre la oportunidad de marcharse antes de que lo asesinen. Que parta a Europa y cumpla su sueño de estudiar.

—¿Qué le impresiona de Carlos Castaño?

—La superación intelectual en los últimos cinco años. Me sorprende cuando trata temas de fondo con propiedad y si no sabe sobre un asunto busca a la persona indicada para que se lo explique. Por ejemplo: después de una charla de diez horas con un profesor argentino que trajo para aprender de globalización, no le dio pena decir al final: *"Ustedes se van pero este señor se queda conmigo; me explicará lo que no entendí"*.

Sin duda alguna, su principal virtud es la honradez con el país y con él mismo. Que la gente diga lo que quiera, pero su deseo de paz es sincero.

—¿Y su principal defecto?

—Su exceso de fogosidad.

—¿Qué es lo que más le preocupa a Carlos?

—El rápido crecimiento de la Autodefensa.

—¿Usted no cree que Carlos Castaño es, de lejos, un generador de inmensa violencia en Colombia?

—Sí y no. Está claro que existe una guerra pero el problema es que en este país todo es blanco o negro y existen matices que es necesario aprender a reconocer. Él es una víctima de la violencia en Colombia, el resultado de un pueblo sin Estado, ni gobiernos justos, producto de una clase dirigente corrupta. El problema nuestro son las alternativas absurdas que nos quedan: la esclavitud con el señor Tirofijo, la Autodefensa que no es la solución de fondo, tampoco. O lo que es peor, la dictadura del clientelismo. ¡Se fija!

¿Usted es un poco pesimista?

—Soy realista y pragmático. La guerra ha debilitado al estado y esto sólo ha beneficiado a las AUC y a la guerrilla.

"A Carlos le recuerdo que él no es un bandido sino un hombre de buena fe metido en la guerra. Ahora tiene un compromiso muy serio con el país y su conciencia. Debe saber controlar el poder inmenso y peligroso que posee. Yo soy su amigo sincero y no es por oportunismo o por lucrarme que se lo digo..."

Con don Rodrigo tendría la oportunidad de encontrarme después para ampliar la entrevista. Por eso antes de despedirnos compartí con él un último café y acordamos volver a vernos. 'Monseñor' ya había llegado por mí. Me despedí y de manera amable contestó: "Me complace haberlo tenido por aquí".

Castaño en el cerro del "Mico Ahumado", antiguo territorio del ELN.

XII

LA FORMACIÓN DE CARLOS CASTAÑO
CON EL AMIGO SIBARITA

"La ginebra con jugo de mandarina es uno de los mejores inventos de los ingleses", dijo Hernán mientras se balanceaba en la hermosa y cómoda hamaca blanca que ocupa el fondo de su biblioteca, un espacio tibio y apacible que contrastaba con el calor infernal de la calle. Su casa parecía estar rodeada por un vivero y las arcadas en los corredores enmarcaban el solar donde una fuente de agua, traída de Venecia, producía un sonido relajante. Sentados en las poltronas de suave cuero verde oscuro, estábamos con 'Monseñor' Ernesto Báez. Probamos el trago recomendado y noté que el jugo de mandarina había perdido su acidez y tenía un color menos intenso, parecía licuado, esponjado y más claro. Por su suavidad y exquisitez debía incluir un toque secreto. Recordé entonces lo dicho por Castaño de su amigo, con quien hace mucho tiempo no se veía por una profunda diferencia que nunca me quiso comentar: *"Hernán es un sibarita; el hombre más vida buena que he conocido. A pesar de estar desilusionado con él, no puedo desconocer que le debo gran parte de mi formación intelectual, aunque no fue fácil obtenerla".*

Mientras su esposa dejaba una tentadora tabla de quesos, jamón y chorizo español, acompañado de aceitunas, yo fui sacando mi grabadora y Hernán replicó:

—No vamos a comenzar a grabar ya. Castaño sólo piensa en trabajo y aquí, te cuento, la cosa es distinta. Yo hace mucho tiempo decidí trabajar de once de la mañana a cuatro de la tarde. La época de la esclavitud se acabó hace siglos.

Hernán se reía de lo que decía y Ernesto Báez exclamó:

—¡No le dije que era un sibarita! —Alzó la ginebra y mientras apoyaba su otra mano en el bastón, brindó— Así la gota no me deje caminar, me tomo este trago y te apoyo, mi querido y nunca bien ponderado Hernán.

Aparte de describir a Hernán como un sibarita, Castaño me había hecho algunos comentarios sobre la vida del anfitrion. *"Hernán Gómez Hernández fue uno de esos grandes intelectuales de izquierda que sufrieron una profunda desilusión al ver cómo se bandolerizó la guerrilla latinoamericana y por eso abandonó esas ideas y se convirtió en uno de sus principales críticos. Antropólogo y geógrafo de la Universidad Nacional, trabajó durante seis años para las Naciones Unidas en los países de la Cortina de Hierro, estuvo en Checoslovaquia y en un proyecto de desarrollo para Brasil, Colombia y Perú. Siempre ha permanecido cerca de la política, fue miembro de la comisión que adelantó los diálogos del Gobierno con las FARC en Caracas y Tlaxcala. Horacio Serpa lo nombró por sus capacidades. Además, él era amigo personal de Alfonso Cano, miembro del Secretariado de las FARC, que conoció en la Universidad Nacional cuando eran estudiantes. Luego Hernán fue profesor y un activo militante de izquierda. En este tipo de comisiones negociadoras del Gobierno se encuentra siempre gente apreciada por la guerrilla. Hernán fue uno de los ideólogos que ayudó a fundar el EPL, cuando en Colombia ser guerrillero era casi legal. Fue amigo de los hermanos Calvo Ocampo y participó en una de las primeras conferencias del EPL en un pueblito de Santander.*

También participó como negociador de paz en el proceso del EPL en Córdoba, efectuó una labor importante, pues los comandantes guerrilleros lo apreciaban como una autoridad política histórica. En la academia es conocido como un experto en la obra del escritor Joseph Conrad, y como la gran mayoría de los ganaderos de Córdoba, conoció primero a mi hermano Fidel.

A Hernán se le podría considerar un ideólogo de la Autodefensa pero siempre para bien. A través de su discurso, comprendí la importancia de renunciar a ser un paramilitar y aún así conservar un profundo respeto por el Estado. Igualmente entendí lo fundamental de esta guerra: el control de territorios.

El sibarita siempre vivió del cuento de la Autodefensa pero nunca quiso comprometerse con la organización, y me atrevería a decir que estuvo más del lado de los gobiernos que del nuestro. Siempre me dijo: "El Estado nunca pierde". Desde muy temprano, antes de que se radicalizara esta guerra, tenía claro cómo es el "maní del poder" y hacia dónde iba Colombia. Hoy no soy un enemigo del Estado porque conocí su pensamiento.

Hernán no paraba de balancearse en la hamaca. Trató de aplazar el tema Castaño, pero ante nuestra insistencia, empezó diciendo:

—Todo antioqueño es alcohólico, mientras no se demuestre lo contrario. Carlos tendió a beber para apaciguar la inmensa soledad que vivía tras la muerte de su hermano Fidel y la necesidad de esconderse en el monte a raíz de que lo perseguían. Esta etapa la superó con la ayuda desinteresada de don Rodrigo García y la aparición de la mujer con quien convivió durante siete años; llenó un espacio en su vida convirtiéndolo en un ser menos irascible y volcánico. En una época llegó a ser agresivo con la gente pero poco a poco se decantó. Tuvo a quien amar, y eso le ayudó mucho. Carlos encontró con quién compartir esa gran prisión de miles de hectáreas donde ha vivido los últimos ocho años de su vida. El monte, para él, es una cárcel.

Al principio pensé que Carlos no tendría la capacidad para manejar esto y varias veces se lo dije: "Usted aún no tiene la habilidad ni la formación". Pero no se amilanó y fue ganando pelas de un *round*, de tres y después de seis. Entonces ya apreciaba uno que la Autodefensa cogía cuerpo y no existía otro camino que acompañarlo para que se convirtiera en un dirigente nacional. Nos comenzamos a reunir porque, de alguna manera, estábamos del mismo lado; yo le ayudaba a los ganaderos y a la gente de Córdoba a terminar un proceso de paz que aún permanecía incompleto.

Lo acompañé a muchas reuniones y, al término de una, no me aguanté y le dije, molesto: "Si no sabe manejar una reunión, no se ponga a citar gente del exterior, ni nada. Hizo quedar a la Autodefensa como un zapato, ¿no le da vergüenza? Van a imaginarse que esto es un movimiento de un poco de jornaleros o unos pendejos. No, así estamos muy mal para hablar del Derecho Internacional Humanitario. ¡Estudie primero, no joda!". A Carlos había que tratarlo duro, pararlo y decirle las verdades de frente pero nadie se atrevía. Alguna vez le dije: "No se ponga a hablar de la Revolución Rusa si no sabe. Aquí están estos cuatro libros; ¡léaselos, está quedando como un loco! No diga imbecilidades frente a la gente".

En consecuencia, obtener conocimiento se le convirtió en un reto y comenzó su formación autodidacta. Pasaban los meses y me sorprendía con cosas que estudiaba a solas.

—¡Hombre, pedía libros y se los comía calladito! —exclamó 'Monseñor'.

Y continuó Hernán:

—Cuando nos veíamos para analizar un tema, nos soltaba una carreta bien inteligente y estructurada. Yo fui el más sorprendido al verlo dirigir las reuniones sin hablar tanto. Se convirtió en una persona más mesurada. Hablaba solamente de lo que sabía y maneja muy bien eso de hacerse el pendejo: conocía de un tema y lo ponía a hablar a uno sobre eso como si él no supiera nada. *¿Cómo va a ser?*, preguntaba para averiguar lo que pensaba uno.

—Pero a mí me consta que fue muy humilde en esa etapa de formación —repuso 'Monseñor'. Le decía a Hernán: *"Cuéntame cómo se formó esta guerra. Enséñame"*. Carlos acumulaba información, preguntaba y, sin pena, mandaba a pedir resúmenes de temas importantes.

—Cierto —dijo Hernán—, Carlos tiene una memoria prodigiosa y maneja sus pensamientos en forma de ecuación: Conocimos el ajedrecista que esconde Castaño en la mente. ¡Es inteligentísimo!

—¿Pero su relación con Carlos era la del profesor que llegaba a dictar clase? —le pregunté a Hernán.

—No. Nos encontrábamos y le recomendaba que estudiara unos temas; le traía resúmenes, libros, o le recomendaba comprar algunos textos.

—Esa relación resultaba competitiva —dijo 'Monseñor'. Yo presencié a Hernán y Carlos producir un mismo documento. La papelera de Castaño terminaba llena de textos fallidos, mientras que la de Hernán, no tantos. Con el tiempo las cosas fueron cambiando y ya las papeleras terminaban igual de llenas.

—Yo le insistí mucho a Castaño que diseñara un método para estudiar y aprender —dijo Hernán. Le explicaba que lo importante no era el conocimiento de cifras o citas, sino aprender a sintetizar y construir estructuras de pensamiento, crear ideas o sacar conclusiones. Para él la necesidad inmediata era aprender a definir y dar soluciones rápidas, pues los hispanos somos muy dados a dar vueltas sobre la misma idea. En el caso de Carlos, definir estrategia y táctica lo llevaba a encontrar enemigos, prioridades y escenarios.

—¿Cómo describiría usted a Carlos Castaño? —le pregunté al anfitrión.

—Tal vez con la imagen impresionante de un caracol caminando sobre el filo cortante de un cuchillo, recogiéndose lentamente y extendiéndose sobre sí mismo, avanzando sin cortar su cuerpo. La precaución es la gran cualidad de Castaño. Por eso sigue vivo.

A la casa de Carlos Castaño no puede ir nadie que no haya sido invitado. Es amable pero distante. No confía en nadie y mucho menos se dejaría manosear de alguien. Es perseverante, traza una ruta y la sigue hasta el final. Como amigo, es el mejor; sobre todo fiel; no traiciona. Nunca entregaría a un amigo, se rige bajo un código moral donde la amistad es muy importante. Es generoso, no lo mueve el dinero ni es avaro, quizá porque nunca le ha hecho falta. Lo mueve la historia.

Castaño no es facilista en la vida. Si la solución es dar la vuelta por el camino más largo, lo hace; así se demore más tiempo.

—¿El amor de Castaño por la milicia lo hubiera llevado a ser un militar?

—Nunca. Soportar el principio de la obediencia debida hubiera sido complicado. Él no habría aceptado una autoridad superior, pues siempre se ha desempeñado como jefe, aún estando su hermano vivo. Castaño fue importante en combate porque le tocó; las circunstancias de la vida lo tornaron en un buen militar. Pero actúa mejor como estratega político. Los militares manejan la táctica pero las grandes estrategias de guerra son instancias políticas.

La Autodefensa se convirtió en un híbrido raro. No es una fuerza paramilitar ni paragobiernos, lo de hoy es una organización "parasistema". Es decir, el sistema económico, en el fondo, le da el poder a la Autodefensa. Es un anticuerpo que alimenta la libertad de empresa que —al verse amenazada por la falta de fuerza pública y la presencia guerrillera—, nace espontáneamente, así esté o no esté Carlos Castaño.

En nuestras tertulias, la botella de whisky vacía era la antesala de un final siempre previsto —dijo Monseñor. Terminábamos inmersos en poesía y Castaño recitaba *No te salves*, de Mario Benedetti.

No te quedes inmóvil /al borde del camino/ no congeles el júbilo/ no quieras con desgano /no te salves ahora /ni nunca /no te salves / no te llenes de calma /no reserves del mundo /sólo un rincón tranquilo /no dejes caer los párpados /pesados como juicios /no te quedes sin labios /no te duermas si sueño /no te pienses sin sangre /no te juzgues sin tiempo...
(fragmento)

Después, cada uno recitaba la poesía que le llegara a la mente. Ya habíamos hecho esto tantas veces que Carlos Castaño le decía a Hernán: *"Tú, siempre con los mismos poemas. Ya estoy aburrido de esos; 'Monseñor', usted sí se sabe una nueva, recite por favor".*

Embriagado, y sin conocer más de tres poesías, recité un vallenato:
"Un blanco nubarrón anda en el cielo / ya viene, se aproxima
la fuerte tormenta /ya viene la mujer que yo más quiero, por
la que me desespero y hasta pierdo la cabeza..."

Castaño aplaudió y me dijo: *"No sé de quién es pero popular, sentida y distinta sí es. Recite otra, 'Monseñor'.*

De ahí en delante fue fácil. Me eché como tres vallenatos más hasta que Castaño se la pilló, parándose de la fiesta iracundo. Al otro día se le pasó.

—¿Cuál ha sido para usted la gran decepción de Castaño? —le pregunté a Hernán.

—Sin duda, haberse dado cuenta de que hombres como él son desechables para el Estado. Castaño nunca quiso serlo. Los gobiernos lo quieren acabar porque conoce demasiado y lo consideran un estorbo.

Ernesto Báez rompió su silencio.

—Dile que le cuente el *lobby* que se hizo para la creación de las Autodefensas Unidas de Colombia.

XIII

ASÍ NACIERON LAS AUTODEFENSAS UNIDAS DE COLOMBIA

—El nacimiento de las Autodefensas Unidas de Colombia es el fenómeno relevante de los últimos diez años de conflicto armado —dijo Hernán Gómez. Con ellas se acabaron los señores feudales de la guerra. Aquí existían miniejércitos en diferentes zonas, feudos con poder armado. Las Autodefensas de Córdoba y Urabá de los Castaño, las Autodefensas de Ramón Isaza y las de Puerto Boyacá controladas por 'Botalón'. Súmele la fuerza armada de los arroceros de San Martín en los Llanos, las Autodefensas de Santander apoyadas por comerciantes y ganaderos. Los cultivadores de palma, el grupo armado de vigilantes de algunos ingenios del Valle del Cauca, la Autodefensa comandanda por el 'Águila', en Cundinamarca, el grupo de la Guajira, el de los ganaderos de Yopal, los 'Traquetos' de Putumayo y Caquetá. Los escoltas de los coqueros de Arauca y ex guerrilleros que desertaron de las FARC y el ELN. Todos grupos armados al margen de la ley, antisubversivos, pero su fuerza se orientaba solamente a la defensa de sus intereses, mejor dicho, ¡eran grupos de celadores de fincas y comerciantes!

Propiciamos incluir sin distingos esta gente en un mismo costal. Un proceso frágil y dispendioso. Carlos Castaño lideró la labor de convencer a cada una de estas solitarias y disímiles fuerzas, sobre la necesidad de una unión, con un solo comandante, un solo brazalete, un único uniforme y un norte político que cada uno respetara. Ernesto Báez se desplazaba con una agenda y un calendario que Castaño le establecía, previa charla con la gente en otras zonas, y hacía el resto del 'lobby' para consolidar las uniones y convencerlos.

—¿Por qué? —pregunté y Hernán contestó:

—Por lo mismo que Moisés prohibió otros dioses diferentes a Yahvé, y a todo el que creara otro dios u otra religión lo mataban. Las religiones monoteístas se hicieron para manejar todo con un solo dios, es más fácil.

Si el líder se equivoca, fallan todos, pero si acierta, aciertan todos.

Al principio, no fue expedito que se respetara el norte de las AUC. Por ejemplo, las Autodefensas de Camilo Morantes, en Santander, una de las primeras fuerzas que decidieron unirse en las nacientes AUC, aceptaron las condiciones, pero luego en la región utilizaron su fuerza para continuos abusos a espaldas del lineamiento. Castaño no lo pensó dos veces, mató a Morantes y nombró un rígido comandante.

Cuando las Autodefensas se convirtieron en una fuerza nacional, con una sola dirección, en mi concepto, le ganaron la guerra a la guerrilla.

Para la unión colaboró con creces la relación que, antes de crearse las AUC, Castaño mantenía con cada una de aquellas fuerzas. Carlos se cruzaba correspondencia y le creían. Acababa de ganar la guerra en Córdoba y también en Urabá, además las otras Autodefensas asociaban a Ernesto Báez con lo positivo de las antiguas Autodefensas del Magdalena Medio, que malogró 'El Mexicano'.

Dichos grupos armados sumarían unos mil quinientos hombres, pero eran una sola fuerza nacional y los lineamientos se dictaron en las Autodefensas de Córdoba y Urabá. Por eso las ACCU de Castaño se convirtieron en el modelo, su estructura militar y política, el molde. En ese momento se hablaba de alcanzar no más de tres mil hombres armados.

El fenómeno de las Autodefensas Unidas de Colombia se tornó destacado porque es la primera vez en la historia de América que se logra constituir, a lo largo y ancho de una nación, una fuerza civil armada antiguerrillera en la cual no participa el Estado, ni los dueños del país y menos aún las multinacionales. Ni la petrolera Texaco, Coca-Cola o Gillette defendiendo sus intereses.

Se conjugó el grupo más disímil del mundo: militares retirados, ex guerrilleros, ganaderos, empresarios, comerciantes, arroceros, cacaoteros, cafeteros, palmareros, los cultivadores de país y sectores de los transportadores. En fin, la clase media. Las víctimas de la guerrilla se ensamblaron para orientarse en un solo rumbo, y aclamaron como su comandante a Carlos Castaño. Carecían de líder y lo encontraron, lo cual permitió la creación de las AUC. Aquí está representado un grupo de personas desprotegidas por el Estado.

Porque de otro lado la situación es distinta. Los dueños del país, es decir, lo grupos económicos, tienen el Ejército y la Policía para que les cuiden sus intereses. Voy a dar un ejemplo: si en Colombia tienes veinte hombres armados cuidando tu finca, así exista salvoconducto para sus armas, te consideran un paramilitar. Pero los dueños de los bancos tienen miles de hombres como escolta armada que no son considerados paramilitares porque están en la ciudad. La sola escolta personal de los funcionarios y la familia de los dueños de la organización de Luis Carlos Sarmiento Angulo puede tener cerca de mil hombres armados y tampoco son catalogados como paramilitares, por lo mismo: están en la cuidad.

Entonces los del campo que ¡se jodan! Como escribió Diego Maradona en su autobiografía cuando lo sancionó la FIFA: "El problema es el sitio donde uno esté parado".

La Autodefensa en Colombia es difícil que la entiendan fuera del país, porque la encasillan en el típico paramilitarismo que existió, por ejemplo, en Guatemala, donde los paramilitares marchaban el día de la independencia detrás del Ejército. En el caso de El Salvador, la primera ronda de negociación comenzó con siete mil guerrilleros y cuando se negoció eran dos mil; ahí sí era paramilitarismo claro. En las rondas campesinas de Perú, el Ejército repartía armas a los campesinos para que se defendieran. La Autodefensa en Colombia afronta una situación diferente.

—¡Ese proceso no fue fácil! —exclamó 'Monseñor'. A Castaño no le creían cuando inventó las Autodefensas Unidas de Colombia, unión que gestó desde 1995 y cristalizó en 1997. Carlos pensó en diversos nombres: "la confederación" o "la contra colombiana". Al final se decidió el nombre actual y decía: *"Yo lo que quiero saber qué es cada una de las autodefensas. ¿Son realmente antisubversivas? El que no esté aquí ¡es porque no es! Para que no salga un bandido a decir que tiene una autodefensa. ¡No, señor!, en Colombia hay una sola Autodefensa civil, armada, antisubversiva, las AUC".*

Castaño cuenta que al principio nadie en la organización confiaba en el proyecto, y le enorgullece decir: "Las AUC son obra mía, y nadie creyó en ellas al comienzo".

Hernán tomó la palabra y añadió:

—Al conformarse las Autodefensas Unidas de Colombia, el 18 de abril de 1997, se probó que esta organización no la conformaban unos paramilitares inventados por el Estado, sino una fuerza independiente. Tolerada, es otra cosa. Se demostró que las Autodefensas tenían un norte político y capacidad de fuego en la guerra. En el solo conflicto que se vivió en el Urabá y Córdoba, entre las ACCU, el Ejército y las guerrillas de las FARC y el EPL, se afrontaron más combates y fallecieron más personas que en todas las guerras centroamericanas juntas, incluyendo la Revolución Cubana. ¡Y no exagero, pero es la verdad estricta!

Luego vino un momento difícil para Castaño. Dudó mucho a la hora de permitir la financiación de la Autodefensa a través del narcotráfico y creo que esta aceptación le significó el cuestionamiento mas duro de su vida, porque al final le tocó aceptar, así no lo quisiera, que si no controlaba las zonas de narcotráfico y les sacaba provecho, nunca ganaría la guerra. Y recuerde que sólo ganando la guerra se obtiene el perdón. Por eso, como mínimo, hay que empatarla, así como hicieron los comunistas y los gringos en Corea, que, al final dijeron repartámonos esto por mitades. Hubo paz y no quedaron ni buenos ni malos. Esta es la historia de la humanidad y sus imperios.

Los que pierden las guerras siempre son juzgados, acusados, condenados y hasta ejecutados; pagan por haber perdido y se convierten en los malos.

En el proceso de paz en Colombia la única autoridad que va a existir son los gringos. Lo afirmo y lo repito: sólo los gringos. Yo tuve esta conversación con Carlos Castaño hace tres años, y ese día enfaticé: "En esta guerra sólo se va a tener en cuenta a los que controlen economías lícitas o ilícitas, y el grueso de la negociación de paz se dará ante los grupos armados que dominen territorios de coca, laboratorios y pistas de aterrizaje. El que no maneje estos territorios no tiene nada que negociar. ¡Te mandan al carajo! ¿Qué vas a entregar?

La única forma de sobrevivir después de la guerra es entregando cien mil hectáreas de coca para que sean erradicadas. Con los fusiles no pasa nada al entregarlos. En Nicaragua hay quince mil enterrados, a quinientos dólares cada uno, en África ecuatorial hay un millón, ¿y qué?

La negociación está en los territorios, y esto es entre los gringos, el Estado, las FARC y las AUC. La guerrilla del ELN no estará en una negociación importante porque simplemente no tiene territorio con coca y una guerrilla sin territorio con "perico" se convierte en un grupo de saqueadores de camino o terroristas sueltos. Y en eso se convirtieron. La guerra no se mide a trevés de soldados muertos, los que fallecen son una estadística. Lo importante es el control de los territorios y si son de cultivos de coca, mejor.

—¿Qué le dicen estos hechos? —le pregunté a Hernán, al ver que este camino incluía para la Autodefensa un nexo inevitable con el narcotráfico, justo lo que le espanta a Castaño.

—Más que decirme algo, los hechos me daban la razón, y el mismo Castaño lo venía pensando. Recuerdo su desespero por la situación y puso sobre la mesa la radiografía económica de las Autodefensas: *"Tengo una reserva de dinero para el sostenimiento de la organización, aún no he asfixiado a la gente de la economía lícita, que tanto ha aportado, pero se adeudan seis mil millones de pesos de aquella época, unos tres y medio millones de dólares, que nos han prestado para mantener las AUC, y no tengo cómo pagarlos. He pensado en decirles a los prestamistas que no tengo cómo devolverles el dinero y que no lo vamos a hacer. ¡Pero no!, esa no es una solución definitiva"*.

Entonces Castaño, al verse en la sinsalida, tomó la decisión de aprovecharse del narcotráfico para la guerra, como lo hacen las FARC. Desde ese momento el crecimiento de las AUC es exponencial.

Miembros de las AUC.

XIV

LAS AUTODEFENSAS Y EL NARCOTRÁFICO

—Yo soy medio puritano y confieso que no fue fácil tomar la decisión. Acepté la financiación de algunos frentes de la Autodefensa con el dinero del narcotráfico y escribí en mi diario: "Sería cometer el peor error de mi vida o hacer lo debido e irremediable de acuerdo a las circunstancias".

Desde comienzos de la década del 90 las FARC se financiaba a través del narcotráfico y recolectaban cifras impresionantes, entre cien y doscientos millones de dólares anuales. Así mantenían a los subversivos en mejores condiciones a la hora del combate. Además auspiciaban algunas ONG de izquierda dentro y fuera del país. Mientras yo compraba cien o doscientos fusiles en el mercado de armas, las FARC conseguía mil o dos mil.

Por eso, decidí cobrarles impuesto a los cocaleros. "¿Pero en qué lugar se encuentran?" No fue difícil averiguarlo: donde se mantiene la guerrilla. ¡Así de sencillo!

Comenzamos a quitarle el control de los territorios de coca a la subversión, lo que aumentó los ingresos de dinero a la Autodefensa. Las FARC compraron diez mil fusiles y los ingresaron por Perú. Nosotros hicimos lo mismo con cuatro mil quinientas armas provenientes de Centroamérica. Todo con la plata del narcotráfico.

Pasé varias noches sin dormir al tomar la decisión pero si no lo hago, me hubiera convertido en un comandante idealista que perdió la guerra. Si la guerrilla tiene arrodillado al Estado con el dinero proveniente de la cocaína, y este Gobierno negocia con la narcosubversión — a pesar de saber que ellos están en las etapas de cultivo, procesamiento y tráfico— no queda una salida distinta a utilizar el mismo método de financiación de la guerrilla, la misma estrategia que la banca norteamericana y colombiana han utilizado enriqueciéndose al lavar los dólares del narcotráfico. Con su doble moral comen callados. ¿Recuerda la pillada al Banco de Occidente en su oficina de Panamá?

Con lo que digo soy consciente de que si la guerra continúa y se recrudece, las *Autodefensas Unidas de Colombia* terminarán inmersas en el narcotráfico, como están las *FARC* hoy.

De vez en cuando uno que otro capo del narcotrafico me soborna y de manera dosificada para que le haga favores. Es triste saber que algunas veces la necesidad de plata me ha llevado a dejarme sobornar por los 'narcos'. ¡Qué tristeza hombre! A veces ofrecen dinero esperando que medie o hable bien de éllos ante determinada persona; han puesto muchos dólares delante mío para que les tape algo que hicieron.

Pienso que si un narcotraficante desea aportar cincuenta millones de pesos y no es necesario protegerlo o a su negocio ilícito, bienvenido sea. Algunos tienen fincas en una región y buscan seguridad para sus tierras. Se le recibe su dinero en condición de inversionista, no de narcotraficante.

Esto sucede en muchas regiones donde la autoridad es la Autodefensa, y así recibimos cien mil o doscientos mil dólares de vez en cuando. Sin embargo, los millones de dólares se los dan a las *FARC*, pues el mismo 'narco' que me dosifica y me da el dinero para mantenerme tranquilo, no desampara a la guerrilla. Los narcotraficantes siempre me dicen: "Si va a hacer una negociación política mañana, ténganos en cuenta, comandante". Quizá esperan que los vencedores de la guerra los incluya en algo. Les gusta estar bien con los dos bandos del conflicto. ¿Con qué fin? No sé.

Siempre y cuando no se vendan los principios de la organización y mucho menos se comprometa la Autodefensa en algo con respecto a quien otorgue los recursos, no hay inconveniente en recibirlos. Que esa persona se beneficie temporalmente o en el futuro de la seguridad que damos, eso es otra cosa. ¡Ahí uno no está vendiendo nada!

—¿Hasta dónde comulga usted con la cadena del narcotráfico a la hora de recibirle dinero?

—Sólo en la etapa del cultivo de coca o hasta la venta de la pasta. Hasta ahí el problema es considerado por nosotros socio económico y por eso autorizo que los comandantes cobren impuesto.

—¿Qué no autoriza?

—El montaje de laboratorios en zonas nuestras o que la Autodefensa se dedique a vigilarlos. Además, donde no hay 'narcoguerrilla' no permito que se reciba un centavo del narcotráfico, allí la financiación debe permanecer lícita. Pero donde se combata a la narcoguerrilla estoy de acuerdo con que exista una narcoautodefensa.

—¿Le permitiría a un comandante exportar cocaína?

— ¡Jamás! *Tal comandante no pertenecería a la Autodefensa. Esta convicción ha ocasionado diferencias en la organización. Algunos me han dicho:* "Del Negro Acacio, comandante de las FARC, se sabe que exporta cocaína. Hemos descubierto que los representantes del 'Mono Jojoy' reciben y distribuyen la coca que les envía a México desde la pista aérea de Carurú en el Guaviare o en Barranco de Minas. Aún así son considerados luchadores políticos por Europa, los visita el presidente Andrés Pastrana y encima duerme en la zona de despeje rodeado de "perico". Con todo el respeto, comandante, recojamos plata para la guerra de donde haya".

¿Qué hice? Lo más irresponsable que recuerde. Me hice el de la "oreja mocha" frente a la recolección de finanzas en el Caquetá y en el Putumayo. Admití que las fuerzas aliadas de esa zona recogieran dinero sin escrúpulos, pues no encontré una razón valedera para decirles que no.

—Si un embarque de droga sale por una de las zonas controladas por las AUC y el 'narco' se torna 'agradecido' al decidir colaborar con su causa, ¿qué pasa con ustedes?

Esto convierte a la Autodefensa en cómplice del narcotráfico, al permitirlo, pues nos beneficiamos de ese dinero. Es necesario partir de una apreciación más general y llegamos a la respuesta indicada.

La guerra en Colombia cambió. Dejó de ser política, ahora es económica y 'narca'. Esto lo debe saber el mundo para que entienda por qué hay que encontrarle una salida negociada al conflicto. Si la economía colombiana está ligada al narcotráfico, el conflicto armado no tiene por qué ser la excepción.

Le contaré algo que me llamó mucho la atención hace unos años y así se dará cuenta de las cosas que suceden en el país. En una época me dio por prohibir que salieran embarques de cocaína por las playas del Caribe en Turbo, Antioquia. ¡No se imagina el problema!

Nunca antes algunos miembros de la fuerza pública me persiguieron de forma sistemática en esa zona. Hay que saber decir esto, porque no solamente me matan a mí sino a usted. Hoy la Autodefensa controla el golfo de Morrosquillo y el litoral Caribe, pero si mi intención fuera evitar el narcotráfico ¿sería posible para nosotros controlar metro a metro las costas, de día y de noche, teniendo a la fuerza pública y a la guerrilla detrás? No creo, y con mayor razón lo advierto, cuando tengo conocimiento de que por ahí salen miles de kilos de cocaína al mes. Si la fuerza pública no lo ha logrado ni pretende conseguirlo, fue iluso que yo lo hiciera. La Autodefensa es antisubversiva y no 'antinarca'. De igual forma, los cargamentos de cocaína parten por los aeropuertos legales y puertos como el de Buenaventura.

Hace poco le escribí a la embajadora de los Estados Unidos en Colombia y a las agencias de seguridad americanas: "Continúo persuadiendo a los narcotraficantes para que se sometan a la justicia norteamericana. Creo tener toda la autoridad moral para liderar este proceso, pues siempre he sido enemigo del narcotráfico. Y si mi actitud de autorizar a algunos frentes de la Autodefensa a financiarse con la coca en zonas donde economía es la ilícita me sumerge en el flagelo del narcotráfico, estoy dispuesto a someterme a la justicia norteamericana. Pero nunca lo haré mientras exista una 'narcoguerrilla' en Colombia".

Hoy en día, cada una de las fuerzas aliadas que conforman las Autodefensas Unidas de Colombia tienen "dueños" y ellos son los que ayudan al sostenimiento económico de los patrulleros de la Autodefensa. Los 'dueños' no tienen injerencia en lo militar pero al financiar a nuestros hombres, los mismos que controlan la región, ellos reciben seguridad en sus negocios lícitos o ilícitos. A ellos se les dice: "Manejen las finanzas y enriquézcanse, pero el mantenimiento de la Autodefensa y los aportes a otros frentes valen tanto dinero". En otras palabras, yo les digo: "Escúdense pero el mando militar lo tengo yo y la tropa debe estar dedicada en un ciento por ciento a actividades antisubversivas".

Aunque aún no visten uniforme camuflado, los 'dueños' hacen parte de la Autodefensa y su compromiso es respetar los estatutos y lineamientos del Estado Mayor.

Al poner ellos a producir una región para sus intereses y los nuestros, avanzamos con mayor rapidez y recuperamos para el Estado los territorios que antes le pertenecían a la guerrilla. Yo exalto dentro de la organización el ejemplo que dan los frentes que se financian con negocios lícitos, pero es innegable que los que reportan más ingresos a las AUC son los que operan en zonas de cultivos ilícitos. La guerra no se podría financiar con los dineros que donan los ganaderos, los agricultores o los empresarios.

Actualmente ejercemos control y cobramos impuesto en quince mil hectáreas de coca en el Putumayo, antes de las FARC y obtenidas en combate. También dominamos en el Sur de Bolívar, donde antes lo hacía el

ELN. *Ahora controlamos cerca de veinte mil hectáreas sembradas por la subversión. En la zona del Catatumbo existen más de treinta mil hectáreas de cultivos ilícitos, la mitad controladas por las FARC y la otra por la Autodefensa.*

El dominio sobre las zonas de cultivos ilícitos y el narcotráfico terminaron por acentuar y hacer cada vez más, dentro de las Autodefensas Unidas de Colombia, una tendencia dictatorial sin escrúpulos en sus métodos de financiación y otra tendencia moderada, hasta puritana, podríamos decirle. La situación en la Organización se complicó cuando algunas personas quisieron subirse al tren de la Autodefensa, al darse cuenta de que la fuerza civil antisubversiva tenía futuro, que existía la posibilidad de retorno a la normalidad social.

Esta situación creó fisuras en la organización y el sector de las AUC más cercano a mí decía: "Hay que crecer despacio; es preferible ganar la guerra poco a poco y no hacernos el haraquiri al derrotar a la guerrilla sin reflexionar sobre las consecuencias de la financiación ilícita. Con dinero se compran equipos y armas pero una voluntad férrea a toda prueba no la da sino la conciencia política de luchar por un bien común, no por intereses particulares".

La tendencia que no tiene escrúpulos quiere crecer rápidamente para ganar la guerra a toda costa, no se detienen a pensar en los métodos militares ni de financiación. Han dicho: "Si toca exportar cocaína para el norte con el fin de ganar la guerra, habrá que hacerlo; primero esto que secuestrar gente honesta".

Las guerras son para ganarlas, pero frente a esta idea soy muy crítico y me defino como moderado al recordarles: "Muchas veces al ganar la guerra, usted también la puede perder, igual que el derrotado. Acuérdense del Rey Pirro y su victoria 'pírrica'. Es fácil quedar solo frente al mundo, como una bestia o un bandido.

Los miembros de la tendencia moderada coincidían conmigo: "Los escrúpulos a veces no son compatibles con la guerra, pero el equilibrio debe existir y no podemos dejar que una tendencia supere a la otra. El dinero se necesita y se debe conseguir de una u otra forma, pero recuerden que sin moral, disciplina e ideales no hay nada. Tanto dólar corrompe".

Éstos son los miembros de la Autodefensa que antes de pensar en ellos, buscan el bienestar de Colombia. Otros difieren al pensar pri-

mero en su beneficio personal. Buscan enriquecerse y por el camino derrotar a la guerrilla.

Para entender más a fondo lo que digo, recuerdo al humorista Jaime Garzón, quien en su programa comentaba después de algún acontecimiento de importancia: "Y el gringo ahí...". Bueno, yo creo que habría que añadir otra constante en Colombia: "Y el narco ahí...".

Siempre he sostenido y no me queda la menor duda de que el narcotráfico es el pilar que mantiene el conflicto armado en Colombia, lo alimenta, degrada y multiplica.

XV

LAS FARC ENTRE EL ROMANCE Y LA MUERTE

El piloto concentró su atención en los instrumentos de vuelo y, sin mirarme, dijo:

—Vamos hacia el Nudo del Paramillo, en una montaña bien adentro. Allí lo está esperando el comandante Castaño. ¿Conoce? —me preguntó.

—No, nunca he ido a esa zona.

—Entonces va a disfrutar el vuelo —exclamó.

Levantó el helicóptero Bell Ranger del potrero cercano a la finca donde yo había pasado la noche después del encuentro con Hernán y don Rodrigo, en Montería.

Ante mí se extendía el inmenso y hermoso Valle del Sinú. Una mesa de billar gigante con árboles tupidos, separados unos de otros en desorden. Sólo se apreciaban las reses y al ganar altura se insinuaba el río Sinú como una extensa culebra.

—Mauricio—llamó mi atención el capitán.

Los cerros al frente son el final de la cordillera de los Andes y en Colombia, el extremo norte de la Cordillera Occidental.

—¿Qué tan grande es el Nudo del Paramillo? —le pregunté.

—Muy grande. Todas las montañas que ve aquí son el Paramillo. Ignoro sobre cuántos kilómetros se extiende pero sólo el parque natural consta de cuatrocientas sesenta mil hectáreas. Desde aquí ya se alcanza a ver el río San Jorge, al otro lado del Sinú; el Paramillo comienza en Antioquia y termina en Córdoba.

—Por eso me comentaba Castaño que en esta selva cabe todo el Ejército, las Autodefensas y la guerrilla juntos, y si no desean combatir no lo hacen —le comenté.

El piloto contestó:

—En esa zona hay miles de estribaciones montañosas de cien metros de altura, como el que se ve a su lado, y montañas hasta de 3.960 metros, como aquella allá arriba. Aquí encuentra selva con temperaturas desde dos hasta veintisiete grados. Aterrizar no es facil dada la altura de los árboles. Pero el helipuerto donde descenderemos es perfecto, aunque debemos efectuar una espiral forzada.

En el pequeño claro deforestado me esperaban Castaño y su novia Kenia que al bajarme del aparato me sorprendió al decir: —Hola y hasta pronto, Mauricio.

El helicóptero continuaba encendido esperándola. Se despidió del comandante con un beso y un abrazo corto. Castaño y yo nos marchamos.

—*¿Cómo le fue en Montería?* —me preguntó Carlos Castaño.

—Me informé del tema con rigor, pues don Rodrigo y Hernán realmente lo conocen a usted. ¿Y Kenia por qué se fue? —le pregunté.

—*La Mandrila Mayor anda en los preparativos de la boda y apenas nos podemos ver uno o dos días.*

—¿Por qué le dice Mandrila Mayor?

—*Porque es muy joven, aunque no tanto como mis hijos, los mandriles menores.*

Castaño sonrió y me presentó el lugar:

—*Este sitio es un campamento temporal. Sólo se encuentran algunas carpas para dormir y una pequeña choza. Me agrada pasar el tiempo aquí para bañarme en una cascada que termina formando una espectacular piscina natural. Como verá estamos en la mitad de ningún lugar, para salir vivo y encontrar civilización es necesario caminar ocho días con un buen baquiano.*

Arribamos a una quebrada cristalina, la portada de este libro, y Castaño advirtió que no la atravesara para evitar mojarme los pies, pero ya los sentía empapados. Como mis botas no eran impermeables, él pretendía que uno de sus hombres me cargara. Continuamos caminando por trochas escondidas en medio de la selva, hasta detenernos en una choza escoltada por tres tiendas de campaña. Carpas color verde militar, separadas del terreno fangoso por un piso de bambú y tablones de madera gruesa.

Nos sentamos en la mesa y Castaño pronunció el llamado que precedía las largas entrevistas:

—*Guardia, traiga un termo de café, por favor.*

Siempre discutíamos varios temas antes de centrarnos en uno pero esta vez, yo deseaba hablar a fondo sobre su principal enemigo, las FARC.

—¿Por qué la guerrilla no pudo evitar el nacimiento de un rival como la Autodefensa? —le pregunté a Castaño que servía café.

—*Sin duda, el gran error de las FARC consistió en prepararse por más de treinta años para manejar una guerra irregular y nunca para defenderse de un enemigo irregular. La guerrilla permanecía convencida de poder destruir a aquellos enemigos que le surgieran, con sólo ejercer presión política nacional e internacional ante el paramilitarismo. Nunca imaginaron que nos legitimáramos ante la sociedad, creando un discurso político, sustentándolo y aprendiendo a quererlo. A eso se sumó nuestro rápido crecimiento. Fuimos tejiendo doctrina en el aire. Hoy en día sería una insensatez desconocer nuestra lucha político-militar, mucho menos la causa y justificación de nuestra fuerza civil antisubversiva.*

Ya que hablaremos de las FARC, le voy a revelar un secreto. El nueve de agosto de 1994 viajé a Bogotá y dirigí el comando que ejecutó al senador Manuel Cepeda Vargas. Ordené su muerte como respuesta a un asesinato cobarde que perpetró las FARC, fuera de combate. Luego envié la siguiente razón al secretariado: "Señores, vamos a matarnos, pero en guerra".

La guerrilla le colocó una bomba de cien kilos de dinamita al general del Ejército Carlos Julio Gil Colorado. Su muerte me afectó y mi reacción fue ejecutar a Cepeda. Las FARC sabe que le respondo de igual manera cada vez que plantean guerra sucia. Lo hice porque las FARC saben que yo les contesto cada vez que me hacen algo sucio.

Y dése cuenta cómo es la vida. Hace pocos días —¡qué ironía y qué deplorable justicia!— la Sala Penal del Tribunal Superior de Bogotá me absolvió de toda responsabilidad de ese crimen sin asignar yo un abogado en mi defensa.

Manuel Cepeda pertenecía a las FARC y al que le quede duda alguna, averigüe el nombre del frente urbano de la guerrilla en Bogotá: Frente Manuel Cepeda Vargas.

Los hombres que realizaron la ejecución no se encuentran detenidos. Fueron un policía retirado de nombre Pionono Franco y otro muchacho que ejecutó la guerrilla tiempo después.

Me fue posible reaccionar rápido tras la muerte del general Carlos Julio Gil Colorado porque Manuel Cepeda trabajaba para las FARC en la legalidad. Siempre lo mantuve vigilado. Interceptaba sus llamadas y escuchaba sus conversaciones. Todo el tiempo lo tuve en la mira para responder al juego sucio o para retenerlo y lograr un canje por un secuestrado clave. Manuel Cepeda no ocupaba un cargo dentro de las FARC pero era uno de sus hombres importantes. Fundó las juventudes comunistas y formó los cuadros políticos más relevantes de la guerrilla.

Si a las FARC no se les demuestra su naturaleza mortal actuando de la misma manera que ellos lo hacen, sería imposible detenerlas. Por esa razón no acaban con la gente honesta en las capitales, ellos saben que de inmediato alguien les responde. Cada vez que lo hacen la enfilo contra las autoridades políticas más importantes de la guerrilla, que siempre han estado amparadas en la legalidad. Si la Autodefensa no hiciera de vez en cuando una acción como ésta, aquí a toda la gente de derecha la estarían asesinando día a día las FARC. ¡Así son las guerras marxistas!

Para mí no han pasado inadvertidos asesinatos como el del doctor José Raimundo Sojo Zambrano, atentados con dinamita como el de don Rodrigo García, o la muerte del catedrático Jesús Bejarano. Nadie declaró que eran las FARC las que lo había matado y yo sé que lo hicieron porque Chucho en su discurso reconoció la posición de la Autodefensa. Después me enteré de que el guerrillero Alfonso Cano dio la orden.

Aunque hoy aparezcamos como los más violentos, sostengo que son más radicales, implacables e intransigentes los movimientos izquierdistas que los derechistas. Tome por ejemplo el libro negro del comunismo, un documento histórico escrito por varios intelectuales franceses. Donde se citan tres millones de muertos, personas cuya voluntad no incluía ser comunistas. Súmele los muertos de Mao Zedong en China y los de Pol Pot. Ahora analice la historia de las FARC, que después de 40 años de comunismo cerril, ahora resulta que son el "Movimiento Bolivariano". Simón Bolívar se debe estar revolcando en la tumba con las numerosas fechorías que han cometido las FARC en su nombre.

—¿Hoy cuál es su opinón de las FARC?

—*Expreso mi punto de vista despojado de mi desprecio por esa gente, le contesto como ciudadano común y corriente: las FARC fue una mezcla de idealismo y conflicto social que en determinado momento de su historia escogió crecer militarmente, sacrificando su realidad política. La consecuencia es* su transformación en la mayor multinacional del crimen, derivando sus ingresos de la extorsión, el secuestro y el narcotráfico. Destinan la mayor parte de su aparato militar para esas actividades y perdieron cualquier respaldo popular en Colombia. Sin embargo, la voluntad de paz del pueblo colombiano y la internacionalización de la búsqueda de una solución para nuestro conflicto las enfrentó a la necesidad de reconstruir aceleradamente su aparato ideológico.

—¿Qué va a suceder con las FARC según su visión?

—Es difícil saberlo pero si la razón y la prudencia vencen sobre la ambición y la violencia en su organización, la guerrilla jugará un papel fundamental en el futuro político y social del país. De lo contrario se convertirán en un ejemplo a evitar en los manuales de la historia.

—¿Aparte de las obvias, qué diferencias existen entre las FARC y las Autodefensas?

—La fundamental es la supervivencia de la guerrilla por medio de la anarquía y el desorden, en especial donde no existe una economía pujante. Mientras la Autodefensa busca enriquecer, la guerrilla busca arruinar. La subversión necesita mantener al pueblo devastado, con hambre, miseria, sin salud ni Estado. Entre más afligido esté el pueblo mejor es la revolución, antesala del nuevo Estado diseñado por ellos.

En contraste, la Autodefensa cree que para enriquecer las regiones se necesita seguridad y para que la haya, debe haber autoridad a través de un estado fuerte; eso se traduce en orden. Defiendo el régimen capitalista, no el salvaje neoliberalismo, y aspiro a que el capital cumpla una función social. ¡Y que no vengan con cuentos! En el mundo globalizado actual no hay otro sistema para inventar e implantar, el mismo socialismo moderno tiene mucho de capitalismo. El comunismo, que pretenden negar las FARC y llevan en las entrañas, ha resultado una gran mentira, un triste recuerdo histórico que duró menos de un siglo. El mejor ejemplo se palpa al visitar las regiones donde nos encontramos nosotros y en las que vive la guerrilla.

Castaño hizo un pausa. Una nube de polillas negras de medio centímetro y alas negras nos invadieron la cara, las manos, la mesa y el café. Mi forma de espantarlas parecía un juego para ellas.

Castaño sonrió y me dijo:

—Tranquilo, estos bichos no hacen nada distinto a molestarlo a uno. Si no se van, toca meternos en la carpa porque después nadie aguanta.

¡Guardia! Encienda un fogata que lo único que las espanta es el humo.

—Por seis meses usted secuestró a los familiares más cercanos de cinco hombres del secretariado de las FARC. Nunca antes un comandante guerrillero había sentido en carne propia el drama de un secuestro. ¿Qué lo impulsó a llevarlos a cabo?

La guerrilla pensó que podía presionarme al secuestrar a una pariente cercana y de mi afecto. La familia es el lado débil en una guerra. Por su rescate exigieron cinco millones de dólares. Como respuesta, ordené la retención de familiares de los miembros del secretariado de las FARC: el hermano de 'Alfonso Cano', la hermana de 'Pablo Catatumbo', la madre de 'Iván Márquez', la hermana de Ricardo Palmera, alias 'Simón Trinidad' y también detuve al padre de otro de ellos. Después de mantenerlos bajo mi poder, le mandé a decir a la guerrilla: 'tratémosnos con suavidad que conmigo la cosa es distinta'.

Canjear a mi familiar resultaba de vital importancia, pero descubrimos que la guerrilla vigilaba a otros familiares. Por esto decidí retenerles parte de sus familias y le demostramos a las FARC que si empantanan la guerra, el agua sucia corre también sobre ellas; ese era el mensaje.

Les rogué me devolvieran mi pariente y negaron que la tenían en su poder. Entonces les mandé decir: "Mi tragedia es la guerrilla; si no la tienen, ustedes se encargan de que me aparezca".

Son tan descarados que continuaron negando el secuestro; tres meses después inventaron un cuento y la soltaron. Procedí igualmente con sus familiares en mi poder.

Castaño hizo un pausa y como recordando a alguien dijo:

—*Janeth Torres, la hermana de 'Pablo Catatumbo', comandante del bloque suroccidental de las FARC y miembro del secretariado, no deseaba partir.*

No le relataré aquella historia completa debido a mi gratitud por ella. La lealtad de nuestra amistad construida durante su cautiverio me ahorró varios males, entre ellos la cárcel.

—¿Ella fue la famosa hermana de un guerrillero de las FARC con la que usted tuvo un romance? —le pregunté.

Castaño sonrió y calló por unos segundos, como quien oculta un secreto y no desea hablar del tema, pero la curiosidad lo inquietaba.

—*¿Como así que famosa?*

—Se sabe que Janeth, la hermana del comandante 'Pablo Cata-tumbo' de las FARC, tuvo un romance con usted, pero nadie relata detalles de la historia. ¿Cómo ocurrió?

—*Sucedió el 15 de diciembre de 1996. No vestía uniforme camufla-do y había dejado la escolta cerca al corregimiento de Arboletes, donde cené con ella. Bailé con Janeth en Trinidad, un caserío cercano, y esa noche me tomé dos cervezas. Salimos al amanecer y me vencía el sueño. Ella me pidió manejar y acepté. Me dormí y Janeth se apartó de la vía pavimen-tada que conduce a Montería, perdió el control de la camioneta a tanta velocidad que nos volcamos, el vehículo dio cuatro vueltas como un dado en una mesa de juego. Quedé inconsciente y con un brazo fracturado en dos partes, listo para una cirugía por la gravedad de la lesión. Me desper-té en urgencias del hospital de caridad de Montería. Mi brazo estaba enta-blillado y la herida abierta. Se me alcanzaba a ver el hueso. Pensé en Janeth, a quien divisé en el corredor hablando con dos policías. Al salir los agentes a un patio aledaño Janeth se acercó y me dijo: "Usted se llama Pedro Martínez y yo Claudia Pérez. Ignoran su verdadera identidad".*

Le contesté: ¡Qué va, nos escapamos inmediatamente!

Resultó una ventaja no ir uniformado. También tuve la suerte de per-der mi pistola en el accidente y que ella no me denunciara a pesar de haberla secuestrado.

Desde la ventana Janeth veía hablar a los policías y exclamé: ¡no pode-mos esperar un segundo!

Me encontraba débil, descalzo, en pantaloncillos y con un golpe en la cabe-za, que sangraba, inclusive con las suturas. Levanté fuerzas no sé de dónde, me apoyé en Janeth y salimos de la sala de urgencias. Caminamos hasta la calle y sosteniendo con una mano la bolsa de suero, ella detuvo un taxi. ¡La hermana de un comandante guerrillero me salvó de morir y de ir a la cárcel!

Nos dirigimos hacia la 'Quince', una finca de la Autodefensa donde solicité un helicóptero para trasladarme a una clínica en Medellín. Yo me dormí en un sofá esperando. Cuando abrí los ojos se encontraban Teresita mi cuñada y Janeth. Nos montamos en el aparato mientras organizaba la entrega de Janeth. En la grabación de mi llamada a Caracol Radio, para oficializar la entrega, se alcanza a escuchar el sonido del helicóptero en el fondo.

Aterrizamos en las afueras de Medellín en un potrero, junto a un cerro, al borde de la carretera. Aunque yo le comuniqué a Janeth que se marchara tranquila y que le agradecía su ayuda, ella no quería partir y me acompañó hasta el momento de la cirugía. Después estuvo en mi casa y ahí nos despedimos embriagados de tristeza.

Castaño se puso de pie y soltó su risa sin medida.

—¡Y no le cuento más, por rana!

Sin embargo, le pregunté:

—¿Cómo termina uno bailando con una secuestrada? ¿Dónde nació el romance, Comandante? No evada el tema.

—No acostumbro a amarrar a mis secuestrados. Duermen escoltados pero yo los visito y me gusta hablar con ellos. Janeth no era la excepción. Durante los cuatro meses y quince días que permaneció como rehén, la visitaba con más frecuencia que a los demás y discutiamos delante de Ricardo Sáenz, el hermano de 'Alfonso Cano', otro de los secuestrados. Andaba conmigo frecuentemete hasta el día del accidente.

—¿Qué le decía ella de su hermano guerrillero?

—Ella quiere a 'Catatumbo' como una hermana quiere a un hermano. El comandante guerrillero es mi enemigo, pero Janeth una mujer y yo un hombre. Lo que ella necesitaba en ese momento.

Sonreí y pensé que algún día contará la historia completa. Retiré mi mano del pocillo, evadí las polillas, tomé un sorbo de café y el comandante retomó la palabra:

—Le confieso que yo creía a los guerrilleros unas lumbreras intelectuales, hasta que poco a poco los fui conociendo y me desilusioné.

—¿Cuál es el hombre más importante de las FARC en la ilegalidad y la legalidad?

—En el mundo irregular, sin duda, Alfonso Cano. En la legalidad la guerrilla tiene gente como Hernán Gómez, ex catedrático que vive en Rionegro, Antioquia. En estos días por curiosidad envié un comando a verificar dónde reside. Es bueno que la guerrilla conozca esto para que no piense erróneamente que no fuimos capaces de ejecutarlo. No quisimos, que es diferente. Una de las fichas claves de las FARC y su Movimiento Bolivariano es él. Últimamente escucho las conversaciones entre Gómez y 'Alfonso Cano'. Hablan de lo que habla un hombre de izquierda con un guerrillero, no un guerrillero con un guerrillero. Por eso no lo tocamos. Hay muchos casos como éste en el país.

—Veo que es recurrente su referencia al comandante 'Alfonso Cano'.

—Es el hombre que más debe trabajar en el secretariado de las FARC y el que ve con más claridad el difícil camino por delante de la guerrilla.

Debe vivir en contradicción al desear impulsar a su organización adelante, comprendiendo que ya no manda solo y debe concertar con los militaristas. Eso es muy duro. A 'Cano' lo veo en mi misma posición, padeciendo lo que padezco yo. Me imagino a 'Cano' inventándose fórmulas para que se cumpla lo que espera, tratando de no actuar drásticamente. Seguro se preguntará: ¿Esto es lo que yo deseaba construir?

Un político consigue ser la máxima autoridad en un organización porque logra que se haga lo que ha querido, aunque cada vez es necesario conseguir más y más para los otros. Me imagino que los militaristas dicen: "Es que nosotros somos los que hemos hecho esta vaina".

Los 'Acacio' y los 'Granobles' saben llevar a cabo un operativo militar, pero no contrarrestar una política de Estado contra ellos. El pobre 'Cano' en silencio piensa: Ignoran que son fuertes por mi trabajo en Europa, en Centroamérica y con el gobierno colombiano. ¡Se encuentran ahí gracias a mí!

A las FARC las sostiene la tolerancia internacional, en especial la de la Comunidad Europea. Es lo que yo hago en la Autodefensa, y por eso ha crecido.

En consecuencia los que deben temerle a Carlos Castaño en las FARC son aquellos que piensan, 'Alfonso Cano', 'Iván Ríos' y 'Raúl Reyes', aunque este viejo sea medio terquito, mulita. Entre ellos y yo existirá una cuenta pendiente durante muchos años. Así yo esté muerto. Los 'Jojoy' o los 'Romaña' no cuentan para mí.

Soy enemigo del que piense. Me les atravesé en su proyecto. Los ataco políticamente y le comunico al mundo quiénes son las FARC, qué han hecho y qué Colombia han dejado a su paso. Yo desvirtúo su naturaleza y concibo una naturaleza política para las Autodefensas Unidas de Colombia.

—¿Y qué piensa de 'Manuel Marulanda'?

Sólo tengo que decir que nació guerrillero y se morirá guerrillero. Pudo haberse equivocado toda su vida pero aquello es tener principios. Es un liberal a quien el comunismo le ha hecho mucho daño.

Carlos Castaño en un paraje del Nudo de Paramillo.

XVI

LA GUERRA DE URABÁ

—*La guerra en Urabá tuvo varias etapas y aún el conflicto en la zona no concluye. Recuerde que la región de Urabá abarca buena parte de los departamentos de Córdoba, Antioquia y Chocó. Cuando la gente creía en la guerrilla, mandaban en la zona los guerrilleros, y ahora que el pueblo cree en las AUC, comenzaron a mandar las Autodefensas. Las FARC podrán entrar a la zona y realizar fechorías pero le es irrecuperable el territorio. El respaldo de la fuerza social está con la Autodefensa.*

El enfrentamiento en Urabá presenció un momento muy denso pero el tinte macabro se lo puso las Farc, no nosotros. La primera gran masacre ocurrió en el barrio 'La Chinita' del municipio de Apartadó el 23 de enero de 1994. Allá llegaron los 'Farianos' (Farc) y dispararon de manera indiscriminada contra subversivos desmovilizados del grupo EPL. Arrasaron con treinta personas e hirieron a doce, acusándolas de traicionar la revolución.

El origen de esta masacre viene de las diferencias que existían entre el Frente Popular, el partido político de la guerrilla del EPL y la Unión Patriótica, el movimiento de las FARC. En ese entonces cada grupo subversivo constaba de un grupo político y un sindicato propio. Sintrabananeros de las FARC, Sintagro del EPL y Sindejornarelos del ELN.

Las FARC, también controlaban al partido comunista y junto con la UP contaban con los alcaldes de Turbo, Chigorodó, Carepa y Apartadó, pero el control político de la región lo tenía el EPL; sus militantes dominaron la región por muchos años antes de que aparecieran las FARC y la Autodefensa.

Las FARC cometió el peor error y su primer paso a la derrota en el Eje Bananero de Urabá al ordenar el exterminio de los integrantes del EPL, para privarlos del poder político, sindical y militar.

Mucho sindicalista de lado y lado murió porque el EPL no se quedó de manos cruzadas. Luego vino una tregua y se conformó un sindicato único para negociar mejoras laborales con los empresarios bananeros pero los guerrilleros se siguieron matando entre ellos y las FARC se escudaban culpando de los crímenes a los dueños de las fincas.

Castaño señaló a un grupo de combatientes que descansaba al lado de la choza, y me dijo:

—¿Ve ese grupo de allá? Son varios ex guerrilleros y ex políticos del EPL que ahora trabajan con la Autodefensa. Les pedí que hablaran con usted, pues ellos lucharon en esa guerra.

En esa época las Autodefensas apenas entrábamos a la zona. Nuestra política consistió en atacar a las dos guerrillas. Ya habíamos disparado en Urabá contra un grupo de ocho personas. ¡Combatíamos todos contra todos!

Los momentos más violentos se comenzaron a vivir en 1995 y 1996, cuando la guerra entre las FARC y el EPL se recrudeció. Las Autodefensas aprovecharon este conflicto y ejecutaron selectivamente a individuos colaboradores de las FARC y EPL, prolongándose el enfrentamiento militar entre ambas guerrillas y nosotros hasta la extinción del EPL. Las guerras no son limpias y ninguna puede serlo.

Parte del EPL se rindió ante las Autodefensas y algunas disidencias se convirtieron en nuestros aliados en la guerra contra las FARC. Los Comandos Populares y su líder, 'El Pecoso', trabajaron para la Autodefensa

La degradación del conflicto alcanzó el máximo al hacerse excesivas las masacres. Se provocaban como carambolas, un golpe incitaba otro golpe. Cada fin de semana los grupos armados nos contestábamos entre sí con ejecuciones masivas de colaboradores o simpatizantes.

Aquella época fue terrible para mí como persona y comandante. Se vivió una guerra de una horda contra otra horda, bestias contra bestias. Confieso que no era capaz de ver los noticieros y creo que allí fallecieron tanto inocentes como culpables.

Interrumpí a Castaño para leerle el aterrador resumen de la violencia en Urabá que publicó la prensa a final de año:

"Durante 1995 en Urabá los actores armados realizaron seis masacres con un saldo de 86 muertos. Además se presentaron 952 asesinatos en casos aislados, inferiores a cinco individuos. La serie de masacres comenzó después de que la guerrilla de las FARC asesinara a seis personas, entre ellas dos soldados vestidos de civil, en Apartadó. Los paramilitares contestaron con una masacre de 18 personas en una discoteca de un barrio habitado por miembros de la Unión Patriótica, brazo político de las Farc en Chigorodó. La respuesta de este grupo guerrillero no se hizo esperar y éstos ejecutaron a 11 personas en Apartadó y 19 más en el municipio de Carepa. En medio del estupor nacional por lo que sucedía allí, se vivieron unos días de tregua y luego las Autodefensas de Córdoba y Urabá ajusticiaron a seis miembros de las UP en Turbo. La cadena de muertes concluyó el 20 de septiembre de 1995, cuando las Farc penetró nuevamente en Apartadó y perpetró la masacre conocida como "Bajo del Oso" donde detuvo un bus y obligó a todos los pasajeros a bajarse empujándolos contra el piso, amarrándoles las manos y ejecutando a los 26 trabajadores de esa finca bananera".

Al terminar de leer el informe, Castaño me observaba con una mirada fija y penetrante, y dijo:

—*Así ocurrió. Los actores armados también recurrían a la desinformación y tergiversación de los hechos, inclusive ejecutando acciones en nombre de su enemigo.*

—¿Podría citar un ejemplo?

—*El de la última masacre que usted mencionó —la del "Bajo del Oso". Esta zona pertenecía a la Unión Patriótica y el partido comunista. Durante los primeros días se responsabilizó a las Autodefensas por la masacre y las FARC también nos denunció. Inicialmente el país les creyó, pero una semana después se conoció que había sido una acción calculada y desarrollada por las FARC.*

Durante el primer semestre de 1996 la situación no cambió. La primera masacre de ese año ocurrió en febrero.

Las FARC ejecutaron a once trabajadores de una finca cercana al municipio de Carepa. La réplica de la Autodefensa se dio un mes después, en abril. A un billar del barrio Policarpa Salavarrieta llegó un comando nuestro que ejecutó a diez personas de la UP. En mayo, un mes después, las FARC fusiló en respuesta a dieciséis personas en una finca del corregimiento de Turbo, que contralaba la Autodefensa

Interrumpí a Castaño, abrí de nuevo mi folder, y le dije:

—Revisando entre la caja de documentos importantes que usted me entregó, encontré un comunicado que me llamó la atención.

Es un volante que circuló el 26 de noviembre de 1996, en el que la Autodefensa lanza la siguiente amenaza clara a los habitantes del Urabá:

"Desafiamos a las FARC a una guerra frontal entre combatientes, sin involucrar población civil. Quedando aclarado que no consideramos población civil al margen del conflicto a personas que voluntariamente presten servicios a las FARC, tales como:

—Suministro de víveres, drogas, alimentación, etc.

—Dar albergue en sus casas a guerrilleros.

—Suministro de información y cualquier tipo de apoyo logístico a la guerrilla".

Le comenté a Castaño que leí ante Hernán Gómez este documento al final de nuestra conversación en Montería. Le pregunté sobre la guerra en Urabá y me dijo: "Si quiere ganar la guerra, se debe definir cuál es la comunidad, dónde se encuentra y quiénes quedan al margen". ¿Cuál es de verdad la población civil? Eso es lo que hay que definir. El arte de la guerra irregular consiste en confundirse entre la población civil y ahí radica el problema del conflicto colombiano. Guerrilla de noche y población civil de día. Al definir quién es civil en una zona, aparecen los guerrilleros. Más que quitarle el agua al pez, como decía Mao, se debe asfixiarlo. Si mantienes a la subversión en el monte y no hay quien le proporcione dinero y comida, se tornará miserable. De tal manera Castaño venció al EPL y a las FARC en Urabá".

—Aquello podrá ser efectivo, pero es cruel—le dije aterrado a Castaño, y tranquilo me reiteró algo que en varias ocasiones me había dicho:

—*Los métodos utilizados por las Autodefensas con el fin de recuperar el Urabá para la Nación no fueron menos violentos y despreciables que los empleados por el EPL y las FARC para dominar la zona. ¡Eso debe quedar claro! Copiamos los métodos de la guerrilla y así la enfrentamos. No iban a ser las monjitas de la caridad las llamadas a derrotar de manera contundente una subversión tan violenta como ésta.*

Tarde o temprano se nos reconocerá nuestro trabajo en Urabá. Imagínese lo que sería de Colombia si estuviéramos en mitad de un proceso de paz con las FARC y el Urabá permaneciera en poder de la guerrilla, ¡eso es sería el acabóse!

Vivo satisfecho y tranquilo, pues si sólo hubiéramos dejado miseria y muerte a nuestro paso, me autoflagelaría. Pero mi situación es diferente y sostengo que valió la pena dar de baja en la región de Urabá a unos doscientos guerrilleros de civil y unos cien uniformados. ¡Vaya y mire! Esta región despierta de un letargo. Hoy hay empleo, educación, salud y armonía entre los empleados y los empleadores. Los sindicatos trabajan para salvar a las empresas no para arruinarlas como sucedía anteriormente cuando allí operaba la guerrilla. Por eso repito con crudeza: ¡valió la pena!

—Pero esto generó un drama terrible que aún no está solucionado, el de los desplazados. ¿Así cómo le satisface la recuperación de Urabá, qué piensa y siente acerca de los desplazados que se les endilga a las Autodefensas?

—*Las cifras de desplazados en Colombia no se ajustan a las difundidas. Aquí hay desplazados por la guerrilla, la violencia, las AUC y el hambre. También hay desplazados de profesión y marchistas con sanos y poco sanos intereses. También está la emigración normal del campo a la ciudad, como sucede en todo el mundo urbanizado, y más en un país centralista como Colombia. Me duelen los desplazados forzados a abandonar sus tierras por la violencia que sea. Sé que son miles, pero mientras haya una guerra en una región, antes que verlos morir prefiero que salgan de la zona durante un tiempo prudente, pues lo primero es la vida.*

En la región de Urabá, ha crecido la población más que en cualquier otra parte del país en los últimos años. Gran parte de sus habitantes, antes desplazados, han retornado. También se debe entender que la población de Urabá es errante. Muchos no son de allí y van por su riqueza o por supervivencia.

—Pero ¿existió un momento en la historia de Urabá en que las demandas de la guerrilla resultaban justas porque los dueños de las bananeras no cumplían con las necesidades básicas a sus trabajadores?

—*¡Eso es cierto! Sucedió a comienzos de los años setenta, cuando los dueños de las fincas bananeras hacinaban a los trabajadores en condiciones infrahumanas, sin prestaciones sociales, servicios públicos, educación y salud. Los empleados eran esclavos. En Córdoba ocurrió lo mismo, a menor nivel, pues no es posible comparar la rentabilidad de la ganadería con la exportación de banano. Los dueños de las bananeras poseían el negocio agrícola más rentable de Colombia y su egoísmo originó la violencia que se desató en Urabá. El trabajador se rebeló y entró la guerrilla, con razones de sobra, para reclamar los derechos de los trabajadores. Pero*

225

se creó el sindicato más terrorífico de la historia de Colombia, por encima de la USO, en su momento. La gente de Sintagro andaba con pistolas y cuchillos. Comenzaron los secuestros y las extorsiones en la región, al igual que los extensos paros de trabajadores, pero aun así el negocio permanecía rentable. Producía dinero suficiente para que el bananero administrara la finca desde la capital, y para que la guerrilla y la delincuencia común se lucrara.

Se produjo una nueva generación de bananeros, los hijos y nietos de los pioneros, quienes asumieron las riendas del negocio conscientes de los errores cometidos en el pasado por sus predecesores. Efectuaron una reforma laboral, incrementaron los salarios y las prestaciones sociales; permitieron la sindicalización como un derecho del trabajador. Al recuperarse los principios, valores y la ética entre los dueños de las plantaciones y sus empleados, desaparecieran los argumentos de la subversión.

El pueblo obtuvo la justicia social que la guerrilla del EPL exigía. Esta guerrilla sentía que por la vía de las armas ya se había hecho el trabajo e ingresó en el proceso de paz del presidente Betancur, obteniendo mayor respaldo popular que cuando tenía las armas, más que la Unión Patriótica en esa zona. Surgieron disidencias en el EPL y entraron las FARC en la zona a querer implantar de manera implacable algo que nadie entendía, destruir lo construido en parte por el EPL, una sociedad más justa.

Las Autodefensas Unidas de Córdoba y Urabá entraron en el escenario y se intensificó la guerra. Derrotamos a lo que quedaban del EPL y con su ayuda expulsamos a las FARC de Urabá. Desde entonces la región ha mejorado considerablemente. Desde hace tres años no han ocurrido paros en el Eje Bananero, y los sindicatos unidos en Sintrainagro trabajan hombro a hombro con los empresarios para impulsar la zona. No existe empresa en Colombia, después de Ecopetrol, que cumpla exitosamente con los pagos de las prestaciones sociales a sus trabajadores como lo hacen hoy los bananeros de la asociación Augura. Se ve el progreso y se aprecia la multiplicación de las inversiones, incluso de multinacionales.

Le recordé a Castaño las famosas comunidades de paz. Protagonistas del conflicto por ser grupos de personas que se declararon neutrales en el conflicto armado, ni a favor de la Autodefensa ni de la guerrilla.

—¿Por qué fracasaron? Le pregunté

—Las comunidades de paz nacieron de un éxodo creado por las FARC en el Atrato Medio, que comprendía Riosucio, Truandó, Río Remacho y

Puerto Lleras. Después de incursionar la Autodefensa ahí. Las FARC atemorizó la gente con mentiras como que la Autodefensa los decapitaría. Cuento que le ha servido mucho a las FARC para asustar al pueblo.

El padre Leonidas Moreno, en un gesto altruista, albergó en Apartadó y Turbo hasta diez mil personas en centros improvisados de atención para desplazados. La Unión Europea apoyó económicamente al padre en el proyecto de crear unas comunidades de paz imparciales en el conflicto.

En sus inicios la obra social produjo resultados y la Autodefensa no se opuso, pero con el tiempo las FARC infiltró guerrilleros en las comunidades de paz con el fin de conseguir alimentos para sus frentes armados y realizar fechorías o esconderse entre la población civil que estaba allí. ¡supuestamente imparcial!

El proyecto del padre fracasó. En privado lo reconocía, pero en público, jamás.

—¿El padre Leonidas aparece junto al papa Juan Pablo II, en una foto que tiene su mamá en un altar de la habitación?

—Sí —contestó sonriendo—. *Veo que no pasó inadvertido para usted el rinconcito de oración de doña Rosa. El padre Leonidas es un viejo amigo mío y de la familia. Cada vez que mi madre reza en el altar comenta que el curita es un santo. Él la visita ocasionalmente.*

Aunque lo aprecio y lo respeto por su trabajo pastoral, también lo critico por arrodillarse ante las FARC. En una oportunidad cenamos y tomamos vinito de consagrar. Hablamos de los problemas de la región. Nos despedimos con la amabilidad habitual. Al día siguiente criticó sin compasión a la Autodefensa en los medios de comunicación. Yo jamás le diría que no se expresara, es su función, pero al verse obligado a criticar a las FARC, permanecía silencioso por temor. Era consciente de que si denunciaba a la guerrilla, lo mataban al otro día.

En una carta de protesta por su silencio, le escribí una frase de Martin Luther King: "No nos escandalizan los actos de la gente mala, nos duele el silencio de la gente buena".

Pienso que el padre no se miente a sí mismo, prefiere callar ante una realidad aberrante. Perdió la batalla con las FARC y la guerrilla le quitó las comunidades de paz, pero si él llega a decir una palabra revelando la realidad de lo que pasa allí, es decirle a Carlos Castaño, entre y acabe con esto, es una especie de bendición. La única ventaja es que el padre les dijo la verdad a los europeos. Ahora no trata de convencerlos de que las comunidades funcionan.

Las FARC, derrotadas militarmente, insistían en recuperar Urabá con su estrategia de la "combinación de las formas de lucha". Trasladaron periodistas europeos a la zona con el fin de desprestigiar a la Autodefensa y con sus ONG de izquierda trabajaron en contra nuestra. Manipulaban denuncias contra nosotros y montaban teatros de terror. Llegaron al punto de publicar un libro en contra nuestra, basado en mentiras y editado en varios idiomas excluyendo el español. El texto sólo lo distribuían en Europa. Un simpatizante nuestro obtuvo una copia en Holanda y me lo envió. Aterrador lo que se inventaron.

Capturé a los que llevaban a cabo el trabajo de campo del libro, unas comisiones de la Universidad de Antioquia, y les dije: "Señores, la situación de ustedes es muy complicada, el Estado Mayor de la Autodefensa posee un tribunal muy estricto y severo. Si me revelan quién está detrás de la elaboración del libro los absuelvo antes de presentarse ante el tribunal". Y soltaron íntegra la historia.

El cerebro de esta maquinación era un profesor de apellido Henao. Dictaba clases en la Universidad de Antioquia y se comunicaba continuamente con el comandante de las FARC 'Alfonso Cano'. Lo rastreamos hasta conseguir cuatro casetes en los que se encontraron tres conversaciones de una hora y media vía teléfono satelital con la guerrilla en un lapso de una semana. Descubrimos que Henao se encargaba de recibir y trasladar hasta Urabá a grupos de periodistas europeos con destino a las comunidades de paz. Por el camino aparecían campesinos con el libreto listo y difundían la historia que las FARC quería contar.

La Autodefensa ejecutó al profesor Henao no sólo por esa falta grave sino por sugerir en las conversaciones con 'Alfonso Cano' la necesidad de eliminar algunos líderes del Urabá, por el bien de otras personas.

¡Yo sostengo la misma tesis, pero estoy al margen de la ley y soy objetivo militar! Un profesor universitario, desde la legalidad no puede plantear como posibilidad matar a menos para salvar a más. Eso es de irregulares como nosotros.

Henao creó numerosos documentos que agudizaron la guerra pero lo que precipitó su ejecución fueron dos asesinatos que él orquestó en la Universidad de Antioquia, y lo supo antes de morir. El primero fue el de un funcionario de una ONG que manejábamos nosotros y el segundo sucedió tiempo después de haber sido ejecutado él, pero su responsabilidad era ineludible.

Sin embargo, no sólo violencia ocurrió en esos años. La derrota del EPL trajo un proceso de reinserción y las buenas relaciones circunstanciales que yo experimentaba con este grupo fueron determinantes a la hora de renunciar a las armas.

—Ahora que lo menciona, me viene a la mente la opinión de Hernán Gómez. A él le parecía una paradoja que los guerrilleros del EPL prefirieran rendirse ante su enemigo Carlos Castaño, para que les tramitara la reinserción a su organización, ya que temían ser exterminados por el Ejército y sólo confiaban en la palabra de Castaño. Luego me dijo mostrándome una foto con guerrilleros en la sala de su casa: "Yo fui el contacto entre la Autodefensa y el gobierno de Ernesto Samper para efectuar la reinserción con las autoridades. Este proceso se llevó a cabo con el entonces ministro del Interior, Horacio Serpa. Se trabajó de una manera paraestatal con el Gobierno y Serpa lo sabía".

El ministerio del Interior les pagó cerca de cuatro mil millones de pesos a estos guerrilleros para que se reinsertaran y a la postre ingresaran a las Autodefensas. A raíz de la crisis política del momento, la negociación favoreció al presidente Ernesto Samper, pues se acabó la guerrilla del EPL.

Seicientos 'renegados de la guerrilla' se cambiaron de bando y se colocaron el nuevo brazalete.

—¿Eso sucedió tal cual como lo cuenta Hernán? —le pregunté a Castaño.

—Sí. Analicemos primero la historia. Aparte de la entrega de armas y hombres en 1991, cuando Fidel aún vivía, el EPL tuvo dos reinserciones más en 1996, cuando definitivamente la Autodefensa lo derrotó y las FARC los perseguía para ajusticiarlos. Trabajamos de manera paraestatal con el Gobierno en 1996 porque se requería una suma importante de dinero que el Gobierno podía cubrir y además le urgía acordar una negociación de paz como triunfo político.

Se entregaron cerca de seiscientos guerrilleros del EPL y el gobierno les compró cada fusil por dos millones de pesos, aunque en el acta de acuerdo se otorgaba el dinero como ayuda económica. Los guerrilleros recibieron algunos beneficios más y una parcela de tierra productiva para que regresaran al campo. Pero la mayoría volvió a la guerra por la persecución de las FARC. Primero se entregó en Quibdó el frente comandado por "Giovani", luego los otros tres frentes del EPL. Estos hombres se integraron a la sociedad, pero aseguraron en el monte más de la mitad del armamento que poseían, el cual entregaron a las Autodefensas posteriormente a cambio de una remuneración que habíamos convenido. Muchos recibieron doble beneficio, del Gobierno y nuestro.

Creo que al presidente y su ministro sólo les interesaba el hecho político como tal, nosotros se lo pusimos en bandeja de plata.

—¿Cuénteme con más detalles cómo fue cada una de estas reinserciones?

—Se dieron durante tres o cuatro meses. La primera se hizo con la intermediación del padre Leonidas Moreno y el jefe de la oficina de orden público del Ministerio del Interior, Carlos Rangel. El frente del comandante "Giovani" se entregó con cincuenta guerrilleros. Los transporté de manera clandestina en helicópteros y un avión privado hasta el lugar donde entregaron armas. Como estaban dispersos, el objetivo era concentrarlos en un solo lugar, la finca 'Cedro Cocido', en Córdoba, custodiados por la Autodefensa mientras se adelantaran los trámites de la reinserción jurídica que les ofreció Gobierno.

La segunda reinserción fue polémica, porque el grupo de guerrilleros era numeroso y entre ellos se encontraba el comandante 'Gonzalo', David Meza Peña. El guerrillero de mayor poder después de Caraballo, el líder preso del EPL. La experiencia del guerrillero 'Giovani' en la anterior negociación le proporcionó la confianza que necesitaba la rendición. Los hombres de 'Gonzalo' se entregaron en Aquitania. Hablé cuatro veces por teléfono con él, que antes de la entrega me decía: "Yo sólo me entrego si usted responde por mí". Y le contesté: "Con usted yo no me encarto". El Ejército invirtió años en la persecución del comandante "Gonzalo" por los secuestros, asesinatos y extorsiones que había ordenado.

Al final acepté responsabilizarme por la vida del guerrillero y la seguridad de sus hombres en la entrega. Por eso la primera parte del proceso se efectuó a escondidas del Ejército, pues ya que, de recibir a tanto guerrillero peligroso, despertamos desconfianza en las Fuerzas Armadas y esto no le convenía a la Autodefensa.

En la entrega oficial, los encargados de realizar toda la negociación fueron, por la Autodefensa, Hernán Gómez; por la Iglesia, monseñor Duarte Cancino; por el Gobierno, Urbano Viana y Tomás De la Concha. Ellos tramitaron la movilización de los guerrilleros en helicópteros del Ejército, con orden expresa del Presidente. Se produjeron varios viajes desde el campamento guerrillero en Río Verde hasta el sitio acordado.

La tercera entrega de guerrilleros del EPL, que incluía al comandante 'Sarley' y 'Ricardo', ocurrió por intermedio nuestro, de Hernán Gómez y Tomás De la Concha en el corregimiento de Frasaquillo en Tierra Alta. Los delegados portaban una orden presidencial para transportar a los guerrilleros en helicópeteros del Ejército. Al llegar a la brigada, cuenta Hernán que el general Manosalva se sorprendió y dijo: "¡Así me gusta, que se entreguen porque los tengo rodeados!"

Los guerrilleros viajaron de noche y de día a Cedro Cocido. 'Gonzalo', el comandante más perseguido por las autoridades, también arribó allí, pero como era responsable de numeroso delitos la Fiscalía no respetó e intentó capturarlo. Un día antes, la fiscal departamental, Carmencita Turiso, proveniente de Medellín, se dio cuenta de la inconveniencia de no respetar lo pactado con los que se entregaban, entre ellos 'Gonzalo'.

Sin embargo, sus superiores enviaron desde Bogotá una comisión para capturarlo al día siguiente. Esa noche me enteré y, como hombre de palabra, me robé a 'Gonzalo' y terminé protegiendo a mi archienemigo.

Actualmente permanece en la cárcel pero eso ya no es asunto mío. Cumplí y en la reinserción se hizo lo que les prometí a los guerrilleros. Recuerdo que Horacio Serpa y Hernán Gómez, queriendo evitar que el Gobierno tuviera algo que agradecerles a las Autodefensas, plantearon la reinserción con un plan de desarrollo para una región donde habitarían los subversivos. Costaría alrededor de cuarenta mil millones de pesos el plan. Pero 'Gonzalo' no confiaba en las propuestas del Gobierno y decidió el proceso al estilo Castaño.

Para cumplir mi palabra y evitar la captura de 'Gonzalo' por la Fiscalía, le pedí a Hernán Gómez que lo sacara del campamento. Sería inevitable un encuentro frente a frente, un momento bien particular. Fue trasladado a una finca de la Autodefensa, lo encontré sentado en un piedra con su mujer. Al verme se paró. Yo llevaba mi pistola y él, nada. Me acerqué y lo saludé: ¿'Gonzalo', cómo estás?' Entonces me contestó de igual manera: "¿Cómo estás, Carlos?"

No se me ocurría qué comentar hasta que intervino Hernán Gómez: "¿Qué pasa aquí? ¿Se van a matar o a dar la mano?"

Estrechamos las manos y nos reímos con el reclamo desabrochado de Hernán. ¡Increíble!

Antes me refería a 'Gonzalo' como "negro hijo de puta". Me mató civiles, me desapareció gente, dirigió emboscadas sangrientas, quemó ranchos y caseríos en zona nuestra; un devastador.

Por eso me sorprendió encontrarme a un hombre sereno, de voz suave. Aparecía calmado y se notaba que había conocido situaciones más adversas que las que yo había enfrentado en el campo de batalla.

Después de conversar partimos en mi camioneta. Por el camino destapé media de aguardiente y nos la bebimos. Al final de la noche, me preguntaba por qué nos matábamos.

Los enemigos comienzan odiándose, pero al prolongarse la guerra se examinan con curiosidad y después se desprecian. Pero se reconocen en su realidad. Por lo menos eso me ha pasado a mí.

No sé si con las Farc me suceda lo mismo algún día, pero a medida que pasan los años y uno se encuentra con el enemigo, más valor tiene esa pregunta: "¿Por qué nos matamos?"

XVII

DÍAS DE CONSPIRACIÓN

El humo de la fogata irritó nuestros ojos pero dispersó eficazmente a las polillas. La bella cascada que divisaba desde el altillo natural donde nos encontrábamos se perdió en la oscuridad. La noche llegó más pronto de lo esperado. Sólo nos iluminaban las luciérnagas gigantes y el chorro de luz amarilla de una linterna de bolsillo recostada sobre la mesa. Durante nuestra conversación se desgajó un aguacero como un baldado de agua derramado desde el cielo de la selva. Guardamos nuestros documentos en los morrales y corrimos por la trocha enfangada a escampar en la choza central del campamento. Un bombillo alumbraba una extensa mesa de madera donde hablamos sólo unos minutos más, porque a Castaño lo vencía el sueño. Pronto decidió irse a dormir a su carpa. Yo me quedé escuchando las historias de guerra de los patrulleros, en medio de un frío intenso. A la una de la mañana llovía igual. Decidí descansar y un guardia me acompañó hasta mi carpa, vecina a la de Castaño.

—Puede dejar las botas frente a la carpa pues el toldo que la protege evita que se mojen —me dijo el guardia.

Le agradecí la sugerencia y permanecí solo ante la malla trasparente de la entrada. El único orificio libre para halar la cremallera y entrar era el que dejaba el cable del bombillo que alumbraba el interior de la carpa. En mis momentos de insomnio escuchaba el fragoso golpe de la lluvia sobre el toldo que protegía la carpa. Me impresionaba el estruendo de los truenos en la selva, distinto a los que escuchaba en la ciudad, el campo o el mar. El eco era largo e interminable encadenándose un ruido pavoroso.

Aún no eran las seis de la mañana. Abrí la cremallera de mi carpa y al pasar por el frente Carlos Castaño preguntó:

—*Buenos días, ¿madrugó?* Luego me invitó a bañarme en la cascada.

Salí en pantaloneta y sin camisa, con un maletín de aseo, con mis botas puestas y una toalla al hombro. El clima era extraño, una mezcla de frío y humedad.

Dejé mis botas en un arbusto cercano a "La Cristalina", como llamaba Castaño el sitio que comprendía una pequeña playa de piedras diminutas similares a suave arena de mar. El agua pura y menos fría que la temperatura ambiente invitaba a nadar en ella. Nadé hacia Castaño que tenía espuma blanca por todo el cuerpo. Me pasó la pasta de jabón, se sumergió para enjuagarse y luego me dijo:

—*Anoche leí algunas páginas del libro que me regaló. En la extensa entrevista al ex candidato presidencial Álvaro Gómez Hurtado distinguí su faceta humana y familiar que no conocía bien. Pensé en contarle lo que conozco sobre su asesinato, pero me arrepentí. Primero, no tuve nada que ver, y segundo, la verdad ya la conocen los afectados.*

Por una extraña razón, entre ellos y los victimarios parece que se hubiese pactado un armisticio sordo y rencoroso. El crimen del líder conservador fue perpetrado por un sector del narcotráfico y uno del Estado.

Por eso dudo si deba ser yo el que revele la verdad sobre el responsable de la muerte del doctor Gómez, sobre todo cuando la gente del poder en Colombia ha preferido guardar silencio. Lo que sí permanece claro para mí es que han tratado de torcer la verdad de manera insistente.

Hablo de este caso, porque en la investigación del crimen sospecharon de mí, cuando únicamente he admirado a ese hombre. Por eso le cuento que un día me visitó el narcotraficante Orlando Henao Montoya acompañado de su lugarteniente y otro narco más. Henao me dijo: "Vengo en nombre de un importante grupo de personajes colombianos y queremos ofrecerle un millón de dólares por asesinar a Álvaro Gómez Hurtado o al ex fiscal Alfonso Valdivieso Sarmiento".

Ellos podían hacerlo solos pero me querían involucrar en el magnicidio. Nunca creí que pretendían hacerlo realmente, entendí que su intención era enviar conmigo una advertencia velada a quienes ellos veían como un riesgo para el Gobierno Samper. Es algo como hablarle a Bolívar para que escuche Santander. Esto lo percibí sobre todo en el consejero de Orlando Henao y su lugarteniente, que no tenía limites, su irracionalidad era tal que advertía, mataba y endilgaba. Así Orlando Henao Montoya tuvo el poder sobre los narcos durante años. Fue el capo de capos.

A la propuesta no di mi negativa de inmediato; ante esa gente uno no puede rehusarse al instante. Ganármelos de enemigos abría sido fácil. Le contesté así: "No puedo actuar de manera independiente y me debo a una organización. Además el doctor Álvaro Gómez, para mí y ante la memoria de mi padre, merece respeto.

Les di las razones que me imposibilitaban ser parte de esa operación y logré evadir la propuesta.

Carlos Castaño calló por varios segundos y se sumergió de nuevo en la piscina natural. Nadó hasta atravesar la cortina trasparente que forma el agua al precipitarse por la cascada. Lo seguí, ubicándonos detrás del chorro, y retomó la palabra explicándome que la investigación sufrió una desviación:

El proceso por la muerte Álvaro Gómez Hurtado fue manipulado y puedo asegurarlo porque en la reunión donde se discutió el tema se encontraba presente un hombre de mi confianza. En otra reunión también se habló de lo mismo. Ese segundo encuentro se dio en la casa de un magistrado del Consejo de Estado; asistió un altísimo funcionario de la Fiscalía General de la Nación y estuvo presente el narcotraficante Orlando Henao Montoya, quien tenía fuertes intereses en el caso. Además, en aquella reunión se comenzó a pactar entre el alto funcionario de la Fiscalía General de la Nación y Orlando Henao su detención y el tiempo que permanecería en la cárcel".

Sin duda alguna, Orlando Henao Montoya fue el hombre más rico y poderoso de la historia del narcotráfico en Colombia, superior a los Rodríguez Orejuela y a Pablo Escobar. Lo digo yo que los conocí a todos. Los hermanos Rodríguez Orejuela se refirieron a él como 'El Hombre del Overol'. Luego la prensa le atribuyó este remoquete a otro narcotraficante del montón por razones que desconozco. Él estuvo detrás del intento de plagio al abogado Cancino, defensor del presidente Samper. secuestró al hermano del ex presidente César Gaviria, Juan Carlos Gaviria. Creó el grupo JEGA y puso de figurón al famoso 'Bochica', su supuesto comandante. De ahí surgió el torvo panorama del gobierno de Ernesto Samper, del cual tengo algo más que decir. El ex presidente puede ser un hombre cínico pero no tiene la maldad como para conocer y autorizar los métodos despreciables utilizados por aquellos preocupados en impedir su caída de la Presidencia de Colombia. Desprecié a Henao por su actitud característica de disparar a la derecha *y a la izquierda con la intención de prender conflictos. Creo que uno debe tener principios y una actitud definida hasta para ser bandido. Henao siempre se escondió en guerras de terceros. Además figuraron uno o dos despistados con poder de corrupción, intimidación y ejecución militar, cuya tarea consistía en defender al presidente Ernesto Samper, sin pedirlo él y tal vez sin saberlo siquiera.*

Interrumpí a Castaño y recordé la misteriosa reunión en el apartamento del miembro del Consejo de Estado. Le pregunté insitentemente su nombre y el del otro asistente a la reunión pero no quiso revelarlo. Entonces le pregunté:

—¿Qué hacía un hombre cercano a usted en esa reunión?

—*Orlando Henao le hizo fantásticas promesas al hombre de mi confianza que estuvo temporalmente en sus manos. También le propuso el oro y el moro a los hombres de mayor mérito en las Autodefensas, con el propósito de obtener favores con otras personas usando mi nombre y el de mi organización, sin yo saberlo. Este narco trató de comprar las AUC. Se acercó a varios de mis hombres y amigos a quienes les hice ver que al lado de los narcos lo único seguro es la traición, que conduce a la muerte o a la cárcel. Tiempo después este narcotraficante fue ejecutado en la cárcel Modelo, en Bogotá.*

¿Con lo que usted revela sin duda le envía un dardo a ese alto funcionario de la Fiscalía General de la Nación. Por qué oculta el nombre de éste, el magistrado y su amigo, partícipes de la misteriosa reunión?

No vale la pena hacerles daño a esas personas que solo estaban allí por su propia pusilanimidad. Respecto al funcionario de la Fiscalía, he sido sensato en esta denuncia; pude haberlo hecho abiertamente contra él y todo su grupo de la infamia. Sólo he prometido decir la verdad hasta dónde creo debo hacerlo. Por ahora no lo haré, pues no le quiero hacer tanto daño al país. Voy adicionar a lo dicho que fueron varios los encuentros secretos. En una de esas reuniones estuvo presente uno de los más importantes dirigentes deportivos del fútbol como mediador. En dos ocasiones Orlando Henao Montoya visitó el despacho de aquel alto funcionario de la Fiscalía General de la Nación; allí acordaron los cargos que le abrirían y los que no, al momento de someterse a la Justicia. El trabajo de ocultar el crimen de la muerte de Álvaro Gómez Hurtado no se discutió entre el funcionario y Henao, sino en un escenario también de alto nivel.

—No comparto su criterio de ocultar verdades para bien del país, pero —cambiando el tema— ¿el ex fiscal Alfonso Gómez Méndez dijo alguna vez que usted atentaría contra su vida?

—*Resultó un malentendido que el fiscal buscó aclarar con la Autodefensa a través de Max Alberto Morales y costeños distinguidos que llevaron y trajeron los mensajes. Gómez Méndez decía a los emisarios: "Cuando entregue mi cargo Castaño me matará, pero mientras tanto seguiré cumpliendo con mi deber. Si Castaño derrotara al 'Mono Jojoy' yo lo condecoraría, pero se ha dedicado a asesinar civiles". Yo le respondí: "Usted nunca ha sido objetivo militar nuestro, se encuentra lejos de ser un guerrillero; en el fondo es un hombre de izquierda sensible socialmente, no es un bandido".*

Gómez Méndez estuvo atrapado en una sucia telaraña, que no tejió y le impidió obrar equilibradamente, viéndose obligado y comprometido a impartir más justicia de la cuenta en algunos procesos. Por su exceso de justicia, sin justicia, lo critico. Él es un abogado muy singular. Se mueve como los sacerdotes jesuitas que posan de mártires pero viven como oligarcas y aunque Gómez no lo sea, sí vive como uno de ellos.

Castaño me propuso salir de 'La Cristalina' y continuar conversando en la choza, donde nos esperaba el desayuno.

En la mesa bebió un gran sorbo de café, puso el pocillo vacío sobre la madera con un golpe seco, y dijo:

—*En esa época sucedieron varios acontecimientos que el país aún no conoce. A raíz de lo que divulgaré nadie querrá hablar conmigo por un tiempo largo. Yo participé en la reunión donde se esperaba provocar la caída del presidente Ernesto Samper. Lo que denunció en esa época su gobierno fue la pura verdad.*

Todo comenzó con una visita que me hizo el ex ministro Álvaro Leyva Durán en compañía de su viejo amigo Hernán Gómez Hernández. En el fondo son muy parecidos. A los dos les gusta estar con "Dios y el diablo", nunca sólo con Dios.

Ese encuentro fue sibilino y me recordó las reuniones que en una época sostuve con el Grupo de los Seis. Leyva fue directo y franco, me propuso lo siguiente:

"Comandante Castaño debemos comenzar zanjando odios entre la Autodefensa y la guerrilla porque si no nunca cabremos en este país. Pienso que podemos obtener tal fin por medio de una antigua relación que poseo con las FARC en mi condición de académico y que he sostenido por el bien del país. Podemos conformar un equipo donde quepamos las FARC, la Autodefensa y un grupo de colombianos con ideas importantes. El objetivo consistiría en restructurar el Estado y pedirle al presidente que se aparte como condición para lograr la paz en Colombia; además, entiendo que usted tiene en su poder la prueba reina del caso jurídico del presidente Samper". *Le contesté:*

Doctor Leyva, mi padre sostenía que un presidente no se podía caer y punto. Pero digamos que soy más moderno que don Jesús Castaño. ¿Adónde nos lleva su propuesta? Leyva descubrió el alma de encantador de serpientes que tiene y dijo:

"Las FARC y las Autodefensas declararían de manera independiente un cese de hostilidades prorrogable si se convoca una Asamblea Nacional Cosntituyente. El único obstáculo para la paz sería el presidente Samper y su gobierno desprestigiado".

Acepté la proposición por mi desprecio hacia Samper, como en su momento cualquier colombiano honesto tuvo que sentir rabia contra él al enterarse de que su campaña política se financió con dineros del narcotráfico. Leyva hablaba de su fórmula como la única salida para la paz del país, cuando lo que se dio fue una gran conspiración contra el presidente Samper. Después Leyva quiso negarlo pero fue un conspirador. Consideré difícil el que Leyva llevara a buen puerto su ideal pero él, sin embargo, había adelantado trabajo. Al segundo encuentro arribó con el actual ministro Juan Manuel Santos Calderón y su periodista Germán Santamaría, el esmeraldero Víctor Carranza, Hernán Gómez y dos personas más. Ahí se acordó que Leyva se reuniría con las FARC para que emitieran, desde el sur de Colombia, el pronunciamiento sobre lo acordado. Yo tenía claro que de todos los presentes el único hombre respetable para liderar la propuesta públicamente era el señor Juan Manuel Santos Calderón. Él se enderezó, nos miró y creo que hasta ese momento se dio cuenta de que estaba rodeado de bandidos.

Juan Manuel Santos Calderón aceptó ser la carta de presentación y dijo: "Esto permanecerá en privado inicialmente, luego se publicará". La reunión se disolvió y se convocó otra en quince días donde Leyva comentó resuelto: "Señores, la paz de Colombia la tenemos de un cacho, pero, antes que nada, déjenme decirles que yo vengo es por Ernesto Samper".

Interrumpí de nuevo a Leyva y le dije: "Si se cae el presidente Samper ¿a quién montamos? ¿Quién lo remplazará? ¿Qué tan largo será el vacío de poder?"

Leyva respondió: "El día que se publiquen los comunicados de las FARC y las Autodefensas, Juan Manuel Santos Calderón solicitará que el presidente se aparte de su cargo. Los grupos armados expresaran su voluntad de que el doctor Santos lidere el proceso de paz y adelante la Asamblea Constituyente".

Eso lo colocaba casi de presidente. ¡Qué tal la conspiración! A mí no me disgustaba la idea. Creía y aún creo en la honestidad y buenas intenciones de Juan Manuel Santos Calderón. Días después, me reuní de nuevo con Álvaro Leyva para ultimar detalles. Él traía el mensaje de la guerrilla, lo único que faltaba. "Las FARC dicen que se ratifican en lo pactado", *aseguró Leyva.*

Por primera vez creí que daría resultado. Recuerdo que en una reunión, Víctor Carranza preguntó: "¿Y el ELN qué?".

Leyva le contestó: "Eso no es problema, de ellos se encargan las FARC".

Previo al pronunciamiento de las FARC, la Autodefensa y Juan Manuel Santos Calderón, el ministro Horacio Serpa develó el plan y en los medios de comunicación se comenzó a hablar de una conspiración contra el Gobierno. El comisionado de paz, José Noé Ríos, citó a una rueda de prensa en Armenia y denunció la conspiración: "No es lícito ni ético utilizar la paz con fines maliciosos y malintencionados".

Álvaro Leyva, desesperado, llamó a un contacto que a su vez me dijo: "¡Lance el comunicado!"

Y yo preguntaba: "¿Dónde está el de las FARC?"

Al fin se pronunció las FARC pero emitió un lánguido comunicado entregado por un frente guerrillero anónimo en Popayán. Yo me desilusioné porque imaginaba la intervención de 'Marulanda', 'Alfonso Cano' y 'Raúl Reyes'.

Minutos más tarde publiqée un comunicado igual de intrascendente al de la guerrilla, encomendé a unos negritos Ibargüen de la Autodefensa en Quibdó para lanzarlo.

Sólo cumplió con lo acordado Juan Manuel Santos Calderón jugándosela toda en una rueda de prensa en la que utilizó las mismas palabras de Leyva: "Presidente, la paz está de un cacho, ¡apártese!". *Horas más tarde el pobre Juan Manuel Santos estaba ridiculizado y sólo.*

El trabajo de dos meses se desmoronaba, y yo esperanzado en acabar fácil con esta guerra. Pensé que nos daríamos la mano con las FARC y el ELN se sumaría a esta propuesta. Luego participaríamos todos en la reconstrucción de este país. Pero no. He reflexionado sobre lo que ocurrió y creo que las Farc nos dejaron colgados a todos.

—¿Volvió a hablar usted con Alvaro Leyva?

—*Sí, con él hubo otra reunión en la que me dijo que el "Plan de paz", como llamaba él la conspiración, fracasó. Recuerdo que Leyva exclamó: "¡Jamás permitiré que me vean como conspirador"*

—Creo que pasamos muy rápido por los protagonistas de esos encuentros —le dije a Castaño. ¿Qué buscaba cada uno de los asistentes a esa reunión incluyéndolo a usted?

—*Resultaba claro que Leyva deseaba tumbar al presidente Samper como fuera; Juan Manuel Santos Calderón esperaba jugar un papel determinante en el inicio y desarrollo de las conversaciones con las FARC y las Autodefensas. Carranza buscaba ser de alguna forma intermediario y pescar en río revuelto. Yo era un imbécil convencido de las intenciones altruistas que en un principio motivaron la conspiración.*

Castaño apoyó sus dos manos sobre la mesa y se puso de pie:

—*¿Tiene su morral listo? —preguntó*

—Sí— exclamé.

—*¡Entonces nos vamos ya!*

XVIII

SALVATORE MANCUSO

Nuestros pasos eran acompañados por el canto de los pájaros que se multiplicaban en la copa de los largos y delgados árboles de la selva. Perderse aquí es incitar a la manigua para ser devorado como el protagonista de *"La vorágine"*.

Avanzábamos y le pregunté a 'H2':

—¿Qué pájaros son los del escándalo?

—Las guacharacas. Les gusta seguir a la gente y se reúnen para hacer bulla. En combate toca darles bala para que no le avisen al enemigo dónde permanecemos escondidos.

—¡Buelvas! —gritó Castaño desde la orilla de la quebrada a la que nos acercamos. *Entréguele el fusil a 'H2' y cargue al señor periodista para que no se moje los pies.*

—No se preocupe, Comandante. Yo cruzo así —le dije, confiado, pues el arroyo era ancho, poco profundo y la corriente liviana.

Castaño replicó:

—*No sea terco; sus botas no son pantaneras y se les entra el agua. ¡Déjese llevar!*

Al ver a Buelvas, un trigueño de un metro con noventa de estatura, me tranquilicé. Me encaramé en su espalda amplia, apenas le rodeaba el cuello con mi brazo, al agarrarme para evitar caer. En el fondo de la cristalina quebrada se apreciaban perfectamente las piedras. Avanzamos a paso lento hasta a la otra orilla donde me esperaba Castaño, sonriente.

—*No hay nada peor que caminar por el monte con los pies mojados.*

Me comentó su itinerario y el mío, del que siempre me enteraba a última hora.

—*Yo voy a caballo para el campamento madre de la Autodefensa donde no me puede acompañar pero lo dejo en buena compañía. En el transcurso de la mañana lo recogerá helicóptero, posiblemente al mando del comandante 'Manuel'.*

—¿Quén es el? —le pregunté.

Así también se le conoce al comandante Salvatore Mancuso o al 'Mono'. Él lo acompañará a un sitio tranquilo donde podrá entrevistarlo.

—Si me encontraré con el 'Mono' Mancuso, cuénteme algo de él.

—*Su personalidad posee un imán y en la Autodefensa todos quieren estar a su lado. No es prepotente, es sencillo y buen amigo. Su calma lo impresionará. En el país han tratado de compararlo con Jojoy pero jamás se le podría parecer, sólo coinciden en el sobrenombre 'El Mono'.*

Salvatore es de cuna, hijo de inmigrantes italianos y un "dandi" de sangre azul. Su familia la conforman algunos de los colonizadores de Córdoba. Con su ingreso a la Autodefensa, en la costa Atlántica se ganó "status social". Su vinculación generó confianza en Córdoba y se creyó aún más en los Castaño; ya nos favorecía la clase media de la región pero al tener un "chacho" de la alta sociedad como Mancuso, se acercó la gente que faltaba.

La primera vez que apareció en la prensa fue por mi culpa y filtré esa información para desafiar a las FARC que presentaba a Simón Trinidad como el "niño bien" de la guerrilla.

Entonces dije: "Ah, muy bacancito el comandante de las FARC; ¡les mostraré algo fino!". Uno de mis sueños es sentar algún día a una mesa a los comandantes de las FARC con los míos. Allá, las cavernas, guerrilleros viejos y aquí la gente civilizada, los jóvenes comandantes.

Antes de conocernos y ser miembro de la Autodefensa, Mancuso ya era un paramilitar. Se mantenía en las brigadas del Ejército y cuando aún estaba legal anduvo con varios de los que hoy son generales. Fue un consentido de los militares, se subía en los helicópteros del Ejército y los acompañaba a los operativos.

Mancuso fundó un pequeño grupo armado cuando aún la ley lo permitía. Fue uno de los pocos ganaderos que tomaron los fusiles para defenderse de la guerrilla; cuidaba su finca y les ayudaba a los militares pero tiempo después, al acercarse a la Autodefensa, el Ejército lo apartó. Allí lo utilizaban mucho y después le daban la espalda, lo dejaron solo varias veces.

Convertirlo en miembro de la Autodefensa no fue fácil. Comenzamos realizando operativos antisubversivos conjuntos. Él me prestaba hombres

*y nosotros también. Durante varios meses le hize 'lobby', fui acercándo-
me con frecuencia, informandole de la Organización; le solicitaba favores
sencillos como visitar la finca de un ganadero vecino para darle moral en
un momento difícil. ¡Eso fue con mucho cariño!*

*Se embarcó rápidamente en la Autodefensa y luego constató que sería
imposble regresar a la normalidad. El único camino era ganar la guerra
conmigo. Confieso que hubo perversidad de mi parte, pero con buena
intención; él lo intuía. Avanzó en la Organización y su punto de no retorno ocurrió al dejarse atrapar por el poder que se ostenta cuando se está en
la Autodefensa y en la legalidad. Mancuso adquirió un poder inmenso en
el departamento de Córdoba y en la costa Atlántica. Discutía el futuro de
la región con los alcaldes y los ministros de Desarrollo y Agricultura.*

La Autodefensa es una empresa para él: "Hay que buscar la excelencia, la competitividad, el desarrollo, la actualización y la armonía
entre los empleados. Debe existir la autoevaluación y la toma de decisiones necesita ser compartida".

*Mancuso es algodonero, arrocero y ganadero, un empresario con visión y
aspiraciones de magnate. Importa maquinaria y exporta carne. Su pasión
consiste en reactivar economías y generar empleo. Eso es uno de los grandes
empresarios de la costa Atlántica. Un día me dijo:*

"Las empresas de los grandes grupos económicos las cuidan el
Ejército y la Policía. ¿Quién va a cuidar los bienes de la clase media,
lo nuestro? Está claro que lo primero que hay que tener es quién vigi-
le la producción en el campo".

*Salvatore se fue entregando cada vez más a las Autodefensas, se con-
virtió en un gran táctico y excelente militar.*

*Llegó cuando yo necesitaba gente formada y lo más importante en un
organización es el material humano. Se necesitaba gente como él para
darle poder, pero poder para mandar, ordenar y castigar, a fin de lograr
convivir en paz.*

—¿Mancuso fue quien lo salvó de morir una vez? —le pregunté a
Castaño, caminando por la trocha.

—*Sí, eso sucedió el 28 de diciembre de 1998. Le dimos vacaciones al
ochenta por ciento de los hombres de la Autodefensa y las FARC atacó mi
campamento con cuatrocientos guerrilleros. Fue aquí cerca, en pleno
Nudo del Paramillo. Sobreviví al ataque porque Mancuso me rescató en
helicóptero y me sacó de la selva.*

Nunca acostumbro a dormir en el mismo sitio donde sostengo reuniones, lo que resultó esencial. Cuando atacaron el campamento de Tolobá, yo no estaba allí; esa noche me había marchado por un túnel natural de maleza y dormí a cuatrocientos metros en uno de mis refugios. Encontrandome lejos, logré escabullirme con relativa tranquilidad. La historia completa se la contará Mancuso.

Castaño se apartó del grupo y sacó su teléfono satelital portátil, acercándose al caballo color tabaco que le alistaba un patrullero. Llegamos a una solitaria y pequeña choza donde lo esperaban diez hombres, dos de ellos con ametralladoras M-60. En el claro donde aterrizan los helicópteros tomé varias fotos, y pensé: "Qué contraste: lo más moderno en comunicaciones y lo más antiguo en transporte".

Al terminar su llamada, Castaño se acercó y se despidió:

—*Esta vez quizá me demore unos días en el monte. No sé cuándo nos volveremos a ver, pero esté atento que yo le aviso la fecha y el lugar para un nuevo encuentro.*

Tomó las riendas de la bestia y de un solo movimiento se subió y ordenó:

—*Buelvas y 'H2', acompañen al señor periodista mientras llegua el helicóptero.*

Lo seguí con la cámara para fotografiarlo a caballo hasta que se perdió en la maleza, balanceándose de lado a lado, pensativo, como dejándose llevar por el paso del animal.

En el improvisado helipuerto se escuchaba aproximarse el aparato pero no lo lograba ver aún. Según Buelvas en estos sitios sólo se divisa el helicóptero cuando está encima aterrizando. Y así fue. Al acercarse la ruidosa máquina, me dijo 'H2':

—Viene el comando Mancuso piloteando.

—¿Cuál de los dos es? —le pregunté.

—Es el de camisa blanca; el otro es el "capi", el mismo que lo trajo a usted. ¿Recuerda?

Caminé hacía el helicóptero y el "capi", se bajó. Me indicó que me subiera adelante y le pasara el morral. Mancuso estiró su mano y me ayudó a subir saludándome. Con un gesto me señaló los audífonos para que me los colocara y en voz monofónica se presentó:

—Mucho gusto, soy Salvatore. Ten cuidado de no pisar los pedales y cada vez que desees hablarme, oprime con el pie el pequeño botón rojo a tu derecha.

Despegamos y, sobre la inmensidad del Paramillo, me dijo:

—Sobrevolaremos Tolobá y el refugio de donde rescaté al comandante Castaño, el día que nos invadió las FARC.

Mancuso no necesitó indicarme el sitio que alguna vez fue el campamento sagrado de la Autodefensa. De Tolobá quedaban las ruinas calcinadas en la cima de una empinada montaña, la más perpendicular de las que la rodeaban.

Girando sobre la zona tomaba fotografías de los restos del incendio y le pregunté al Comandante donde aprendió a volar:

—Soy un piloto empírico. Aprendí cuando estuve al frente de las tropas en Santander y Sur de Bolívar. Algunos amigos empresarios nos prestaban sus helicópteros y me brindaban la capacitación necesaria.

—Castaño me comentó que usted retenía temporalmente los helicópteros capaces de hacer sísmica y los piloteaba en la serranía de San Lucas. Los habitantes de la zona divisaban los aparatos como enloquecidos en el aire.

Mancuso sonrió y continuó hablando:

—En la Autodefensa cada bloque tiene su helicóptero y mantenemos dos en acuartelamiento. Son en total siete.

—¿Por qué comenzó a formarse esa pequeña fuerza aérea en las AUC?

—Según Castaño se conformó al ir adquiriendo las FARC y el ELN aviones y helicópteros. Él dice que las Fuerzas Aéreas irregulares comenzaron con la penetración del narcotráfico tanto a la guerrilla como a las AUC.

—Un uso importante que le damos a los helicópteros es el de ambulancia, con ellos se transportan los heridos. Los patrulleros combaten con mayor determinación pues si los hieren el helicóptero los traslada para recibir atención médica.

Le pedí que reviviera el famoso 28 de diciembre de 1998, cuando pudo haber muerto Carlos Castaño.

—¿Dónde se encontraba aquel día y como se enteró de que atacaban el campamento de su comandante?

—Yo andaba reunido con mi familia en una finca del Urabá y me había visto con Castaño el 25 de diciembre en el Nudo del Paramillo cuando viajé a desearle una feliz Navidad.

El rumor era que la guerrilla entraría a la zona. Ese día sobre volamos el área, analizamos la situación y determinamos los sitios por donde podrían ingresar al campamento. En efecto, atacaron por el lugar que habíamos imaginado.

Aparte de darle vacaciones al ochenta por ciento de nuestros hombres, habíamos decretado una tregua unilateral con las FARC. Alrededor de Tolobá no teníamos más de cuarenta hombres, en una zona donde normalmente operan cuatrocientos patrulleros. Carlos no se movió del sector porque jamás imaginó que lo atacaría un grupo de setecientos subversivos, cuatrocientos por el frente y trescientos en la retaguardia.

Al informarle por radioteléfono que las FARC atacaba el campamento, Carlos sabía por dónde huir, no contaba con un frente de guerra para combatir con la subversión, sólo lo acompañaba un grupo de hombres que escasamente alcanzaban para escoltarlo en su retirada.

A las once de la mañana volé en helicóptero con mi escolta personal hacia el campamento. Desembarqué a cinco de mis hombres en el perímetro entre Castaño y la guerrilla para brindarle seguridad al comandante. Estos patrulleros habían estado conmigo desde el nacimiento de la Autodefensa y dieron su vida por sacar ileso a nuestro líder, pues horas más tarde fallecieron en combate, mientras Castaño huía.

Los subversivos lo seguían con fuerza y de cerca. Carlos avanzaba sin parar. La misión de los hombres de su escolta y la mía era servirle de retaguardia. Disparaban contra los guerrilleros, corrían treinta metros y volvían a enfrentarse.

Yo me marché a otro lugar y viaje varias veces a la zona de combate, donde incrementé la tropa. Dejé en puntos estratégicos los únicos treinta patrulleros que encontré en ese instante. Conmigo permaneció uno de mis hombres de confianza con quien ametrallamos a la guerrilla desde el helicóptero. Parecían hormigas esparciéndose por todos lados. Con la M-60 disparamos cananas en serie. Cada una puede tener mil tiros y se acaban en dos minutos. Montábamos más y el patrullero seguía disparando. También les arrojamos bombas pero continuaron avanzando.

—¿Y cómo no le dieron a su helicóptero?

—Sobrevolábamos a una altura superior a los dos mil pies, las balas no nos alcanzaban y efectuábamos círculos colocando el helicóptero en posición de ataque.

Me impresionó cómo cayeron cantidades de guerrilleros muertos. Como mínimo, fallecieron setenta. La zona escondía cargas de dinamita que se activan al paso de intrusos.

Durante el combate la comunicación era deficiente y por momentos perdíamos la voz de Carlos. Además nos veíamos obligados a interrumpir las conversaciones frecuentemente para evitar que escanearan la frecuencia y ubicaran a Castaño. Conocerían para dónde se movía y cuántos hombres le cuidaban la espalda. Desde el aire observaba cómo la guerrilla lo cercaba. Yo necesitaba conocer el tiempo exacto que demoraría Castaño en llegar al único claro de la selva donde se podía aterrizar. Apareció por el radio diciendo: *"Estoy a siete minutos del sitio de encuentro"*. Prohibí ametrallar más, pues parte de su escolta estaba efectuando maniobras para engañar a las FARC. Al final, con los tres hombres que le quedaban dejó de disparar y corrió hasta el sitio.

Llegué al claro, que no era tan despejado, sino un hueco en medio de la selva; un espacio de treinta metros cuadrados donde apenas cabía el helicóptero. Sin pensarlo dos veces, incliné el aparato bajando al sitio en forma de espiral. Cada vez debía lograr giros más cerrados, la única forma de acercarme al lugar. Al divisar árboles cerca, solté el aparato y lo metí de frente. Para no estrellarme contra el piso, frené al máximo y la máquina comenzó a temblar como si se fuese a caer pero se sustentó de manera increíble. El ametrallador le tendió la mano a Carlos que subió con dos de sus hombres y yo les grité: !No se puede subir nadie más; si no, esta máquina no despega!".

Aterrizar había resultado complicado y suicida, pero salir era aún más difícil; dependía de la potencia del helicóptero y cualquier cosa podía suceder. Tuve que forzar el aparato al máximo debido a los árboles inmensos. Una vez fuera del hueco sobrevolamos a ras la copa de los árboles. Era un vuelo táctico de escape. La guerrilla te puede disparar desde la selva y nunca alcanzarían a impactar un helicóptero que pasa a doscientos kilómetros por hora, unos ciento veinte nudos.

El rescate se llevó a cabo en un minuto y, lejos ya de la zona de combate, el 'Pelao' se acercó, me abrazó por el cuello y dijo: *"¡Bien, muy bien!"*.

Al aterrizar en una finca en zona liberada y tranquila, nos abraz'-
mos de nuevo y le dije al 'Pelao': Gracias a Dios no le pasó nada.
Todavía me falta mucho por vivir, me contestó.

Le propuse liderar la situación para que descansara pero reaccionó
exaltado: *"¡No, no. Nos quedamos juntos!"*.

Yo rescaté a Carlos a las cinco y treinta de la tarde y donde no
hubiera reaccionado con rapidez ignoro qué habría sucedido. El error
fue exceso de confianza.

Periodista, ya aterrizaremos en la finca. Mis hijos deben estar
molestos porque no les di una vuelta en el helicóptero.

Al descender en el potrero, los dos niños permanecían detrás de la
cerca. El menor, el más ansioso, se secaba las lágrimas de los ojos por
lo que había dicho su padre. Nos bajamos y se acercaron corriendo.
Mancuso le dijo al piloto:

—Capi, llévate a los 'pelaos' y hazles bastantes maldades, que les
fascina.

Atravesamos la cerca y mientras nos desplazábamos hacia la casa de
la finca, el helicóptero realizaba piruetas y volaba a ras. Caminábamos
en silencio por la carretera sin asfaltar. Comenzamos a hablar de la
Autodefensa; Mancuso dijo:

—"No existe un camino distinto al de convertirnos en un problema
para nuestros gobernantes, no para el pueblo, los colombianos saben
que somos parte de la solución. Tenemos que parecer un dolor de cabeza para que se dignen tenernos en cuenta en el proceso de paz y el enemigo reconozca nuestra independencia. Si no se incluye a todos los
actores del conflicto en la negociación, jamás se acabará la guerra.

—Afortunadamente miles de personas nos expresan su gratitud
porque alguien está liderando el restablecimiento del orden, ya que ni
los gobernantes ni las Fuerzas Militares afrontan la situación. La
gente confía en nosotros por comprometernos a devolverle la seguridad a varias zonas y continuaremos cumpliendo. La palabra nuestra y
la de la Autodefensa pesa.

—No sólo nos interesa derrotar a la guerrilla; también deseamos
el progreso de nuestras zonas y si esto implica que se les acabe el fortín a numerosos políticos, se acabará. Los que más se quejan son los
corruptos de la región pues ahora les resulta imposible mantener sus
intereses particulares. Deseamos que los políticos de la Costa

Atlántica recapaciten y comprendan que con su actitud y desempeño no le han producido ningún beneficio a la región que representan. Si el pueblo no está contento con ellos, nosotros tampoco. En algunas regiones, la Autodefensa ha demostrado que es posible mejorar las vías, la salud, el empleo, tener maestros y generar progreso en la región. Logramos lo que los políticos nunca alcanzaron, tener la región en el momento de desarrollo que nosotros la tenemos.

—Castaño dice como ejemplo: *"Córdoba fue declarada zona libre de aftosa en Latinoamérica por la intervención de la Autodefensa con los ganaderos. La autoridad que impulsó el cumplimiento de las normas fuimos nosotros: confiscamos ganado infectado, retuvimos animales temporalmente y hasta reprendimos a algunos ganaderos. La campaña de Fedegán no padeció ningún tropiezo".*

—Hoy, la Autodefensa les paga a más de doscientas personas por ser los veedores que controlan el funcionamiento de los municipios donde operamos.

—¿Para alcaldes, podríamos llamarlos? —pregunté.

—Algo así. Vigilan que los municipios funcionen y el dinero del Estado no se desperdicie. La mayoría de estas personas son jóvenes universitarios de diferentes regiones del país. La administración municipal los emplea y nosotros les brindamos un aliciente económico que compense su calidad profesional.

Mancuso interrumpió la conversación, pues ya habíamos atravesado la casa hasta llegar a un kiosco. Prendió los ventiladores para apaciguar los 38 grados de temperatura y luego nos sentamos.

—¿Cuál es la diferencia entre usted y Carlos Castaño? —le pregunté.

—Existen varias. Yo he permanecido más tiempo en combate y me gusta liderar las tropas en las batallas y liberar zonas controladas por guerrilla. Desarrollo conceptos militares en las operaciones. Utilizo estrategias nuevas e invento artimañas para derrotar al enemigo. Me gusta dirigir las incursiones, pero a Castaño le molesta: *"Usted tiene prohibido luchar en el frente de la batalla. No sólo va a dejar huérfanos a sus hijos, sino a la Autodefensa".*

—El 'Pelao' me discutió y se pone bravo. Yo hago caso, pero de vez en cuando me le vuelo y me echo mis plomitos por ahí, eso me reduce el estrés.

—A diferencia de la opinión de muchos, la lucha armada ha repercutido sobre nosotros dos. Nos ha hecho más sensibles. En la guerra uno siempre está dando de baja al enemigo o pensando en destruirlo y eso no es fácil de asimilar como cotidianidad. Piensan que uno es insensible ante la muerte, pero yo he puesto el pecho en el combate y visto caer al compañero herido, también he recogido a mis muertos. Por esto uno busca incansablemente caminos para acabar el conflicto; queremos que termine rápido pero no de una manera entreguista.

—La visión de Carlos es más amplia que la mía, pues su formación es distinta. Él nació en el conflicto y calcula lo que nosotros no alcanzamos a percibir, por una razón simple: ya ha pasado por ahí.

—La única persona que se alegró cuando recibí mi primer orden de captura fue Carlos. *"Ya tengo otro amigo que me acompañe por aquí en el monte"*, me dijo.

—El paso de la legalidad a la ilegalidad fue uno de los momentos más difíciles de mi vida. Confrontar a mi familia fue un choque violento. Me vi obligado a reunirlos y explicarles que desafortunadamente era inevitable el sacrificio. No Existe otra forma de poner un granito de arena para resolver el conflicto armado. Cuando mis seres queridos lloraron, no me lamentaba por mí, me dolió la orden de captura por ellos. Ese día también lloré por mi familia. A veces pienso si vale la pena tanto esfuerzo y sacrificio por esta causa pero la duda desaparece. Estoy convencido de que si esto continuara como cuando no estuvo la Autodefensa, mis hijos tendrían un país aún más deshecho.

¿En que momento se le ocurre tomar las armas y le entrega su vida a la Autodefensa, porque usted ya vive en el monte como Castaño?

Cuando me gradúo en ESATEC como administrador agropecuario y regreso a Córdoba. Ya en Bogotá había estudiado algunos semestres de ingeniería civil en la Universidad Javeriana y un año inglés en la Universidad de Pittsburgh. En aquella época la guerrilla visitaba la finca y si uno no se dejaba extorsionar lo secuestraban durante tres días, mientras la familia mandaba el dinero. A mí me mantuvo secuestrado varios días la guerrilla del EPL hasta que mi familia mandó los cinco millones que pedían.

Mientras estuve cautivo les pregunté si esa era la forma de arreglar el país, y me contestaron que sí. Entonces les contesté: "si ustedes quieren cambiar a Colombia, a los que tienen que enfrentar es a los políticos corrup*tos* que se roban la plata de nuestros impuestos, no a los ganaderos; nosotros no tenemos la culpa de lo que pasa".

Me sentía impotente y vulnerado. Me afectaba profundamente ver que todo lo que producía con el sudor de mi frente en la finca se lo robaba la guerrilla. Me iban a quitar el futuro de mis hijos. No podía agachar la cabeza como los demás ganaderos, sin enfrentar el problema. Comprendí que si el estado no cumple con su obligación de defender la integridad y los bienes de los ciudadanos honestos y trabajadores, nos toca defendernos por nuestra cuenta. Yo ya andaba fastidiado con la guerrilla y al terminar un largo día de trabajo tres subversivos llegaron a decirme que el comandante quería hablar conmigo en el monte. Salido de mis casillas desenfundé una escopeta recortada y les dije mientras les apuntaba con el arma: "si ustedes me quieren llevar me tienen que cargar muerto, pero para llevarse mi cadáver primero yo disparo esta escopeta y los borro. Dígale a su comandante que si quiere venga para conversar y arreglar las diferencias que tenemos, ¡pero aquí! ".

Los guerrilleros se fueron para donde su comandante aterrados, pues lo que yo había hecho era completamente inusual. Cuando se fueron, yo mandé un niño de la finca para que los siguiera hasta una escuelita de un pueblo cercano. Me fui para el batallón en Montería. Yo aún no tenía nada que ver con los Castaño y su Autodefensa. Le informé a un coronel amigo en qué sitio se ubicaban los guerrilleros y le conté lo acontecido, y me dijo: "Hermano esa actitud suya es ¡bien jodida! Si va a seguir así lo van es a matar, mire que eso está mal hecho, hombre..."

"Cómo estaríamos de desprotegidos que un coronel del Ejército le decía a uno esa vaina. Le insistí que los capturara pero me dijo: "Yo no tengo guías y además esa zona donde están es jodida..."

Cuando le dije que yo servía de guía creo que al coronel le dio vergüenza y no le quedó de otra que armar el operativo.

Llegamos al sitio donde se escondían los guerrillos y el Ejército los encendió a plomo. Dieron de baja a los cinco guerrilleros.

Pasé por el batallón al día siguiente y me previno el coronel:

—Hermano, usted se metió en la verraca, o se para y pelea contra la guerrilla o venda y váyase de aquí porque si no, lo matan.

Le contesté: "yo no sé pelear y no me voy a ir de mi tierra ¿Qué vamos a hacer?"

—La única opción es comprar unos revólveres y unas escopetas, yo le doy aquí los salvoconductos.

"Como yo no me iba a dejar matar, al otro día contraté y armé un grupo de ex soldados como guardaespaldas".

"Seis días después, un grupo de cinco guerrilleros llega a la finca para matarme, pero yo ya estaba armado con mis hombres y preparado para combatir. Mis muchachos mataron a dos subversivos y los otros tres se volaron. Ese día conseguí mis primeros dos fusiles y les dije a mis guardaespaldas: Nos montamos en el lomo del tigre y si nos bajamos nos come el tigre, nos tocó fue galopar, pelaos."

"El cuento se regó y muchos ganaderos comenzaron a visitarme y a proponerme que por qué yo no lideraba ese proceso en la margen izquierda del río Sinú porque Fidel Castaño lo hacía en la margen derecha. Yo acepté, y empezó a salir plata para armas y radioteléfonos. Creamos un fondo al cual todos le aportábamos una cuota y de allí se le pagaba el sueldo a los siete hombres con los que comenzamos. El número de ex soldados ascendió a 15. Cuando nos reuníamos, yo les decía: la guerrilla se asusta como nosotros y también tienen pecho por donde el plomo entra igual."

Luego Fidel Castaño me llama y me propone que trabajemos unidos en todo Córdoba. Acepté porque me producía una profunda admiración saber qe existía alguien más con el valor de enfrentarse a la guerrilla.

—¿Por qué le dice usted a Carlos Castaño 'el Pelao'?

"Porque parecía muy joven cuando comenzó, era inquieto e hiperactivo. Siempre he dicho que él se siente bien donde no está. Llega a un sitio y a las dos horas le entra el desespero por irse. Ahora es un hombre más calmado y ecuánime. El pelao y yo somos más que amigos y hermanos, nos queremos mucho y nos protegeremos siempre. Así algunas personas en el país piensen lo contrario, mi deber es decir que es dado a unir a las personas y jamás busca dividir, siempre trata de solucionar los problemas mediante el diálogo pero en un guerra irregular como ésta a veces resulta difícil, porque el contrincante simplemente no quiere hablar. Hay que acabar esta guerra ya y no seguir acumulando odio.

XIX

LA DERROTA DEL ELN

Al alejarnos de la parte más alta de la serranía, aproximándonos al plan, verá los pequeños pequeños cerros aledaños sembrados en su mayoría de cultivos ilícitos.

Al acercarnos a la finca donde nos esperaba el comandante de la Autodefensa del Sur de Bolívar, el panorama aparecía impresionante. Se divisaban los sembrados de coca pintados de verde intenso casi fosforescente. Cada sembrado lucía, desde el aire, como un cuadrado imperfecto trazado por un niño de kínder.

Minutos más tarde aterrizamos y cerca al helicóptero nos esperaba el comandante Julián, un hombre alto, mono y de ojos verdes. Si no es porque en Antioquia y en los departamentos del Viejo Caldas es común encontrar personas de tez blanca y ojos claros, pensaría que era un extranjero vestido de camuflado.

Castaño me lo presentó con el protocolo acostumbrado y de prisa, como huyéndole al sol canicular. Caminamos hacia la sombra de un árbol frutal donde nos habían preparado una sencilla mesa de plástico.

Sentados, Julián le hizo un obsequio a Castaño:

—Comandante, le tengo este detalle, un escudo de las Autodefensas.

A simple vista no tenía nada de especial. Era un pequeño rectángulo con las letras AUC en altorrelieve, parecía de oro. Castaño lo miró pensando quizá que se parecía al de su sombrero. Pero de pronto exclamó:

—¡Está hecho con el oro de las minas que le quitamos al ELN en la serranía!

Julián sonrió. Le pedí que me lo dejara ver y, en efecto, las iniciales de las AUC se apreciaban hechas a mano y labradas por orfebres de la mina.

Luego, sin más preámbulos, Castaño retomó la historia:

—*La guerra en el Sur de Bolívar la ganó el comandante Julián, sin incursiones con objetivos múltiples que llaman "masacres". No sé cómo hizo pero no ejecutó a muchos enemigos. Logró que ellos rápidamente cambiaran de bando. La última vez que lo visité aquí, contamos 170 patrulleros de la Autodefensa desertores de la guerrilla. Se escaparon de tres frentes de ELN: 'José Solano Sepúlveda', 'Compañía Héroes de Santa Rosa' y la 'Mariscal Sucre'.*

La llegada de la Autodefensa no ocurrió violentamente, porque en esta región la gran mayoría de los civiles que colaboraban con el ELN se volteó muy rápido. Los campesinos se sentían asfixiados por la guerrilla y no soportaba más la presión de la subversión.

Castaño se detuvo como invitando al comandante del Sur de Bolívar a hacer algún comentario, y Julián dijo:

—"Hay que reconocer la colaboración de los civiles que encontramos en el camino. Nos ayudaron a avanzar militarmente para tomarnos el cerro de Burgos, Simití y otras poblaciones, ampliando el control de la Autodefensa en la zona, casi sin resistencia de la guerrilla".

Entró en la conversación Gustavo, segundo comandante de la Autodefensa en del Sur de Bolívar. Había permanecido callado desde nuestra llegada:

—"Cuando entramos en la región, la gente reaccionaba aterrorizada. Muchos corrían despavoridos al vernos, unos se tiraban al río y otros huían hacia la ciénaga. Logramos reunir a la gente y le dijimos que la Autodefensa no era como se la había pintado la guerrilla. Pensaban que les cortaríamos la cabeza con motosierras y todos morirían con nuestra sola presencia."

De nuevo intervino Julián:

—Nosotros tuvimos una estrategia distinta con los campesinos. Les ayudamos en lo que necesitaron y respondieron con su apoyo. Sin los civiles nunca hubiéramos impedido el despeje que el gobierno de Pastrana quiso otorgarle al ELN para que recuperara la zona.

Entonces habló Castaño:

—*El ELN también perdió el control de la zona con esa rapidez, a raíz de la condonación de la deuda que tenían los campesinos con la guerrilla. Al llegar la Autodefensa, reuní a los cultivadores de coca de la región y les dije:*

"*Por favor, se organizan y por cada vereda se presenta un delegado para una reunión importante*".

A la cita asistieron unos sesenta representantes. Según las cuentas, le debían al ELN más de cinco mil millones de pesos. La guerrilla los había prestado para sembrar los cultivos ilícitos.

En la zona obraba un comandante subversivo con el alias de 'Gallego', al que conocían por "el gerente del Banco Agrario".

Aproveché la situación y les dije a todos: "Señores, el les dicen a todos los campesinos de la región que la deuda ha quedado condonada".

La gente hizo tremenda algarabía y festejó varios días. Entérese, que tampoco todo es color de rosa y que el campesino no nos quiere porque sí...

—¿Pero se presentó otro combate fuerte con el ELN? —le pregunté a Castaño.

—*No señor, como le dije antes: contactos leves. Los hombres del ELN no se encontraban preparados para el combate; muchos guerrilleros no estaban bien entrenados. Desde el punto de vista militar, el ELN era un mito, y su poder, sólo terrorismo.*

Además, la mayoría de los grandes golpes militares que la Autodefensa le ha propinado fue con sus ex combatientes, algo fatal para cualquier organización.

Cuando estos guerrilleros de relleno sintieron la presión de la Autodefensa, las deserciones de subversivos en la zona rural fueron masivas. Esto no se daba con frecuencia cuando los perseguía el Ejército porque al llegar la fuerza pública, sólo encontraba campesinos que encaletaban sus fusiles. Pero cuando llegábamos los de la Autodefensa, entrábamos con información y les preguntábamos por los fusiles; ellos, asustados, nos decían dónde lo tenían.

A Barrancabermeja lo llamaban el pueblo rebelde de Colombia, y hoy es el pueblo rebelde. Hoy lo es pero contra los que los dominaron. La historia de la entrada de la Autodefensa allí se la cuenta Julián.

Un día se me acercó y me dijo: "Comandante Castaño, déjeme trazar mi estrategia para recuperar la cuidad".

Yo sonreí, incrédulo al principio, pero lo autoricé para ver qué sucedía. En cuestión de un año, más de la mitad de la población apoyaba a la Autodefensa que había recuperado la mayoría de los barrios de la periferia.

Cuéntele al periodista cómo lo hizo, Julián, pues fue obra suya.

Comenzó recordando a Camilo Morantes:

—En Barranca operaba la Autodefensa de Camilo Morantes, quien fue dado de baja por orden del Estado Mayor después de cometer repetidos abusos. Él ejecutaba de manera indiscriminada a todo lo que le olía a guerrilla, una estrategia equivocada y más en una cuidad donde están todas las ONG de izquierda que existen; además, allí también permancen las autoridades: la Policía, la Dijín, el Das, la Fiscalía, la Sijín, el Ejército. Es muy difícil moverse.

Me parecía increíble que los barrios de Barranca estuvieran llenos de guerrilleros. La gente le ayudaba a los milicianos de la subversión por obligación. A esas personas necesitábamos protegerla y ponerla de nuestro lado.

La mejor forma de ganarle terreno a la subversión consistía en incursionar cuadra por cuadra y ganarnos a la gente, asfixiada por la extorsión. Comenzamos por la Comuna Dos, el comercio de la cuidad.

La gente allí era "vacunada" por todos los lados. A unos les pedía dinero el ELN y a otros las milicias de las FARC. En algunos casos los extorsionaban ambos grupos subversivos o un grupo de delincuencia común que aparecía. ¡La gente ya no aguantaba más!

En esa época nadie visitaba a Barranca. Los hoteles permanecían solos y al comerciante que no pagaba la extorsión lo mataban.

Avanzábamos poco a poco, pero con información exacta comenzamos a dar de baja a los que manejaban los negocios de la guerrilla y "vacunaban" a los comerciantes.

El nivel de penetración de la guerrilla era tan fuerte que muchos de los negocios eran propiedad de la subversión y la gente era obligada a manejarle el dinero.

Pero esa primera lucha por controlar la cuidad no se logró tan fácil como se lo cuento. La Autodefensa también sufrió bajas. La recuperación del comercio fue una época de pistoleo de lado y lado, los milicianos de la guerrilla también se defendieron.

—¿Cuántos milicianos de la subversión murieron en Barrancabermeja? —le pregunté a Julián.

—No sostendré que en Barranca no ejecutamos militantes de la guerrilla —contestó Julián. La verdad, murieron muchos.

—¿Pero cuántos ejecutaron ustedes? —insistí.

Entonces interrumpió Castaño para dar una cifra:

—*Si quiere saber cuántos muertos hubo para recuperar Barranca, le diré la cifra total: cerca de cien milicianos de la guerrilla fueron ejecutados por las AUC.*

Otra vez reinó el silencio por algunos segundos y Julián retomó la conversación:

—Estas ejecuciones se produjeron periódicamente para evitar generar temor en las comunidades. De a dos o tres ejecuciones cada semana. A la fija. Los que de verdad eran subversivos.

Así obtuvimos la confianza y la credibilidad de la gente buena. Luego recuperamos los barrios nororientales, cuadra a cuadra también. Allá la guerra urbana entre la Autodefensa y la guerrilla se llevó a cabo con fusil, truflay y granadas de 45 milímetros. Se armaron tremendos combates en pleno barrio, hasta expulsar a los milicianos de sus casas.

En los barrios de Barranca se vivió una clásica guerra de guerrillas, pues nosotros trabajábamos como lo hace la subversión. Nos infiltrábamos entre la gente y pasábamos como población civil, sobre todo, ante las autoridades. Escondíamos nuestros fusiles en las casas y los sacábamos a los enfrentamientos con milicianos del ELN, que hacían lo mismo.

—¿Por qué les importaba tanto Barrancabermeja?

—Este municipio es el puerto petrolero más grande del país; el carburador de Colombia. Ecopetrol, la empresa petrolera del Estado, tiene un sindicato, la USO, que durante mucho tiempo fue infiltrado por la guerrilla del ELN. Cuando los subversivos querían paralizar el país, el sindicato organizaba un paro dejando a Colombia sin combustible, en sólo 48 horas.

Desde que la Autodefensa controla la zona no se ha realizado ningún paro significativo. Lo han intentado pero la gente de la región ya no le cree a paros sin una razón lógica.

En esta ciudad de más de trescientos mil habitantes, la guerrilla contaba con una infraestructura de logística: fábricas de camuflados, material de intendencia, centros de reclutamiento y escuelas de instrucción teórica en manejo de explosivos.

—*¡En Barranca mandaba el ELN y en dos años todo cambió!*

Le di un giro a la conversación buscando profundizr sobre el ELN, y Castaño dijo:

—*Pienso que la guerrilla tuvo un origen sano y pleno de buenas intenciones. Sin embargo, cuando cualquier organización irregular, incluyendo* la Autodefensa y la guerrilla, se extiende en el tiempo, simplemente se degrada. Este tipo de movimientos se tornan en cacicazgos corruptos, que transan hasta para llegar a ocupar un cargo en el Estado Mayor de la Autodefensa o en el COCE del ELN o en el secretariado de las FARC. Poco a poco se va creando una mafia y con la que se convive. Entra el dinero en grandes cantidades y de ahí en adelante se convierte en un modus vivendi *para combatientes y comandantes.*

El cicuenta por ciento de los integrantes de las AUC toman la guerra como una forma de vida. Juzgue usted cuánto dinero gana la guerrilla y se podrá imaginar qué tan grave se ha tornado el conflicto. No niego que en la subversión hay algunos revolucionarios de verdad, como en las AUC existen antisubvesivos de corazón. Pero tenemos comandantes muy ricos, y sólo les interesa el dinero.

—¿Qué guerrilleros del ELN, que haya conocido, lo han impactado?

—*Algunos me han impactado para mal, hombres tan importantes para ellos como 'Bairon', el comandante del frente Carlos Alirio Buitrago, a quién capturamos en Antioquia y después fue canjeado por un grupo de secuestrados, entre ellos un muy buen amigo.*

Cuando solté a Bairon, le regalé un reloj Guchi y le dije a Mancuso. "¿Por qué peleo con gente tan ignorante como ésta?"

Me contestó algo sabio: "Mucho cuidado que esa es la que lo mata a uno".

También he conocido gente brillante, como el comandante 'Esteban'. Lamenté sinceramente su muerte, pues era el tipo de personas que le hubiera servido mucho al país para el postconflicto.

Una vez el comandante 'Corazón', quién había sido el segundo hombre de la Compañía Anorí del ELN y que después se unió a las filas de la Autodefensa, me llamó y me dijo: "Comandante Castaño, acabo de capturar a un hombre que en la última conferencia nacional del ELN, a la que asistí, fue nominado para ser miembro del comando central". *Aquel hombre era 'Esteban', uno de los comandantes políticos más importantes del ELN. Permaneció en mi poder durante cinco meses, tiempo en el que aprendí de él y su movimiento subversivo; era una persona muy inteligente.*

Gracias a el me ahorré muchas conferencias. Claro que durante los primeros días de la captura no resultó fácil tratarlo. Su actitud fue más abierta desde el día en el que detuve la camioneta en la que íbamos y le propuse: "¡Vamos a hacer algo! A través de usted, buscaremos la forma de llegar a un acuerdo con el comando central del ELN para ver si por fin acabamos con esta guerra".

—¿Y qué pasó? le pregunté a Castaño.

—Desde su cautiverio, 'Esteban' habló varias veces con 'Antonio García', pero al final no se pudo hacer nada. Y le digo una cosa, periodista: si por el comandante 'Gabino' fuera, la paz entre el ELN, el Gobierno y la Autodefensa se hace en ocho días. El problema en ese grupo guerrillero es 'Antonio García', el más radical y duro de los subversivos.

A causa del gran número de hombres del ELN que he capturado y conocido, me atrevo a decir que conozco a este grupo como cualquiera de sus fundadores. Las conversaciones con 'Esteban' me permitieron percibir que esta guerrilla no aguantaría una arremetida de la Autodefensa en todo Colombia, como finalmente sucedió.

Él evidenciaba las enormes diferencias entre los comandantes: unos desesperados por negociar, otros tratando de conseguir territorios para posicionarse y 'García' con su visión radical.

—¿Y qué le pasó a 'Esteban'? —le pregunté de nuevo.

—¿Recuerda el día en que las FARC atacaron con setecientos guerrilleros a Tolobá, mi campamento en el Nudo del Paramillo, cuando Mancuso me rescató en helicóptero? Bueno, ahí murió 'Esteban'. De los guardias que escoltaban al comandante del ELN y protegían la casa de Tolobá sólo sobrevivieron Buelvas y otro patrullero.

Sobre la mesa del comedor de aquella casa falleció 'Esteban' de un tiro de fusil. Los subversivos de las FARC lo encontraron muerto y lo confundieron conmigo. Como vestía con mi ropa informal, el 'Negro Tomás' y el 'Manteco' se apresuraron a reivindicar mi muerte. Por radioteléfono decían: "Castaño está muerto".

Luego se llevaron el cuerpo como se transporta a un enemigo: lo desnudaron y después lo colgaron de un palo, lo amarraron de pies y manos, ¡como si me hubieran llevado a mí!

Cuando llegaron al Cerro de la Burra, los esperaban los comandantes guerrilleros 'Salomón' y 'Jacobo', quienes, al verlo, confirmaron que se había dado una falsa noticia. Esto aminoró el triunfo guerrillero, que había sido meterse a mi campamento.

—¿Cómo ve hoy al ELN? —le pregunté a Castaño.

—Esta guerrilla se está desintegrando paulatinamente y sus reductos se han disgregado; a sus guerrilleros sólo los une la necesidad de sobrevivir.

En el transcurso del año 2001, doscientos de sus miembros se han entregado a las AUC. Muchos siguen desertando, dejan la guerra y se van para otros lugares. También las FARC han absorbido varios de sus frentes y han acabado militarmente con otros.

El ELN pierde territorio a diario ante la Autodefensa y sus comandantes se ven obligados a permanecer en el exterior, porque en Colombia ya no controlan territorios que les brinden seguridad. Este grupo guerrillero va por el mismo camino del M-19 y del EPL. Su debilidad lo obliga a negociar con sensatez, razón por la cual el Gobierno de turno debe atenderlos, pero sin dejarse engañar. No se puede permitir que se oxigenen, porque a los sinvergüenzas les vuelve el arribismo.

Hicimos una pausa para almorzar y después Castaño se fue a otra finca con su novia. Ya el tema del libro no le simpatizaba mucho a Kenía, pues el poco tiempo libre que le quedaba a Castaño, lo invertía en largas conversaciones conmigo. Además, el matrimonio se acercaba. Hoy era 6 de mayo y la boda sería el 15. Me quedé con los comandantes 'Julián' y 'Gustavo', recorrí con ellos la región, visitando cada uno de los sitios donde ocurrieron los primeros y únicos enfrentamientos entre la Autodefensa y el ELN. En la noche me condujeron hasta el corregimiento de San Blas, donde conocí otra faceta de la guerra; un pequeño hospital de la Autodefensa, lleno de combatientes heridos y rostros de tristeza.

XX

LAS CONVERSACIONES SECRETAS: EL GOBIERNO PASTRANA Y LAS AUTODEFENSAS

La mañana del 7 de mayo del 2001 el país se despertó con un candidato al premio Nobel de Paz. La revista *Cambio* reveló las gestiones secretas del Gobierno en Oslo, Noruega, para que el presidente Andrés Pastrana se ganara este galardón. En portada, un fotomontaje mostraba al primer mandatario vestido para la ocasión y el titular decía: *"La carrera por el Nobel"*.

Ese lunes yo había amanecido en un solitario y pequeño hotel del apartado corregimiento de San Blas, en el departamento de Bolívar. Allí, el periódico llegaba al medio día y las revistas a mitad de semana. Se podía leer el polémico artículo en *Internet*.

Castaño se despertó, como de costumbre, en horas de la madrugada. Hasta las siete leyó correos electrónicos y prensa digital en una de las tantas casas humildes que pasan inadvertidas pero que por dentro son toda una central de comunicaciones de las Autodefensas.

Eso explicaba el escueto saludo al verme algo que leyó lo había sacado de casillas. Escasamente se paró de la hamaca y me dio la mano. Me senté en una banca aledaña y cuando comenzaba a balancearse impulsado por sus botas militares, me miró y soltó su enojo:

—*¡El gobierno Pastrana es traicionero! No hubo conversación seria con nosotros y nos trató como a unos serviles. De ahora en adelante cualquier gobierno que quiera hablar con la Autodefensa deberá hacerlo de cara al país y a la comunidad internacional. De otra manera no me interesa dialogar con nadie. Ya estoy cansado de este tratamiento de prostituta. Mire lo que se publicó en la revista del maestro Gabriel García Márquez: hasta discurso de candidato se fue a dar Pastrana al instituto Alfred Nobel, en Noruega. Éste es un extracto de lo que dijo el Presidente: "Hoy puedo decir que, a pesar de los recientes tropiezos, hemos avanzado en dos* años lo que fue impensable durante décadas. Con las FARC, el grupo guerrillero más grande y antiguo del planeta, hemos iniciado un proceso de negociación, con una agenda y unos procedimientos definidos...". Qué mentira, qué gran engaño para el país.

El Presidente mintiendo para ir buscando el premio Nobel es un hecho simplemente despreciable. Este hombre está jugando con los colombianos y el futuro del país. Ahora sí entiendo sus intenciones: únicamente quería mantener contentas a las FARC, al ELN y a las AUC, para obtener el premio Nobel de la Paz. No ha pensado en Colombia; piensa en él. ¡Andrés Pastrana es un sinvergüenza, un irresponsable y un apátrida!

Quien más ha fortalecido a la guerrilla colombiana en los últimos años es este presidente, de eso no me queda la menor duda. Cuando comencé a hablar con usted para escribir este libro, no me quería referir en esos términos al Primer Mandatario. Siempre creí que a pesar de su equivocado proceder era un buen hombre. Ahora entiendo que no es así y revelaré detalles de asuntos que pensé callar, pero ya no puedo creer en la buena fe de alguien como él.

Recuerde que el maestro 'Gabo' en un comienzo apoyó a Pastrana y él conoce muy bien el ámbito del premio Nobel. Al autorizar que este artículo se publique en su revista, nos está diciendo bastantes cosas.

—¿Qué le dice a usted lo publicado?

—*¡Todo! El maestro comenzó optimista con el gobierno de Pastrana. Decía: "Vamos a camellar por el país". Pero muy pronto se dio cuenta de la falta de seriedad del Presidente y dejó de creer en él.*

—¿Por qué lo dice?

—*El primer acercamiento entre las Autodefensas y este Gobierno se realizó a través de Gabriel García Márquez. Durante los primeros meses del gobierno de Pastrana, él llamó a la casa de don Rodrigo García, en Montería. Para el viejo, a quien considero mi segundo padre, fue una grata sorpresa oír el cálido saludo de Gabito, como se refiere al maestro. Don Rodrigo es contemporáneo del escritor y ambos son costeños, sinónimo de mamagallistas. Por eso don Gabriel le dijo por el teléfono: "¿Cómo estás, primo?".*

Sin reconocerlo, el viejo le dijo: "Bueno, cuando yo tengo un pariente de mucha importancia, primero espero que me reconozca de su familia".

El Nobel le decía "primo" a don Rodrigo, no porque tuvieran algún lazo familiar, sino como una forma amable de comenzar la conversación y sacarle partido a la coincidencia de tener el mismo apellido. Además su hijo también se llama Rodrigo. Al abordar las razones de la llamada, se entendieron por instinto y planearon un encuentro.

A pesar de no ser de público conocimiento este esperanzador acercamiento con el Gobierno, yo me sentía mejor atendido que la guerrilla. Mientras a las FARC las visitaba un tal Víctor G. Ricardo, comisionado de paz, a quien sólo conocía uno que otro godito viejo, nosotros comenzábamos con el pie derecho al reunirnos con el maestro Gabriel García Márquez, quien de manera altruista había aceptado ayudarle al Presidente. Él tenía claro que si el país necesitaba su sincero esfuerzo para lograr la paz, era una obligación prestar su desinteresada ayuda como mediador entre el Gobierno y la Autodefensa.

Con un interlocutor como el maestro 'Gabo' para el primer acercamiento, yo pensaba: ¡Pastrana es el hombre! Pero muy pronto demostró que no. Me equivoqué y hasta el Nobel comenzó a desconfiar del Presidente. Antes que yo. El escepticismo del Estado Mayor de la Autodefensa frente a Pastrana siempre se mantuvo y yo continuaba defendiéndolo porque creía haber acertado al confiar que con él se iba a terminar la guerra.

La primera reunión con el maestro de la literatura mundial García Márquez se llevó a cabo en ciudad de México y asistió don Rodrigo en compañía de su hijo. Recuerdo una anécdota de la primera carta que le escribí al Nobel. En ella le manifestaba que yo ejercía total autoridad sobre las fuerzas civiles antisubversivas no estatales en Colombia —en ese momento la unidad y subordinación en las AUC eran plenas, hoy no tanto. Cuando el maestro terminó de leer mi mensaje, miró a don Rodrigo y le comentó: "Dígale a Carlos que esta carta está muy bien escrita". Mi satisfacción era inmensa cuando me lo contaron. En ella le solicitábamos al Presidente que no se otorgaran concesiones desenfrenadas a la guerrilla e iniciara diálogos con nosotros. En un principio sentimos que él, Pastrana, en algo nos escuchó y nos tuvo en cuenta.

La segunda reunión sugnificativa se llevó a cabo en el Palacio de Nariño entre el presidente Andrés Pastrana y don Rodrigo García. Elaboré una misiva para el primer mandatario y cuando escribía recordé a papá Castaño que decía: "A Colombia lo arregla un presidente conservador y joven" Imagínese el tono y los términos del mensaje. Cuando Pastrana leyó mi carta le dijo a don Rodrigo: "La negociación con Carlos Castaño debe durar una tarde".

El viejo, también bien godo, añadió emocionado: ¡Claro!

Luego se efectuó la segunda reunión entre el Nobel y don Rodrigo. Para esa época el maestro ya evidenciaba su delicado estado de salud y cuando llegó a visitarlo mi emisario, el escritor le dijo a su llegada: "¡No te asustes primo que no es un fantasma lo que estás viendo!" El maestro se veía más delgado de lo normal por el tratamiento que adelantaba para recuperarse. Desde ese instante el Gobierno nos transmitió el mensaje de que pronto se iniciarían los diálogos con nosotros. Aunque el tiempo transcurría y a lo nuestro el Presidente nunca se refería de manera oficial, yo seguía con las esperanzas vivas y creyendo en Pastrana. En la reunión, el maestro Gabriel García Márquez organizó un encuentro en España con el ex presidente Felipe González, como un favor que 'Gabo' le rendía al Presidente, el último eso creo yo. Ya comprenderá por qué.

Antes de terminar la reunión el Nobel le dijo a don Rodrigo: "Yo veo a Carlos como un Quijote". Al conocer estas palabras intenté reflexionar pero fue imposible; seguía con mi pastranismo alborotado.

A Madrid viajaron en representación de la Autodefensa don Rodrigo y Hernán Gómez. Allí se les unió un intelectual de la academia europea que colabora con la organización. Aunque sabíamos que nos confundirían con los GAL, optamos por asistir. El ex presidente Felipe González fue honesto y pragmático, habló claro sobre lo que él consideraba nuestra obligación: contribuir con el presidente Andrés Pastrana. Todas sus preguntas indagaban por la posibilidad de despejarle el Sur de Bolívar a la guerrilla del ELN. Uno de los asistentes a la reunión, que duró cerca de tres horas, le expresó a Felipe González: "Hay algo muy importante: cualquier decisión que se tome respecto a esta zona para el ELN debe tomarse pensando en los habitantes de la misma". Intentábamos decirle al ex presidente español que las Autodefensas defendían y respetaban el Estado pero no eran gobiernistas. Sin embargo, para el señor Felipe González nosotros debíamos ayudarle al Presidente y, según él, al final algo nos quedaba a nosotros. Las palabras del ex mandatario preocupaban y causaban un gran desánimo entre mis amigos que se sintieron tratados de manera equivoca como apéndices del Gobierno colombiano. Yo creía que el proceso de paz iba por buen camino y que mi obligación era dejarlo avanzar y hacerlo crecer. ¡Dios mío, qué equivocado estaba!

En conclusión, Pastrana nos convocó a España para que después de la reunión en el despacho del expresidente González, aceptáramos el despeje para el ELN en el Sur de Bolívar. En cuanto al Gobierno, el mensaje continuó siendo el mismo: "Muy pronto se iniciarían diálogos con la Autodefensa". Nuestra posición siempre fue la de permitir el despeje del Sur de Bolívar si la guerrilla del ELN efectuaba un cese de hostilidades y concentraba sus reductos en esa zona desmilitarizada. A partir del gesto, la Autodefensa entraría a ser parte del proceso de paz como el tercer actor.

Después del encuentro en Madrid don Rodrigo me dijo: "Mi intención consistía en ayudar a Colombia evitando que ustedes resultaran un problema para el Presidente pero ahora dudo de estar haciendo lo correcto".

A mi juicio, don Rodrigo creyó que con su autoridad moral, su indiscutible experiencia y buen olfato podría persuadir al Presidente pero cuando él se convenció del férreo criterio de Pastrana, aunque fuera para equivocarse con nosotros y con el país, entendió que ya no había nada que hacer y decidió no formar parte de ninguna nueva misión. Pero por respeto al maestro Gabriel García Márquez y consideración con su sincero esfuerzo por avanzar hacia el fin de la guerra, asistió a la última reunión con el Nobel en Bogotá. El maestro seguía ayudando al Presidente pero ya sentía que no había mucho por hacer, y así se lo hizo saber al viejo. Las concesiones desenfrenadas a las FARC se dieron y las críticas al proceso de paz sin resultados tomaron fuerza. En ese instante el maestro daba más de lo humano, intentando poner a andar un proceso en serio y le dijo a don Rodrigo García: "Ya no creo en el presidente Pastrana".

Por esos días el maestro continuaba recuperándose de su quebranto de salud y salía a caminar por un pequeño parque acompañado de su chofer, don Chepe. Después de esa reunión reflexioné sobre otro comentario del Nobel: "Me sorprende mucho ver a Carlos tan confiado y optimista frente al gobierno y el proceso de paz".

Cada vez que don Rodrigo asistía a estas reuniones, la expectativa no me permitía dormir. Pero el desaliento se convirtió en la constante. Todavía sueño ver llegar al viejo con la buena nueva, después de haberse reunido con el maestro: "Se acabó la guerra y vamos para el Congreso".

Castaño alcanzó a oír un helicóptero que se aproximaba e interrumpió:

—¿Lo alcanza a escuchar?

—¿Escuchar qué? —le contesté, pues me encontraba concentrado en su relato y el ruido de la selva.

Saltó de la hamaca y se salió de la choza para gritar:

—¡Cuidado con darle bala al helicóptero que viene! ¡Es amigo! 'H2', infórmele a la tropa que va a aterrizar aquí cerca.

Cuando salí de la choza para escuchar las aspas del aparato, Castaño dijo:

—Olvidé avisar de la visita del doctor Mario Fuentes. Como se encontraba cerca, esta mañana decidí enviar un helicóptero a recogerlo.

—¿Quién es el doctor Mario Fuentes?

—Un diplomático de la Autodefensa. Él fue otro delegado nuestro en las conversaciones con el Gobierno. Ingeniero civil educado en las buenas universidades de la antigua Unión Soviética y especializado en Europa. Lo conocí vía Internet hace tres años. Me comentó cómo fue víctima de la guerrilla, y siguió escribiendo. Sus planteamientos me interesaron y me acerqué a él.

Esta mañana leía la revista Cambio y decidí llamarlo para que hablara con usted.

Minutos más tarde, 'H2' se acercaba con el doctor Mario, en una camioneta.

—¡Buenos días, Comandante! —saludó el ingeniero.

—¿Cómo está, doctor Mario? —contestó Castaño. Le presento al periodista de quien le hablé. Sólo lo vamos a molestar un rato para que nos cuente cómo fueron los encuentros con el Gobierno.

Castaño comenzó el relato:

—Una mañana, Luis Carlos Ordosgoitia congresista por el departamento Córdoba, me buscó para darme un mensaje del presidente de la República. Recibí al representante a la Cámara por el Partido Conservador ya que es un hombre de confianza del presidente Pastrana. Me comunicó que el Primer Mandatario deseaba hablar con las Autodefensas y ésta era la razón que me enviaba: "Quiero que alguien de primera línea en las AUC se reúna con otra persona del Gobierno con las mismas características".

Ya se habían dado los acercamientos con el Presidente Pastrana a través de don Rodrigo y el maestro Gabo, pero ésta sería la primera conversación entre el Gobierno de y nuestra organización. Se dio en el Gun Club de Bogotá. En representación del Presidente asistió el canciller Guillermo Fernández de Soto y de la Autodefensa, el doctor Mario. Lo que se discutió ahí se lo comentaría *el doctor Mario, quien ofició desde la primera hasta la última conversación como nuestro delegado. Después de escucharlo comprenderá por qué sostengo que el Presidente ha tenido un aliado, aunque nunca de doble vía. Públicamente me ataca y me persigue en la práctica, pero por debajo de la mesa me quiere transar para obtener mi ayuda.*

Castaño se detuvo y concentramos nuestra atención en el relato del doctor Mario:

—El encuentro con el ministro de Relaciones Exteriores fue en marzo del año 2000. A las siete de la mañana me reuní en el sitio acordado con el congresista Ordosgoitia y luego con el Canciller; me saludó amablemente y ordenó desayuno para todos. La actualidad nacional fue el tema que rompió el hielo y luego fue al grano. "El Gobierno cree que también hay que darle una salida negociada a la guerrilla del ELN pero nosotros entendemos que en la zona que solicitan el despeje— los municipios de Simití, Cantagallo, San Pablo y Yondó— existe influencia de la Autodefensa. ¿Cómo podemos darle esa posibilidad al ELN?"

Enseguida saqué papel y lápiz, dibujé un mapa de la zona, y le expliqué al doctor Fernández de Soto lo difícil que era aceptar tal propuesta: "El ELN no necesita cuatro municipios y menos con distancias tan amplias entre ellos. Sería demilitarizar un territorio que comienza en el departamento de Bolívar y termina en Antioquia, lo que acabaría siendo un despeje no para la guerrilla del ELN sino para las FARC. A través de ese corredor podrían avanzar hacia el norte del país y se les pondría a disposición toda la ribera del río Magdalena. Las FARC lograrían llegar a Barrancabermeja, algo sumamente riesgoso. Pero en aras de brindar condiciones, nosotros le recomendamos al Gobierno otro despeje, sólo en dos municipios, Simití y San Pablo, o Cantagallo y San Pablo".

El comandante Castaño me había autorizado a insinuar esta propuesta como una alternativa para el Gobierno frente a la propuesta del ELN. El canciller calló y luego le pregunté lo que le interesaba a la Autodefensa: "¿Y qué vamos a recibir a cambio al permitir este despeje?"

—¿Qué pretenden ustedes? —contrapreguntó.

"Nosotros le pedimos al Gobierno el inicio de una negociación tripartita en el proceso de paz que incluya al Gobierno, las guerrillas y las Autodefensas, lo que implica *status* político y sus efectos".

"Eso es imposible en este momento, dijo el Canciller. Sólo lo veo viable cuando se afiance el proceso de paz con la guerrilla y, para consolidarlo, necesitamos esa zona de despeje que solicita el ELN".

Ambos hicimos una pausa y se me ocurrió decirle: "Con respecto al proceso del ELN nosotros creemos que se deben poner ciertas condiciones, para empezar, un cese de hostilidades, pues este grupo guerrillero se encuentra derrotado militarmente, no posee ni siquiera dos mil hombres armados y permanece encerrado en un mismo territorio rodeado por las Autodefensas. ¿No es mejor que el Ejército lo combata y lo destruya, doctor Fernández?"

"En estas circunstancias las guerrillas como el ELN son peligrosas, no por la cantidad de hombres que tengan sino por el terrorismo que hacen a la infraestructura del país. En la primera semana se culpa al grupo subversivo pero en la segunda, es el Gobierno el responsable. Lo mejor es consolidar una negociación política".

Parecía que todo estaba dicho en ese desayuno; hasta el canciller cambió de tema para hacernos varias recomendaciones: "Deben evitar las masacres y la Autodefensa necesitará desligarse del narcotráfico si espera una salida negociada. Si no, es imposible darle una presentación internacional al caso de las AUC".

De ahí en adelante me hizo preguntas sobre la estructura y funcionamiento de las AUC, de todo lo que le respondía tomó nota. Al terminar la reunión concluí que el Gobierno sólo buscaba nuestra ayuda para despejarle el Sur de Bolívar al ELN.

En esa reunión se planeó la siguiente y se acordó que me reuniría con el Estado Mayor de la Autodefensa para comunicarle lo discutido. Los comandantes recibieron con incredulidad los resultados del primer encuentro con el Gobierno. Sólo el comandante Castaño estuvo conforme con lo sucedido y recomendó el despeje de por lo menos dos municipios. Recuerdo como les insistió a las del Estado Mayor: *"Hay que ayudarle al Gobierno"*.

La propuesta de los dos municipios tomó fuerza pero el comandante Salvatore Mancuso advirtió el peligro rendirle los municipios a la guerrilla y propuso despejar solo el Tiquicio.

Entonces intervino el comandante Julián: "Si entregamos los dos o los cuatro municipios, el ELN deja que las FARC paralice a Colombia en 72 horas. Taponan la troncal del Magdalena, principal autopista hacia los puertos marítimos, y en Barranca suspenderían el bombeo de gasolina de la primera refinería del país". La última propuesta se sometió a votación y la decisión fue despejar sólo un municipio, el de Tiquisio. Terminada la cumbre de comandantes, Carlos me dijo en privado: *"Ofrézcale al Gobierno los dos municipios, que yo trabajo esto con el Estado Mayor para establecer una nueva votación y aprobar el despeje como se lo habíamos sugerido al Gobierno".*

La segunda reunión con el Gobierno se realizó veinte días después. De nuevo en el Gun Club. Por esos días habían ocurrido unas fuertes incursiones de la Autodefensa en el Putumayo, y Guillermo Fernández de Soto comenzó la reunión pidiéndome explicación por lo sucedido. Me dijo: "Hay que parar estos ataques que son poco convenientes para las conversaciones que estamos sosteniendo".

En el Estado Mayor se había acordado detener las incursiones de la Autodefensa para propiciarle buen ambiente al diálogo con el Gobierno y esto lo puse en conocimiento del canciller Fernández de Soto en ese momento. De manera unilateral creamos el primer compromiso con el Gobierno del presidente Pastrana.

Luego le reiteré la propuesta de la Autodefensa, despejar solamente los dos municipios: Simití y Cantagallo o Cantagallo y San Pablo. Le manifesté también una nueva alternativa, un solo municipio, Tiquicio.

En esa reunión no se avanzó. Permanecíamos en el mismo punto porque el canciller sólo nos dijo: "Voy a transmitir la contrapropuesta al ELN".

Después nos enteramos por otros medios de que la respuesta a la alternativa ofrecida, fue una gran carcajada de Antonio García, comandante del ELN. Ellos siguieron exigiendo los cuatro municipios que las Autodefensas ya les habían quitado en el campo de batalla.

Pasó más de un mes y no escuchamos noticias del Gobierno. Sin embargo notamos que el ELN se mostraba cada vez más fuerte en sus declaraciones; como si se le hubiera aprobado el despeje. En la comunidad internacional regaron el cuento de que ya estaba todo listo. Interpretamos el silencio del canciller Fernández como una forma de ignorarnos. Algo sucedía y era que el decreto de la zona de despeje para el ELN estaba firmado, sólo faltaba hacerlo público. El comandante Castaño se enteró y convocó una reunión urgente del

Estado Mayor donde expresó: *"Todo indica que el Gobierno nos ha estado utilizando. Nos quieren mantener quietos, mientras le entregan la zona a la guerrilla".*

Entonces se decidió promover un paro en contra de la zona de despeje para el ELN. Teníamos que hablar con las comunidades en la zona y llegar a un acuerdo para la masiva movilización. Cuenta Julián, comandante del Sur de Bolívar, que en la Autodefensa nadie sabía organizar un paro y fue la comunidad la que lo trazó, pues le dijeron: "No se preocupe comandante, que cuando la guerrilla mandaba en la región, nos enseñó cómo adelantar un buen paro".

El Gobierno desestimó la primera movilización, pero con el paso de los días se acrecentó el bloqueo gracias al apoyo de los habitantes de la zona. Al completarse diez días de paro surgireron nuevas protestas en otros lugares del país contra los efectos del primer paro. El país comenzó a vivir un caos en sus principales vías. Los transportadores fueron bloqueados y resultaron muy afectados por el taponamiento de la troncal del Magdalena. Ese día comprobamos lo desastrozo que resultaba un paro en aquella región, y con mayor fuerza se mantuvo la posición de no entregarle la zona a la guerrilla.

El paro tomó unas dimensiones que ni nosotros mismos nos imaginamos. Entonces, ahí sí, volvió a aparecer el canciller Fernández a través del parlamentario Luis Carlos Ordosgoitia, quien por teléfono me dijo: "Estoy con el Presidente y con el señor con el que nos reunimos". No le gustaba mencionar al ministro Fernández pero de igual manera me lo pasó. Nos saludamos y el canciller me preguntó: "¿Cómo solucionamos el problema en el Sur de Bolívar?"

Le contesté:

"Este paro es la consecuencia de no manejar las cosas tal cual como los dos las conversamos. Nuestras sugerencias no han sido tenidas en cuenta y no hay razones para continuar las conversaciones como se han venido dando".

Entonces el canciller replicó:

"Pero nosotros creemos que todo está igual, lo conversado se ha respetado y tenemos intenciones de seguir reuniéndonos pero necesitamos que se levante el paro lo más pronto posible, ya que el Presidente se encuentra preocupado por las consecuencias que ha acarreado".

No era el momento para recriminar al Gobierno sus intenciones a espaldas nuestras. Era necesario volver a aparecer atractivos para futuras conversaciones. Reflexioné sobre la gravedad del paro y le comenté al Ministro: "Déjeme, yo hablo con Carlos Castaño y le aviso qué se puede hacer".

Al comunicarme con el Comandante, le sugerí levantar como fuera el paro pues el objetivo ya estaba cumplido, restableceríamos los diálogos con el Gobierno, pero me contestó: "*Este paro ya adquirió vida propia, doctor Mario. Será cada vez más difícil terminarlo. Hablaré con el comandante 'Julián' y le aviso*".

En ese momento Castaño interrumpió solicitando mi atención:

—*El paro se creció de una manera impresionante. El movimiento civil "No al despeje" mantenía bloqueada la troncal del Magdalena Medio en varios lugares y ocurrieron otras protestas no relacionadas con la nuestra, como una marcha de paneleros en Bogotá, una por servicios públicos en Barranquilla, otra en la Guajira por el presupuesto departamental y otra en Caucasia por un desembolso que la Nación aún no le había realizado a la Alcaldía. A éstas se sumó una movilización de transportadores en Bucaramnaga, en contra de los bloqueos de vías producidos por el movimiento "No al despeje".*

El país estaba paralizado y el presidente Pastrana me mandó decir con el doctor Mario: "Tenga sensatez: usted sacó esa gente, pues ahora llévesela de regreso".

Yo sabía lo comprometida que estaba la gente con el paro y lo difícil que sería solicitarles que lo suspendieran. Entonces le envié otro mensaje al Presidente: "Reconozco que fui el promotor de ese paro pero lo que comenzó siendo un movimiento local de protesta social justa, desembocó en otra cosa. Trataré de persuadir a esta gente, pero no será fácil". *Y el Gobierno me respondió:* "Pregunta el Presidente ¿que si usted está dispuesto a decir lo anterior por escrito y hacerlo público?

Si el gobierno se declara en comité permanente de negociación, por supuesto. El Gobierno inició diálogos y se hizo un documento en el que yo les hacía un llamado público a las organizaciones Asocipaz y movimiento "No al despeje" para que levantaran la protesta pero les metí un mico: "No obstante considerar justa la protesta, invito a los promotores de la movilización a buscar salidas distintas". *Luego llamé a los promotores y les dije:* "Señores, es mejor levantar el paro".

"Dénos una cita", *me contestaron y yo me opuse por encontrarme al margen de la ley y resultar nocivo para los dirigentes de la protesta social".*

Entonces me dijeron: "En las anteriores conversaciones, el ministro Martínez Neira nos engañó y ahora sucederá lo mismo. Nosotros estamos decididos a jugárnosla toda. No le entregaremos nuestra tierra a la guerrilla".

Uno de los dirigentes del paro me habló alrededor de quince minutos, con tal convicción que al terminar su exposición le contesté:

Señor, no lo conozco pero me quito el sombrero ante usted. Le sobra el patriotismo que a mí me falta en este momento. ¡Hágale para adelante!

Al instante se oía la gritería por teléfono, la gente celebró la continuación del paro y cuento se regó. A los 30 minutos me mandó el doctor Mario un mensaje por Internet en el que renunciaba al cargo. Llegada la medianoche lo llamé y le expliqué la situación: "para serle sincero y no decirle mentiras, la situación se salió de mis manos y no contemplo usar la fuerza".

Esa madrugada en el Nudo del Paramillo, me informaron que acababan de desembarcar dos aviones DC-3 en Necoclí. A Caucasia llegaron nueve helicópteros y por el municipio de Apartadó, otros dos aviones parecidos a los DC-10.

¡Esto se calentó! Pensé

Era obvio que los enviaba el Gobierno para presionarme y aunque me encontraba en medio de las aereonaves, no podían hacerme daño. En la inmensidad del Paramillo cabe guerrilla, Ejército, Autodefensas y si no quieren encontrarse para pelear, no lo hacen.

Esa mañana ordené que se intensificaran los bloqueos y las protestas. El Ejército conjuró bastantes movilizaciones a garrote, lo que no tuvo difusión.

Más tarde reaparece el doctor Mario, que me dice: "Comandante arreglemos esto ya. Estoy preocupado porque esto se puede tornar peligroso".

Le dije: "Gestione con el Presidente para que acepte una nueva reunión con los promotores del paro". *Ese mismo día se habilitó un encuentro en Bucaramanga entre el ministro del Interior Humberto De la Calle y varios representantes de la protesta, Asocipaz y el movimiento "No al despeje".*

La situación fue tan tensa que antes de la reunión recibí el último mensaje del maestro Gabriel García Márquez. Su altruismo y perseverancia no conocieron límites. Esta vez utilizó un intermediario serio pero inusual, lo que supe interpretar. El maestro cumplía por última vez con su deber de Colombiano al hacerle otro favor al presidente Pastrana. El Nobel se comunicó con el jefe de redacción de la revista Cambio, Édgar Téllez, y le pidió el favor de que me comunicara a través de Don Rodrigo el siguiente mensaje: "Carlos, este es el día. Lo que suceda hoy puede ser definitivo para el país y para ustedes".

No entendí el mensaje,. por inconsistente, y al haber pasado por dos intermediarios, deduje que el maestro sentía que yo no merecía tanto manoseo y que una manera de comunicármelo consistió en no llamar él directamente a Don Rodrigo y utilizar a Édgar Téllez. De hecho, hice caso omiso a ese llamado por considerarlo otra jugada de Pastrana.

En la reunión de Bucaramanga no se llegó a ningún acuerdo y el paro se recrudeció hasta el día siguiente. Los bloqueos se incrementaron y vi que tendrían un desenlace violento. Sólo había permitido cuatro armas cortas por bloqueo y gente cerca con fusiles. Después me enteré de que habían utilizado más armas de lo que yo había autorizado. Adicionalmente, continuaban las protestas en todo el país. Parecía como si todo el mundo se hubiera puesto deacuerdo con nosotros.

Llamé al comandante Julián y decidí dar reversa al ordenarle que terminara el paro para evitar una tragedia.

Julián comenzó a tramitarlo con los líderes del sur de Bolívar que permanecían escépticos. Le preguntaban ¿qué sucederá con nosotros después? Entonces se les prometió que no se realizaría ningún despeje sin el previo consenso de la población.

Este trabajo se realizó de las dos a las seis de la tarde y todo parecía marchar bien. Llamé al doctor Mario para decirle: "Comuníquele al Canciller que ya los líderes aceptaron desmontar el paro y lo efectuarán de forma gradual".

Mario Fuentes comunicó el mensaje y horas más tarde expresó preocupado el representante Ordosgoitia; "El Presidente afirma tener información de que la protesta no se ha levantando". Dígale a Castaño que el Presidente le manda a decir que utilice la fuerza si es necesario y le envía este mensaje textual: "Yo me caigo, pero me caigo con mi Ejército y usted se cae con mi Ejército".

Esto se complicó—le confesé al doctor Mario.

Hay demasiada resistencia de los líderes a levantar el paro. La gente no se quiere ir. Dígale al Presidente que envíe Ejército a la Lizama; sólo pre-

sencia, con eso yo manejo a los líderes y utilizo mi fuerza para levantar la protesta.

Llamé al comandante Julián y le advertí:

"Usted le responde al país, al presidente y a la historia si deja que ese paro continúe. ¡Me levanta eso ya!. Llamé también a los comandantes que controlaban los bloqueos como el de Boyacá y les hablé en el mismo tono. Y aún me decían: "Comandante por qué no miramos...".

Al final de la noche Ordosgoitia llamó de nuevo: "El Presidente se volvió a comunicar conmigo para decirme que el paro aún no se termina".

Le respondí que confiara en que esta noche comenzaría a fluir el tráfico y que efectivamente al otro día a las seis de la mañana todo volvería a la normalidad. Así fue.

Hicimos una pausa para servirnos la cuarta taza de café y le pregunté al doctor Mario: ¿Usted renunció definitivamente o volvió a reunirse con el Gobierno?

"¡Volví! Nos reunimos con el Gobierno otra vez, tal cual lo imaginábamos. El tercer encuentro entre el Gobierno y las Autodefensas fue en el apartamento del congresista Luis Carlos Ordosgoitia.

El canciller insistió de nuevo en darle la zona de despeje al ELN y me explicó:

"Esta zona de encuentro será distinta al Caguán. Existirá un reglamento especial que les enviaré para que lo lean. Realizaremos una significativa inversión en la zona y estableceremos veeduría internacional. En este territorio se tendrá otro tipo de manejo, nos prometía".

Nosotros le insistimos al Gobierno que no desconociera la opinión de la población civil de la zona que estaba decidida a no permitirlo y le revelé el fondo del radicalismo de los habitantes del Sur de Bolívar.

"Quizás usted no sepa esto pero se lo diré para que entienda la inconveniencia del despeje. Los campesinos, con ayuda o sin ayuda nuestra, no permitirán la desmilitarización de la zona porque están en juego sus vidas: El ELN les prestó 3000 millones de pesos para que cultivaran hoja de coca y a cada jefe de hogar le dio cinco millones de pesos. Estamos hablando de cinco mil familias que sembraron sus predios con cultivos ilícitos. La guerrilla esperaba el momento de la cosecha para cobrarles a los campesinos, manejar toda la producción de hoja de coca y recibir las utilidades. Lo que no calculó el ELN fue la derrota militar que le dio la Autodefensa en su histórico territorio para después quitárselo, tomando el control de esas 20 mil hectáreas de coca que los campesinos habían sembrado en el Sur de Bolívar.

Al entrar a la zona, lo primero que hizo la Autodefensa después de expulsar a la guerrilla fue condonarles la deuda a todos los campesinos. El mismo comandante Carlos Castaño les dijo:

"De hoy en adelante ustedes no le deben nada al ELN, y nosotros les vamos a dar la protección para que la guerrilla no tome represalias contra ninguno".

Desde ese momento les cobramos un impuesto y ahora trabajan más tranquilos en su cultivos que —sobre decirlo— son de supervivencia. Hoy sólo temen el regreso del ELN, gracias a un despeje autorizado por el gobierno, lo que sería servirle la venganza a los guerrilleros. Ajusticiarían a la gente por haber aceptado a la Autodefensa o mejor por ser "traidores a la revolución".

El Canciller me escuchó y tomó notas sin mostrarse sorprendido, pero yo noté que no conocía a fondo la problemática de la región y que escondía la supuesta intención de paz del ELN al empecinarse en el despeje de esos cuatro municipios rodeados de cultivos ilícitos.

Mientras tanto el Ministro nos informó que su esposa estaba dando a luz: "Debo irme a la clínica pero no se vayan, continuaremos la charla". Una hora más tarde regresó feliz. Ya era padre de familia, pero su entusiasmo no le dejaba ver y entender lo que yo le había acabado de revelar.

Durante el resto de la tarde enfatizó en la necesidad del despeje y argumentó que el Gobierno protegería la población civil pero —para sorpresa del Ministro— yo tenía orden de manifestarle que la Autodefensa había endurecido su posición y ahora sólo permitiría que se despejaran las cabeceras de dos municipios, para que las AUC asegurara la población y conservara la influencia sobre la gente.

El Canciller me dijo, asombrado:

"Voy a consultarle al presidente".

Pero nosotros sabíamos que las decisiones las tomaba él mismo, él era el poder detrás del trono. Tal fue la impresión que me generó durante las conversaciones y frente a los hechos que ocurrieron después.

Al término de esta conversación se enfriaron las relaciones nuevamente. No volvimos a tener contacto con el Gobierno y el Comisionado

275

de Paz Camilo Gómez comoenzó a dialogar con el ELN. Luego decidieron avanzar hacia el despeje e ignorar abiertamente a la Autodefensa. ¡Craso error!

El canciller creyó que sin nuestro consentimiento se podía llevar a cabo y por nuestra voluntad al diálogo no tomaríamos determinaciones militares para prohibirlo.

Me reúno con el comandante Castaño y le doy mi opinión de lo que venía sucediendo:

"Estas conversaciones no producirán nada. La experiencia del Canciller en la Cámara de Comercio lo ha convertido en un conciliador experto. Yo me considero igual de bueno y en tres reuniones no hemos llegado a nada, por lo que creo me está utilizando a mí y a la Autodefensa. No vale la pena seguir así. Carlos pensó y me dijo:

"Aquí hay que hacer algo. Espere y verá".

Pocos días después me enteré del secuestro de siete congresistas. Lo llamé y le pregunté:

¿Eso ibas a hacer?

"Sí. Ahora el Gobierno no tiene otra opción que hablar conmigo".

Un día después de las retenciones apareció de nuevo el Canciller buscando una nueva reunión con la Autodefensa. Los encuentros siempre fueron cordiales de lado y lado. Recuerdo que me dijo: "tiempos sin verlo". Y yo le contesté:

"Me puede ver cuando quiera, Canciller, en cambio yo a usted, no". Así comenzó la cuarta reunión entre el Gobierno Pastrana y la Autodefensa.

¿Por qué secuestraron a los parlamentarios? —me preguntó.

Le respodí en tono crítico:

"Ustedes con el ELN hablan cuando les tumban las torres de energía, les vuelan oleoductos o les bloquean carreteras. Sucede lo mismo con las FARC, cuando les destruyen estaciones de policías, matan soldados o secuestran agentes. Pero con nosotros sólo se habla para pedirnos ayuda. Nos hemos convertido en la querida, en la amante que tienen por allá escondida y que sólo visitan cuando la necesitan. Si no hubiéramos efectuado los secuestros no estaríamos hablando".

Pasaron cinco segundos en los que el Canciller permaneció callado. Creo que pensó que yo tenía razón. Discutimos alternativas para la liberación de los parlamentarios y le di el mensaje de Carlos Castaño: *la libertad de los congresistas está condicionada a que se reúna con él un ministro de primera categoría, empezando por el doctor Fernández.*

"Yo no puedo", replicó de inmediato el Canciller.

La reunión se suspendió pero, durante horas, mi teléfono no paró de trimbrar. Al hablar con Carlos, le recomendé entregar a los parlamentarios y le pedí que me dijera algo definitivo pues no soportaba la presión. Sólo me dijo: *Apague el celular y se acaba la llamadera".* Me comentó que ofrecieron al ministro de medio ambiente para hablar conmigo, *"¡no sirve!",* exclamó y continuó: *"ofrecieron el de minas pero no es la persona indicada".*

Por el conducto de don Rodrigo García el Gobierno hizo estos ofrecimientos pero Carlos Castaño quería al ministro del Interior y lo consiguió. El ministro Humberto de la Calle Lombana se reuniría con Carlos Castaño, comandante de las Autodefensas Unidas de Colombia, en un paraje del Sur de Bolívar, paradójicamente en el mismo sitio que el ELN exigía al Gobierno el despeje.

Después de la entrega de los parlamentarios, Carlos resolvió que no existían condiciones ni confianza para dialogar con el Gobierno. Pero meses después recibí un mensaje del Canciller a través de Ordosgoitia y recordé una constante en los encuentros; siempre dijo: "Los diálogos abiertos con la Autodefensa los debe sugerir la comunidad internacional, pues no será bien visto que desde Colombia se lance esta propuesta". Esto nos decía el Canciller pero nosotros sabíamos que el Presidente temía que las FARC se levantara de la mesa si establecía diálogos con la Autodefensa. El mensaje del Canciller a través de Ordosgoitia fue claro:

"El gobierno les solicita que se reúnan en Cancún, México, con el ex canciller de España Abel Matute, que liderará un grupo de notables y de miembros de la comunidad europea que le recomendarán al presidente Andrés Pastrana adelantar diálogos con las Autodefensas Unidas de Colombia".

Interrumpí nuevamente al doctor Mario y le pregunté a Castaño: ¿Aún creía en la voluntad del Gobierno a pesar de lo sucedido?

¡Como no creer! exclamó.

"Siempre hay que mantener la esperanza. Además, en otra comunicación el Canciller le dijo al doctor Mario: "Ha llegado el momento de

abrirle unos espacios a la Autodefensa. Siempre hemos creído que ustedes son parte de la solución y queremos que ustedes hablen con el señor Abel Matute".

El doctor Mario no tenía visa. Entregó su pasaporte al Canciller y en menos de dos horas se efecturaron los trámites necesarios. Razones para ver con buenos ojos la voluntad del Gobierno.

¿Entonces usted viajó a México? —le pregunté al doctor Mario. "Ese viaje se organizó de un día para otro. La reunión ocurrió un sábado en el hotel Bahía Prince en Cancún. Yo había llegado el día anterior, me registré y desde la habitación pedí a la recepción que me comunicaran con el señor Abel Matute. Enseguida llamaron a la habitación, él mismo alzó la bocina y saludó: "¡Qué tal! Acabo de llegar con mi hijo de pescar en el mar y estoy hecho polvo. Mañana podríamos reunirnos alrededor de las ocho de la mañana. Yo ya sé en qué habitación está. Mañana lo veo a esa hora, ¿le parece? "

A la hora acordada llegó a la habitación. Le abrí y dijo: "¡Buenos días!"

Ingresó rápido y sugirió:

"No es bueno que nos vean en público. Nos pueden tomar una foto o descubrir".

Caminó hasta la mesa auxiliar de la habitación donde se encontraba un reproductor de CD portátil. Lo tapó con un servilleta de tela y preguntó: ¿Está grabando?

Me causó gracia su prevención y le aclaré que no. Se sentó y dijo: ¿usted sabe quien soy yo?

Le contesté que un español muy importante y me interrumpio presentándose:

"Yo fui, hasta hace seis meses, el ministro de Relaciones Exteriores del presidente Aznar y durante el gobierno de Felipe González, también". Matute se refería al presidente español como alguien de confianza y me dijo que actualmente era el canciller de España ante la Comunidad Económica Europea. De entrada comenzó a criticar las actuaciones de las Autodefensas, refiriéndose a ellas como "los paramilitares"

"Está muy mal hecho que ustedes no pelen con la guerrilla y se 'carguen' los civiles en masacres indiscriminadas". Después de terminar una extensa crítica noté que no conocía mucho sobre las Autodefensas Unidas de Colombia. Entonces les expliqué nuestro origen, el norte político-militar y que muchos de los muertos de las masacres son guerrilleros vestidos de civil, porque en Colombia se vive es una guerra irregular y muy particular que amerita un análisis más profundo. Entonces me preguntó:

¿Cuál es la voluntad de Carlos Castaño para conseguir la paz?

"La que se necesita para acabar la guerra. No estamos dispuestos a negociar antes de que la guerrilla lo haga y tampoco esperamos un tratamiento distinto al que se le ha dado a las FARC. Con respecto al Sur de Bolívar, no estamos dispuestos a despejar el territorio para el ELN sin unas condiciones sensatas ".

Matute hizo entonces la misma petición del Canciller:

¡Pero necesitamos el despeje para el ELN...!

Al instante me desilusioné y entendí que no hablaríamos nada nuevo. Su petición del despeje parecía concertada con el gobierno Pastrana. Comprendí que Abel Matute se reunía con las AUC para hacerle un favor al Canciller y al Presidente, no para incluir a las Autodefensas en un proceso de paz como tercer actor del conflicto.

Al final habló el famoso grupo de notables entre los que incluía al Nobel Gabriel García Márquez y varias personalidades europeas que no mencionó. Por la forma en la se pronuncio sobre este tema, percibí que si la Autodefensa no permitía el despeje a la guerrilla del ELN, él no brindaría su ayuda a través de la comisión de notables. Me sentí chantajeado. Él prosiguió:

" Yo le creo a usted, pero deseo hablar con Carlos Castaño".

Le contesté que no existía inconveniente y que el comandante accedería. Pensé que viajaría a Colombia, pero me aclaró su propuesta con una pregunta.

¿Carlos Castaño iría a España?

Siendo algo tan serio, si usted le garantiza la seguridad, él no tendría inconveniente, le dije.

"Con su presencia se adelantarían reuniones con funcionarios del gobierno francés, belga y suizo".

Esa mañana se planeó el posible viaje de Carlos Castaño a España el 15 de enero del año 2001. Antes de despedirnos me dijo:

"Nuestro canal de comunicación seguirá siendo el Canciller".

Yo le recordé la cita:

"Entonces nos veremos el próximo 15 de enero en España con Carlos Castaño. Usted aclara detalles con el Canciller y nosotros viajamos a España por nuestros propios medios".

Cuando le conté a Carlos el resultado de la reunión. Dijo: *"Hombre, no tengo vestidos oscuros. Necesitaré comprar algunos para viajar a España.*

De ahí en adelante comenzamos a planear el viaje en un avión privado con autonomía de vuelo hasta las Islas Canarias y de allí ya estabamos en España.

—¿Pero usted de verdad pensaba ir a España con los riesgos que implicaba? —le pregunté asombrado a Carlos Castaño.

Aún no me comunicaba con las personas que me aconsejan en Europa. Pensaba solicitar un compromiso público y por escrito del Gobierno que me asegurara no ser traicionado por Pastrana. Le alcancé a decir al congresista Ordosgoitia: "Yo me la juego y usted me acompaña".

Lo contemplamos porque el encuentro en Madrid resultaba significativo para la legitimidad de la Autodefensa y una estocada para las FARC, más relevante que ganarle 500 batallas con fusil. Pero durante el mes de diciembre no volvimos a saber nada del Canciller ni de Abel Matute y el único mensaje que recibí del Gobierno a través de Ordosgoitia fue: "El presidente le manda a decir que él ha tenido un gesto muy importante con usted y que le pide su colaboración con el despeje en el sur de Bolívar".

Lo que había sucedido hasta entonces parecía raro y concluí: ¡El presidente juega sucio y me está tratando de transar! Si así se relaciona conmigo qué habrá hecho con las FARC. ¡Dios mío!

Estuve tentado a despejar el sur de Bolívar. Hasta llegué a decirles cómo se debería realizar, siendo casi un traidor a mi causa. Me pregunté: ¿Así es cómo jala el poder? ¿Así es que todos tenemos un precio?

Ante una propuesta sucia de un presidente, uno se deja seducir muy fácil. Pero Dios es grande y me iluminó. Creo que me alcanzó a decir: ¡Compórtese, hombre!

Convoqué al comandante Julián a la selva del Chocó, donde me encontraba, y le dije:

"En el Gobierno no existe una intención distinta a la de expulsarnos del sur de Bolívar a como dé lugar. Y oigame bien, comandante, nosotros no nos vamos a dejar".

El Presidente, confundido otra vez, esperaba que yo me comportara como un "paraestatal" y él conmigo, como un enemigo. Mientras nos enredaba con el cuento: "Habrá negociación con las AUC pero más adelante..."

Por esos días un amigo y catedrático español consultó con una importante ONG europea y éstos me dieron un consejo tajante: "Tenga cuidado con la justicia internacional, que apenas se está inventando, y usted reúne las condiciones para un ensayo".

Otro amigo francés me advirtió:

"Ojo, es un riesgo viajar y el juez Garzón ya detuvo a Pinochet..." *¡De nuevo me dejé llevar por las ganas de terminar la guerra! Disculpe la interrupción doctor Mario. Continúe con la historia:*

El presidente seguía intentando desmilitarizar la zona sin éxito. Pasó todo el mes de enero sin nuevos contactos con el Gobierno, hasta que nos volvieron a necesitar.

Se llevó a cabo la quinta y última reunión entre el Gobierno y la Autodefensa en el hotel Santa Clara de Cartagena durante la primera semana de febrero, un jueves en la noche. El hotel no tenía habitaciones disponibles porque se encontraba la multinacional Mitsubishi y medio gobierno hospedado allí. Me encontré con Ordosgoitia y sin demora me condujo a una habitación en el segundo piso donde atendía reuniones el Canciller. Al encontrarnos, me dijo de nuevo:

¿Qué hacemos para darle ese despeje al ELN?

Últimamente la Autodefensa había realizado fuertes incursiones militares en la zona contra el ELN. Después de dialogar más de quince minutos, Guillermo Fernández de Soto hizo una pausa y me preguntó:

¿Y al fin qué pasó con el Canciller español Abel Matute?

Me sorprendió su pregunta porque demostraba que Matute y él no habían vuelto a discutir de la propuesta del grupo de notables o que se estaba haciendo el loco.

Le respondí:

El señor Abel Matute se había comprometido por intermedio suyo a coordinar los detalles para una reunión previa y un viaje a España el quince de enero".

De nuevo me sorprendió el Canciller al decir:

¡Eso sí no es asunto mío! Ustedes pueden ir por sus propios medios a España o a donde quieran.

En otras palabras podíamos viajar a donde quisiéramos pero no contábamos con el Gobierno.

Ahora el Canciller quería desconocer que era él quien había concertado la cita entre Abel Matute y la Autodefensa.

Si el amigo del ex canciller Matute es él, ¡no nosotros!

Lo sucedido era grave. Existían dos hipótesis: el Canciller esperaba entregar a Carlos Castaño a la justicia internacional o simplemente quiso dilatar las conversaciones con la Autodefensa y conseguir que se cediera al despeje.

Durante todo este tiempo querían hacernos creer que existía una salida política, pero los hechos nos contestaban lo contrario.

Luego intervino Castaño, se puso de pie y dijo de manera enfática:

"Cada que analizo lo sucedido, concluyo que el presidente Andrés Pastrana ha utilizado las AUC cada vez que ha querido, como si fuéramos el Rottweiler del Palacio de Nariño; nos saca para asustar y lo vuelve a encerrar simbólicamente. Pero a Pastrana se le olvidó que tenemos identidad, criterio y carácter frente a nuestros gobernantes.

Lo interrumpí y le pregunté:

—Si supuestamente ustedes representaban el "Rottweiler" ¿a quién pretendía asustar? Sólo se me ocurre que a la guerrilla.

Sí a las FARC. En muchas ocasiones logramos negociar con el Gobierno las absurdas exigencias que le hacía la guerrilla en contra nuestra. Y créame que en parte impedimos que el Gobierno y la guerrilla juntos actuaran militarmente contra las Autodefesas.

¡Es lo que siempre ha pretendido las FARC!

Y es la única alternativa que tiene la guerrilla para derrotar a su enemigo irregular, las AUC. Quizá ésta es una de las pocas cosas dignas de agradecerle al Gobierno Pastrana, en nombre de millones de colombianos. Sería inconcebible un Estado unido a la subversión para combatir la antisubversión civil.

—¿A qué absurdas exigencias se refiere cuando afirma que las lograron negociar con el Gobierno?

"Creo que debo explicarlo mejor. Mal podría decir que cada acuerdo y concesión entre el gobierno y las FARC, en la triste y célebre mesa de diálogo en San Vicente del Caguán, contaba con la anuencia nuestra. Pero siempre y sin excepción, cada vez que el presidente Pastrana efectuaba una de sus desmesuradas concesiones a la guerrilla, previamente nos enviaba un mensaje esperanzador. Nos amenazaba en público y nos tranquilizaba en privado.

El Presidente se encontraba convencido de que al avanzar en un proceso de negociación con la guerrilla, la antisubversión civil armada se caía por sustracción de materia. Pero ahí se equivocó. Olvida que por obligación y necesidad para supervivencia física y política del postconflicto, es indispensable que las Autodefesas participen en todas las etapas del proceso de construcción del nuevo modelo de Estado, al lado de la guerrilla y el Gobierno.

El presidente Pastrana y su canciller nos querían mantener entretenidos, sin estorbar en sus propósitos, hasta cuando ya no nos necesitara, les sobráramos o Andrés Pastrana recibiera el premio Nobel de Paz.

¡Esto no es serio y ha implicado un costo muy alto para el país!

—Al oírlo hablar así del Presidente no me lo imagino defendiéndolo ante el Estado Mayor de la Autodefensa.

Yo creía en el Presidente porque pensé que la guerrilla lo estaba engañando, pero después supe que era Pastrana el que nos tenía engañados a todos.

En su afán de obtener un logro político personalista sólo le dio concesiones a la guerrilla de las FARC y quien mantiene vivo al ELN es Andrés Pastrana porque si el Gobierno dejara, el Ejército o las solas Autodefensas se podrían comprometer a que esta guerrilla desaparece como ejército irregular en pocos meses y ahí si negociaran en serio. Pero el presidente sigue protegiéndolos, tal vez porque es la única tabla de salvación que le queda para mostrar con el derrotado y casi acabado ELN un "acuerdo de paz", un engaño. Y por eso siempre he sostenido en Colombia la guerrilla ha durado cuarenta años porque la subversión y gobiernos corruptos se han retroalimentado en una simbiosis que permite su coexistencia. Así es que la guerra enriquese a unos pocos y empobrece a la mayoría.

Andrés Pastrana ha sido el gran salvador de la desaparición política del ELN. En la serranía San Lucas al Ejército se le ha prohibido entrar y atacar de manera eficiente. Si se les permitiera, las deserciones masivas de campesinos guerrilleros cansados de la lucha se tornaría masiva.

El ELN mantiene unidos a sus hombres con este cuento: "Vamos a hacer un proceso de paz y nos quedaremos con las tierras de esta zona del país".

A mediados del mes de abril de 2000, en Semana Santa, la Autodefensa comandada por Julián intentaba expulsar al ELN de la serranía San Lucas. Los copábamos con la intención de sacarlos hacia la zona plana, donde resultaría más fácil derrotarlos. Pero en pleno operativo de las AUC incursionó el Ejército durante todo el día, desembarcaron en helicópteros artillados cientos de soldados creando una muralla entre las Autodefensas y el ELN.

Por eso digo que el presidente ha obligado al Ejército a escoltar a la guerrilla. Cada vez que tratábamos de movilizarnos por el extremo norte de la serranía San Lucas, en Campo Capote y San Pedro Frío, fuimos bombardeados o ametrallados desde el aire por el Ejército.

Hemos estado cerca de derrotar a lo que queda del ELN, pero el gobierno lo tiene asegurado, para luego hacer protagonismo en un proceso de paz.

Después vino la operación Bolívar diseñada para atacar, según el Gobierno, el paramilitarismo y el narcotráfico en la zona. En los primeros dos días el Ejército dio de baja quince patrulleros nuestros pero de ahí en adelante no sufrimos más pérdidas. La operación militar en su comienzo fue aplaudida por el ELN porque pretendía ablandar a las AUC como última esperanza para que permitiéramos el despeje, pero se tornó en un opertivo general que repercutió sobre el ELN y Las FARC también. Cuando el Ejército nos atacaba fuertemente nos acercarnos a los últimos bastiones de la guerrilla para que la fuerza pública se viera obligada a combatirlos mientras nosotros nos retirábamos de manera discreta, evitando enfrentarnos a la guerrilla.

Los comandantes del ELN se enfurecieron y se sintieron traicionados por el Presidente, quien les había prometido combatirnos.

El ELN hace tiempo dejó de ser fuerte en la serranía San Lucas; sobreviviven, no tienen más dos mil hombres y aún conservan 4000 mil fusiles porque la deserción ha sido su talón de Aquiles. Los guerrilleros se vuelan sin fusil.

La zona de despeje hubiera resultado un grave error. Quedaban con hospitales para sus heridos, también relevarían tropas desde otras zonas del país y controlarían nuevamente las 20 mil hectáreas de hoja de coca. Se fortalecerían y seguro no se encontrarían dispuestos a dialogar en serio.

He terminado por concluir que al presidente Pastrana se le olvidó algo fundamental: en un conflicto de tres actores, es muy peligroso para el tercero lo que se pacte entre dos, máxime si uno es el Estado. No fue previsivo, ni se imaginó que nosotros nos atravesaríamos cuando no estuviésemos de acuerdo con sus intenciones.

Después de encontrarse engañado por las FARC y el ELN, no corrigió su camino y fue creando una cadena de engaños a su paso. Yo creí en *todos y en todo, quizá por mi obsesión: el fin de la guerra.*

Castaño recogió su radio y algunos documentos que tenía sobre la mesa, los guardó en su morral verde, que cerró, y dijo:

—*Doctor Mario, muchas gracias por haber venido. Creo que usted tiene otras actividades y discúlpenos por interrumpirlo pero nos entenderá: era importante escucharlo.*

—Mientras me sea posible, cuente conmigo, Comandante— Le contestó Mario.

Nos despedimos y Castaño me propuso:

Acompáñeme por acá cerca. Tengo que hacerle revista a una tropa, prometí que los visitaría.

—Vamos —le dije, y retomó la palabra mientras yo me alzaba mi morral:

"Para cerrar el tema de toda la mañana, déjeme decirle lo siguiente: El presidente Andrés Pastrana cometió el mismo error histórico que la guerrilla con nosotros, considerarnos vividores de la guerra, comprables con ofertas mezquinas. De pronto algunos miembros de la Autodefensa sucumbirían pero le aseguro que la gran mayoría de nosotros somos y seremos fuerza civil antisubversiva mientras corra sangre por nuestras venas.

Con todo lo que pasó, me he convencido de que a la gente del poder de Colombia siempre les ha gustado que exista paramilitarismo, pero no Autodefens. on criterio patriótico.

Carlos Castaño con sus AUC.

XXI

MI MATRIMONIO

Antes de abandonar el sur de Bolívar en un avión privado que me condujo hasta Bogotá, le dije a Castaño: "Le recomiendo para el libro una foto de los novios y el cura en plena ceremonia". *"Cuente con la foto que yo convenzo a Kenia".* El 16 de mayo, un día después de la boda le escribí un correo electrónico para preguntarle cómo había transcurrido la celebración y qué opinaban sus hijos y su primera esposa del segundo matrimonio. Sabía que la luna de miel la había aplazado unos días y que de inmediato contestaría. Horas más tarde me escribió:

"No se realizó una farra o rumba sino una reunión de amistad, hermandad y amor en familia. Hubo un bufé de comida ligera campestre, diez botellas de vino rojo francés, dos de whisky y un solo músico. Un querido catedrático de filosofía de la Universidad de Caldas, virtuoso interpretando el órgano, en especial música clásica. Nos reunimos en una casa con las comodidades de un apartamento de la ciudad. Un lugar donde termina la llanura del Sinú y comienza la selva del Paramillo. Ese día Kenia lucía hermosa.

Considero providencial el haber encontrado una mujer que me convirtió otra vez en un niño lleno de esperanza. Nuestro matrimonio representa amor pero también aventura. Nos espera un incierto futuro dentro del dilema de mi vida y la de quien permanezca a mi lado. Esto le expresé a Kenia cuando le ponía la argolla, ese círculo de confianza. Me miró, me regaló una sonrisa y me dijo con certeza abrumadora:

"Nuestra vida no es un dilema, sino amor, un solo día que lo vivamos juntos es suficiente para ser feliz".

¡Cuán romántica...! Espéreme, iré a darle un beso y regresaré al computador.

El día de mi boda dije al padre que yo sólo anhelaba la bendición de mi matrimonio. Para mí, el ritual católico es de suma importancia porque me parece que une a la pareja. También es vital para mis suegros. Este matrimonio fue un acto de fe y sólo es protocolario ante la Iglesia; como usted sabe, el proceso de separación con la madre de mis hijos aún no concluye.

¿Me pregunta qué dijeron mis mandrilcitos? Contaré algo: Con mis hijos, el tema de mi segundo matrimonio es natural. Yo siempre he sido el mejor amigo de mi ex esposa, somos los padres de nuestros hijos y ellos saben que tanto mi amor hacia ellos como mi gratitud y respeto por su madre son inquebrantables e inigualables. A pesar de la distancia con la niña y el pelao, mantengo una relación armoniosa y fraternal con ellos. Como cualquier padre honesto y justo con sus hijos. Permanentemente hablamos e intercambiamos mensajes vía Internet. En este ambiente ocurren momentos gratos y anecdóticos a diario como en los hogares donde existe amor.

Kenia me dijo antes de casarnos:

"¿Amor, por qué no nos escapamos a Europa y nos cambiamos el nombre para que nadie vuelva a saber de nosotros?"

Con aquellas palabras percibí que estaba enamorada de mí y no del personaje Carlos Castaño. Hay momentos en los que me parte el alma verla en el monte para arriba y para abajo conmigo. Cualquier mujer no se le mide a esto. Hoy somos inseparables.

Castaño finalizó su mensaje anunciándome que estaría fuera de línea durante los próximos tres días. Le escribí la última pregunta para cerrar el capítulo del matrimonio:

¿Qué comandantes de la Autodefensa que no conozco asistieron a la fiesta?

"Estuvo Jorge 'Cuarenta', uno de mis mejores amigos, nieto e hijo de militar que también hizo parte del Ejército; joven de hogar católico, buen padre y esposo. Vallenato de nacimiento y de profundas costumbres caribeñas, actualmente maneja la Autodefensa en los departamentos del Magdalena, el Cesar y la Guajira. Lleva ocho años en la organización y viajó al departamento del Arauca, para asumir allí funciones de comandante.

Asistió también Pedro Ponte, un joven profesional antioqueño. Su familia es de empresarios del transporte y él es un líder natural en el

Urabá. Se le debe en gran parte la normalidad social en el Urabá antioqueño y cordobés. Él no se involucra en el campo militar sino en el político y social.

Diego Vecino, uno de nuestros embajadores, también presenció la boda. Él ha divulgado nuestro pensamiento en importantes centros de estudio gubernamentales estadounidenses y europeos. Es otro líder político y social de la Costa Atlántica.

Estuvo Ramón Mojana, un joven de origen campesino con un gran liderazgo social y económico desde el medio y bajo Cauca hasta el departamento del Magdalena. Hijo de algodoneros y arroceros, ha vivido una historia similar a la mía. Su padre fue secuestrado y asesinado por las FARC. En la casa Castaño lo apreciamos como de la familia.

Memín y René tampoco se perdieron la fiesta. Memín comandó un frente de la guerrilla de las FARC durante doce años. Decidió cambiar de bando y hoy es el comandante de las Autodefensas del occidente antioqueño.

René también fue comandante de un frente de las Farc durante nueve años y hoy es comandante de las ACCU en el suroeste antioqueño.

Martín Llanos viajó desde el Meta, es un buen amigo y excelente comandante, osado, vertical y de familia noble. Su Autodefensa es la segunda más poderosa después de los bloques que considero la casa Castaño. Nada funciona en gran parte de los departamentos del Meta, el Guaviare y Casanare sin su consentimiento. Es un hombre sensato que no será problemas en un país civilizado.

¿Quiénes me faltan?

Camilo y Fino; dos ex oficiales del Ejército quienes se vieron perseguidos y acosados por los miembros de la subversión institucionalizada en la Fiscalía. Ninguno de ellos es el famoso mayor Hernández, a quien tendrá oportunidad de conocer más adelante. Bueno y el viejo Ramón Izasa que representa el prototipo de la Autodefensa campesina. Ha luchado toda su vida contra la guerrilla y ha evitado involucrarse en numerosas guerras, entre ellas la del narcotráfico contra el Estado. Lo que tiene de campesino, lo tiene de honesto.

Como podrá apreciar, en la comandancia de la Autodefensa hay de todo, una mezcla, clave de nuestro éxito nuestro frente a las guerrillas de las FARC, el ELN y el EPL. Hablamos la próxima semana. Por ahora me dedicaré a mis deberes de esposo.

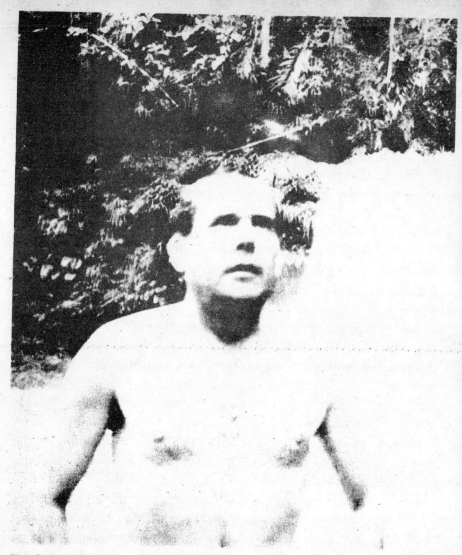

En el río.

XXII

LA TERRAZA

La calma y el descanso después de la boda se interrumpió la noche del 18 de mayo al estallar en el parque Lleras, la zona rosa de Medellín, un carro bomba con 60 kilos de dinamita. Allí fallecieron ocho personas y 138 quedaron heridas. Además se produjeron innumerables daños materiales y la cuidad vivió pánico al setir que la época del terrorismo en Medellín había regresado. Las escenas que transmitieron los noticieros de televisión desde los restaurantes y bares destruidos aparecían dramáticas, pues los camarógrafos alcanzaron a llegar al sitio cuando trasladaban a los heridos.

Al día siguiente, las autoridades responsabilizaban a la famosa banda de "La Terraza" de perpretar este terrible acto, en una respuesta a la guerra declarada por uno de sus antiguos protectores, Carlos Castaño, y las Autodefensas Unidas de Colombia.

Le escribí a Castaño para conocer de buena fuente lo acontecido y más tarde me contestó:

"Fue lamentable lo que sucedió. Yo estoy colaborando con las autoridades. Hemos obtenido grabaciones del hombre que colocó la bomba y que se hace llamar 'El Siberiano'. Permanece drogado todo el día y horas después de la explosión dijo por teléfono: "Aquí brindando por estos HP´s que despachamos..." *Es uno de los dos últimos hombres que le quedan a La Terraza. ".*

El mensaje fue corto y Castaño se ausentó durante varias semanas. Sólo se volvió a comunicar conmigo el cinco de junio, cuando aceptó mi propuesta de llevar un fotógrafo profesional para tomar la foto de la portada del libro. Me citó en el pequeño aeropuerto del municipio de Caucasia, donde nos esperaría Iván en una camioneta. Nos desplazamos durante cuatro horas por trochas enfangadas hasta llegar a una finca perdida en la inmensidad de la serranía de Abibe. Por el camino recordé los hechos producidos en Colombia entre el 19 y el 28 de mayo de 2001.

Después de la bomba del parque Lleras, la Policía en Medellín desactivó varios carro bombas. Esta vez no hubo hipótesis de responsables. El 21 de mayo amaneció al frente del semanario comunista Voz una camioneta Toyota roja con una bomba MK82, como las que lanzan desde los aviones de guerra. Un día después Castaño reivindicó el hecho.

El 25 de mayo estallaron sucesivamente, debajo de un puente peatonal en Bogotá, 13 y 12 kilos de dinamita. Allí fallecieron tres personas y hubo varios heridos. En cuestión de horas, la Policía le atribuía el hecho a la guerrilla.

Yo tenía varias preguntas pendientes. Por eso, al detenernos en la casa donde nos esperaba Castaño, le dije: "han ocurrido varios eventos desde que no nos vemos, Comandante". Me contestó:

"Es cierto, ya le contaré", dijo.

Nos sentamos en una pequeña mesa de madera y le ordenó a parte de su escolta ayudarle al fotógrafo en la instalación del equipo de luces en un kiosco cercano. Mientras tanto, yo alistaba mi grabadora pues Castaño nunca avisaba cuándo procedería a relatar episodios de su vida para el libro.

"Después de la explosión del carro bomba en el parque Lleras ocurrieron otros atentados y amenazas de bombas que aún ignoro quién las puso y con qué objetivo. Alguien quiere pescar en río revuelto y aparte de sembrar terror en Medellín y en el país. Quieren culparme por los atentados terroristas, cuando yo sería incapaz de producir algo así. Toda mi vida he desfavorecido este tipo de acciones y he luchado contra éstas. Mi guerra contra el narcoterrorismo de Pablo Escobar es un sólo ejemplo".

—¿Pero la bomba que encontraron al frente del semanario comunista Voz si la puso usted?

"Sí y no hay que detenerse a hablar de ese armatoste, una bomba tierra-aire que sólo se activa si se lanza desde una altura considerable; no hay otra forma de hacerla estallar. Su poder destructor es enorme y sólo existen tres en Colombia. La Autodefensa las adquirió en un remate de antigüedades que pertenecían a narcotraficantes. ¡Así de sencillo!

La bomba se abandonó al frente del semanario comunista Voz *por la siguiente razón: Por esos días en la ruta Bucaramanga-Santa Marta, territorio de Autodefensa, capturamos un carro cargado con 80 kilos de dinamita, proveniente de Saravena Arauca, territorio de las Farc. La guerrilla le había ordenado al conductor estacionar el camión en un parqueadero de vehículos de carga en Santa Marta. Al instante le advertí a través de un correo electrónico al viejito 'Raúl Reyes', comandante de las FARC:*

"Si ustedes cometen actos terroristas contra nuestros simpatizantes en el norte de Colombia, yo atacaré de la misma forma en el sur del país, no solo a sus seguidores sino también a las FARC". Entonces ordené depositar la bomba tierra-aire en la camioneta Toyota al frente del semanario comunista. El mensaje para las FARC resultaba claro y ellos saben que en las Autodefensas contamos con aviones y helicópteros. Si nos hacen terrorismo, de inmediato les borramos sus bases en el Caguán, ¡y no cuando permanezcan desiertas!

¿Qué hay detrás de la explosión del carro bomba en el parque Lleras, de Medellín? —le pregunté

—Esa es una historia larga y tendríamos que hablar en profundidad de la banda de "La Terraza". Pero antes, déjeme aclarar: ¡Que no digan ahora que esta gente hizo este atentado en una guerra contra Carlos Castaño! Esa guerra en Medellín la generó el sistema. Los enemigos de "La Terraza" también era un sector de la alta sociedad de la cuidad. Ellos se les salieron de las manos a todos los jefes que los contrataban, como las Autodefensas y algunas autoridades. Eran mercenarios que trabajaban para todos, no sólo para mí. Para explicarle por qué digo esto, mejor le cuento cómo comenzó todo:

"La Terraza" como gran organización delictiva, nunca existió. Esa banda era sólo un hombre: El 'Negro' Elkin Mena, que contrataba grupos de bandidos para lo que se necesitara. Al producirse inumerables delitos en la ciudad, las autoridades asumieron un camino fácil, sindicándolos de todo. La prensa les sigió el juego porque eso de fuerzas oscuras, no es noticia.

Al 'negro Elkin' lo conocimos 'Berna' y yo cuando se desató la guerra de los PEPES contra Pablo Escobar. Mena aún no pertenecía al grupo del capo pero era uno de sus mercenarios. "La Terraza" eran cuatro personas y se llamaban así porque se reunían en una heladería con ese nombre, en

la calle Palacé con Maracaibo, pleno centro de Medellín. Después Elkin Mena perteneció a un grupo que yo denominé "Los arrepentidos". Treinta hombres que abandonaron a Pablo Escobar y se voltearon en su contra. En compañía de ellos, tanto las autoridades como los PEPES logramos dar muchos positivos contra de Pablo. Al perecer Escobar, las autoridades utilizaron a Elkin Mena y su gente como la "Legión extranjera" de Francia.

Un bandido poderoso domina fácilmente a cien bandidos pequeños; por eso autorice al Negro Elkin Mena a utilizar mi nombre y el de la Autodefensa para tener yo una red urbana, lo que lo hizo famoso. Bajo la dirección de las AUC no se salían de los lineamientos. Mena contrataba "combos" para vigilar los camiones que partían rumbo a Turbo, con el fin de descubrir a las personas que transportaban camuflados,, material de intendencia y campaña a las FARC. La red actuaba como poder irregular en Medellín para controlar también las milicias urbanas de la guerrilla. Con ellos descubrimos en la ciudad, una fábrica de dinamita que el ELN mantenía oculta en una escuela infantil de manualidades y artesanías. Allí cuidaban a los niños y en los cuartos traseros producían los explosivos.

Yo nunca remuneré al 'negro Elkin' por las acciones que me realizó. Estaba autorizado a robarse un carro de una transportadora de valores cada mes, lo que le significaba alrededor de 150 millones de pesos que le permitían sostener a su gente. Lideraba un grupo de 30 o 40 mercenarios. Poco a poco hicieron méritos para evitar que la Justicia los persiguiera. Para algunos sectores de los organismos de investigación —entre ellos el CTI de la Fiscalía— los integrantes de la "La Terraza" se convirtieron en un aliado fundamental para operativos de liberación de secuestrados en Bogotá y Medellín. El negro fue contratado para liberar para liberar al hijo de Gustavo Upegui, dio su localización exacta y también ayudó a rescatar al niño campeón del mundo de bicicross.

Le citaré otro ejemplo de lo efectivo que era este hombre sobre los bandidos de Medellín: cuando se sindicó a Santiago Gallón de asesinar al futbolista de la selección Colombia Andrés Escobar, se trasladó de Bogotá a Medellín una comisión de la Fiscalía y la Policía con la misión de capturar al presunto responsable.

El 'Negro Elkin' recibió la orden de colaborar, y a las 24 horas llamó por teléfono:

"Lo tengo ubicado y lo estoy rastreando. Se dirige en un carro delante mío por la vía que de la Pintada conduce a Medellín...".

Él gozaba de mi respaldo y ante la gente hablaba a nombre de Carlos Castaño. Tuvo una capacidad que a las autoridades les servía y sin reparos la utilizaban. Este país es así.

—Pero así como servían para liberar secuestrados, ¿también secuestraban y efectuaban ejecuciones que usted ordenaba, Comandante? —le pregunte.

"Sí, pero yo nunca he ordenado un secuestro por razones económicas; sólo políticas, y el país los conoce de sobra. Además, repito, yo no era el único que los contrataba. Elkin siguó actuando como mercenarios contratados por otras personas. Les di varios fusiles y dos M-60 para operaciones contra milicianos en San Javier. También ejecutaron asaltantes y delincuentes en Medellín. Pero comenzaron los excesos. Elkin autorizó el robo de carros y cosas lamentables e innecesarias. Comencé a recibir multiples quejas de cuidadanos honestos de Medellín. Me enviaron un representante de más de 300 personas de la alta sociedad de Medellín. En esa reunión me comentó: "Carlos, por favor hay que hacer algo definitivo con esta gente".

Tomé la decisión de ejecutar al negro Elkin Mena. Previendo una eventualidad, el comandante del Bloque Metro creó una red urbana paralela a la nuestra en Medellín, sin bandidos, integrada por muchachos profesionales entrenados por nosotros y dispuestos a realizar cualquier tipo de acción militar.

El fin de "La Terraza" se dio una mañana cuando pasaba por un cruce de carreteras en Córdoba y vi una caravana de camionetas con cerca de treinta hombres armados hasta los dientes. Permanecí mirándolos pasar. Era el Negro Elkin Mena con diez de sus secuaces. De pronto, un muchacho de 19 años que me acompañaba me dijo:

—Óigame señor, cierto que usted se quedó pensando cuando vio pasar al negro qué esta gente es muy peligrosa? ¿No cree que en el futuro estos tipos nos recogen?

Lò miré asombrado, porque yo lo había decidido hace dos días. Reflexioné: "¿Si un pelao de estos lo puede discernir, qué espero para ejecutar a esta gente?" Elkin era dueño de una finca entre los municipios de Tierra Alta y Valencia, en Córdoba. Esperé a que salieran de allí y les puse un retén de la Autodefensa pero siguieron derecho como en cinco camionetas. No hubo otra opción que emboscarlos más adelante y se produjo una balacera durante una hora. Allí se murió el Negro Elkin Mena Sánchez, el único que yo conocí de "La Terraza"; con los otros hablaba 'don Berna', Adolfo Paz. Los pocos que restaron comenzaron a ejecutar fechorías sin norte alguno. Recuerdo que en mi segunda entrevista por televisión les envié un mensaje: "Detienen su acciones vandálicas o continuaré combatiéndolos".

—¿Durante cinco meses persiguó a los que quedaban, pero ellos lo denuncian a usted acusándolo de ordenar el asesinato del humorista Jaime Garzón, el abogado Eduardo Umaña y los profesores Elsa Alvarado y Mario Calderon?

La denuncia la hizo alias "Ronald", el mismo que tomó control de lo que quedaba de 'la Terraza'. Al ver que la Autodefensa los buscaba para ejecutarlos, contactó al frente Carlos Alirio Buitrago de la guerrilla del ELN, que los protegió, los utilizó y los abandonó. Después nosotros los dimos de baja.

Con el fin de hacerme daño, el ELN y "Ronald" establecieron una alianza. La guerrilla le elaboró el libreto a los encapuchados que entrevistó la revista 'Semana'. Después enviaron un comunicado a la prensa, el mismo que publican en Internet y está firmado por "La Terraza". Pero cualquier persona que lo lea se dará cuenta que está escrito por gente de la guerrilla del ELN. Creían que al hacer un escándalo con el homicidio de Jaime Garzón, me harían daño.

Yo en la muerte del humorista Jaime Garzón no tuve nada que ver. Siempre he reconocido a quién he ejecutado y a quién no. Nunca estuve de acuerdo con la actitud que asumía Jaime frente a los secuestros y aún así, no estoy implicado en su muerte. A Garzón le pasó lo que le suele suceder a todos los negociadores de secuestros: terminan facilitando plagios y de favor a favor, se involucran más allá. Sé de donde vino la muerte de Jaime Garzón pero eso no es asunto mío.

—¿Será que la gente si le cree su versión, Comandante?

No lo sé. Sólo está a mi alcance exponer lo cierto. Mi compromiso en este libro fue delatar la verdad, y ahí está.

En esa misma revista 'Semana' donde salió publicado la denuncia de "La Terraza" 'Ronald' admitió que en algunos momentos fallaron y citó como ejemplo el atentado a la concejal por la Unión Patriótica, Aída Abello. Le contaré la verdad.

Un día se decidió en el Estado Mayor de las AUC ejecutar a la concejal. Yo no emití la ponencia y jamás estuve de acuerdo con esa decisión. Siempre me he opuesto a ejecutar imbéciles que el enemigo muestra como mártires y luego capitaliza políticamente. Muchas veces le hace uno un favor a la guerrilla al ejecutar este tipo de personas, que ni les importan, ni les sirven para nada.

Al final de la votación una persona dijo: "el Comandante nos deja contentos, pero no la ejecuta". Y así fue.

Hablé con Elkin y él le asignó la tarea a "Ronald", con la orden específica mía de fallar y no herir a la concejal. La orden era: "disparar el rocketazo sin darle al carro donde ella se movilizara". Tenía que ser convincente, que no se notara que falló intencionalmente, para que el Estado Mayor no se enterara.

Elkin escogió a 'Ronald' para el atentado por su precisión y certeza. Realizó el operativo mejor de lo que me esperaba. Era peligroso, fue uno de los pocos que recibió formación nuestra.

Al ejecutar a 'Ronald', yo creí que "La Terraza" se acabaría pero sobrevivieron dos; drogadictos y enfermos mentales que son los protagonistas de los últimos atentados como el del parque Lleras. Estos morirán pues la sociedad no me lo perdonaría".

—¿Esto significa que usted asume en parte la responsabilidad del vuelo que tomó esa banda?

—No fue mi culpa haberle dado alas a "La Terraza"; mi responsabilidad está en haber permitido que volaran. La alas las tenían cuando los conocí. Ellos fueron un engendro del narcotráfico que ponía huevos en todos los canastos, incluso el nuestro. Acepto que ejecutaron acciones para las AUC.

Castaño y yo hicimos una pausa. El fotógrafo dijo que todo estaba listo y el comandante se paró. Nos dirigimos hacía el kiosco. Posar para una fotografía no le llamaba la atención y no fue buen modelo ese día. Castaño quería terminar rápidamente la cesión, algo le preocupaba. Lo noté más serio y cortante que cualquier otro día. En la noche me llamó a su cuarto y me dio la fotografía de su boda. No sólo lo acompañaba el cura y su esposa en plena ceremonia; también el cuerpo de Cristo, aparecía comulgando.

Salvatore Mancuso pasa revista en la escuela de entrenamiento "La Acuarela".

XX

LA RENUNCIA

Cuando abrí la puerta de la pequeña casa de madera, me sorprendió ver al comandante en el kiosco del frente, sentado en un inmenso tronco de árbol seco que el día anterior pasó desapercibido para mí. Castaño estaba tan concentrado en el telón de aquella fría y nublada mañana que ni siquiera notó mi presencia. Por ningún lado divisaba a su escolta y aquel momento de soledad parecía irreal. Siempre se le veía desde muy temprano caminando de un lado para otro, impartiendo órdenes, rodeado de patrulleros o despertando a todos con un enérgico "¡buenos días, señores!"

Entonces lo saludé con una pregunta:

—¿Por qué tan pensativo?

Dejó ver una leve sonrisa a manera de saludo y me contestó:

—Existen decisiones que se toman en compañía de la soledad y no se consultan con nadie.

—¿Por qué lo dice? —le pregunté.

Cuando uno resulta el más idealista entre otros, que no lo son tanto, lo correcto es dejar de serlo. Al sumarse la mayoría a lo incorrecto, es preferible adherir de forma momentánea y no entrar a romperlo de una vez. Uno debe encontrar después la forma para que cada uno de los equivocados retomen el camino preciso.

No compredía de qué me hablaba y mucho menos que aquellas palabras eran la antesala de la renuncia a su cargo como comandante general de las Autodefensa Unidas de Colombia, decisión que divulgaría al día siguiente en su página de Internet.

Castaño sacó de su bolsillo un par de hojas y me dijo:

Aquí le resumo por qué decidí relatar mi vida. Comienza con el verso de un poema de Antonio Machado que me encanta:

¿Conoces los invisibles
hiladores de los sueños?
Son dos: la verde esperanza
Y el torvo miedo.
Apuesta tienen de quien
hile más y más ligero,
ella, cu copo dorado;
él, su copo negro.
Con el hilo que nos dan
tejemos, cuando tejemos.

ANTONIO MACHADO

La guerra, como todo en la vida humana, es un tejido de historias personales. Cada quien, en su trayectoria, toca con otros caminos. Algunas veces ignoramos el desenlace de tal o cual evento que ce inicia con uno de nuestros encuentros cotidianos; otras veces, son las páginas impersonales y lejanas de un periódico las que nos dan luces del rumbo que toman esas historias que, de una u otra manera, ya también son ya las nuestras.

Con independencia de la responsabilidad moral por sus acciones, la percepción que tiene cada uno de si mismo y del mundo, estará siempre mediada por su historia personal. Es por ello que dejando a un lado la subjetividad, no se trata de creerse encarnación del bien, ni tampoco del mal. Sin duda que un hombre de guerra y de paz, es querido por unos y odiado por otros; cuando se está al frente de un ejercito defensivo en medio de una guerra irregular, se siente uno a veces aplaudido y acompañado por multitudes, en otras ocasiones, sumergido en la más absoluta soledad.

Partiendo de reconocer que somos lo que somos, y no lo que creamos o no creamos ser, intenté ser lo absolutamente franco y desprevenido en mi narración al Señor Aranguren, a quien sin conocer previamente, le di mi palabra de contarle mi vida y la obra hasta ahora construida. En nuestro primer encuentro mi única exigencia fue la no tergiversación de mis conceptos; la suya a mí, que le respetara sus criterio de escritor. Con esos presupuestos comenzamos a trabajar. Fueron muchos los momentos vividos de día y de noche con él en las selvas del Paramillo, en las montañas del Nordeste Antioqueño, en la Serranía de San Lucas y en las Llanuras de Córdoba y el Bajo Cauca, hablando de la guerra y la paz, de la vida y el perdón, de la política de mis sueños.

Sin duda alguna este será un libro controvertido. Sus efectos saldrán a la luz, para bien y para mal, pues la verdad es justiciera, y así como absuelve, también condena; obviamente, en su momento la verdad hará que las ratas salgan de sus laberinto antes que ahogarse dentro de él. Supongo que algo de esto pasará, pues sólo he omitido contar verdades cuya divulgación afectaría la imagen de colombianos honestos quienes se vieron obligados a actuar de manera irregular en bien y defensa de la Patria. Puedo afirmar entonces que en esta obra no he dicho toda la verdad que conozco, pero sí puedo sostener la veracidad de todo lo dicho; por otra parte, tal vez nunca ningún conductor de un ejército ha hablado con tanta sinceridad, pagando el costo político que esto conlleva, pero no he dicho nada que no pueda demostrar.

Nadie sostiene hoy que la política sea bella, ni que los políticos sean agradecidos; sin embargo, como dijo don Antonio Machado, para hilar nuestros sueños, "con el hilo que nos dan tejemos, cuando tejemos", hay que seguir haciéndola con lo que tengamos y con lo que queremos hacerlo, a ver si algún día logramos que el Estado colombiano sea un verdadero mediador entre nuestras necesidades y nuestras responsabilidades, entre nuestras esperanzas y nuestros miedos. Ese día cuando se encargue de canalizar y controlar nuestros conflictos ayudándonos a resolverlos sin matarnos, habremos construido una democracia y un estado social de derecho, eso con lo que tanto soñamos.

Muchos miembros de nuestra ciase dirigente son en buena medida, responsables de la tragedia de millones de colombianos. Particularmente me esforcé por hacer una descripción detallada de la doble moral asumida por los últimos gobiernos y específicamente por el Presidente Pastrana para con las AUC, como un anuncio, a los gobiernos venideros, de que sólo estaremos dispuestos a hablar con el que esté de turno en el momento de la negociación con nosotros, de manera franca y de cara a los Colombianos y a la Comunidad Internacional.

Seguro de no haber defraudado a mi padre, ofrezco este trabajo colectivo a su memoria, aún con toda la crudeza que el relato de esta historia impone, pero convencido de que he cumplido su mandato, y de haber sido fiel a su ejemplo en cuanto a franqueza, valor y lealtad. Continuaré *mi lucha por la paz de Colombia sin decepcionar a quienes han asumido y comprendido esta amarga obligación que representa la autodefensa colectiva.*

Responsable es aquel hombre que puede "responder" con razones, el que actúa pudiendo dar cuenta del por qué de todas sus acciones. Este relato es un argumento más en el juicio de mi vida que acepto frente a la historia. Su veredicto popular será el premio o el castigo para quienes hemos conducido esta causa Antisubversiva, la que en todo momento hemos creído justa. Lamento la imposibilidad de nombrar, por ahora, a varios colombianos comprometidos con esta causa, y cuya participación y desprendimiento personal han sido tan meritorios como los de los nombrados aquí, cuyo mérito responsable en el tejido de nuestra historia no podría ser de ninguna manera inferior al mío.

Carlos Castaño Gil.
Mayo 10 de 2001

"Con el hilo que nos dan tejemos cuando tejemos".
Después de leerla cambié el tema y le pregunté por los allanamientos de la Fiscalía en Montería y la muerte del escolta que custodiaba a la familia de Mancuso.

"¡Mancuso está hecho una fiera! La persona asesinada a mansalva por un miembro de la Fiscalía en los allanamientos era el tutor de sus hijos, quien había permanecido con los pelaos durante la crianza. Lo querían como a un padre.

Salvatore ha pensado responder militarmete contra el representante político de Horacio Serpa en Córdoba, Juan Manuel López, a quien él atribuye haber propiciado los operativos de la Fiscalía pues viene perdiendo el poder político en Córdoba. Esta mañana le dije a Mancuso por telefono que le respetaba su dolor pero sería un grave error atentar contra la vida del político. Le pedí que acatara mi sugerencia hacer una denuncia pública y ante los organismos del Estado. "Es que haremos ambas cosas, comandante Castaño" —me contestó.

Le dije que respetaba cualquier decisión que tomara pero si actuaba militarmente, se lo impediría así fuera implantando mi autoridad. Me consideraría un mal amigo si pensara: "Déjelo para que vea en la que se meterá". Por eso, aunque se enoje conmigo o crea que no lo apoyo, no lo

permitiré y sé que mas adelante me lo agradecerá. El operativo que deno-
minaron "El 8000 de los Paras" resultó un ¡Show! Investigaron las
cuentas de Mancuso pero ese ha tenido dinero toda la vida y más, su
esposa. En Funpazcor todo es legal. Allanaron la residencia de don
Rodrigo, un patriarca de la región y un viejo de 70 años que siempre ha
vivido en el mismo sitio. No se necesitan 20 hombres armados para
entrar a su casa. Con Hernán Gómez lo mismo. Son mis amigos pero
no tienen relación ni directa ni financiera con las AUC. Todas las auto-
ridades conocían hace muchos años mi relación con ellos.

Se acercó una camioneta escoltada y Castaño me dijo:

Me espera una reunión privada con el comandante Julián y el doctor
Ernesto. Usted partirá con ellos ya que debo desplazarme hacia otra
zona. Por hoy suspendemos las entrevistas hasta un nuevo encuentro
¿Le parece?

Le contesté que no había inconveniente y me marché a organizar
mi morral para regresar a Bogotá. Terminó la reunión y emprendi-
mos el viaje en una camioneta que tenía tierra hasta en el tacómetro.
Arribé a una finca en Córdoba alrededor de las siete de la noche. Me
acosté con la intensión recuperar el sueño atrasado pero antes de las
doce golpearon la puerta como si machacaran patacones. Abrí para
ver qué sucedía y era el correo de guerra con un mensaje en una hoja
de cuaderno: *"Empaque sus cosas y nos vemos al otro lado del Sinú. El*
mensajero lo trae".

No había desempacado nada y sólo tuve que terciarme el morral y
subir a la camioneta que me llevó por las oscuras y solitarias carreteras hasta el río. Atravesamos el Sinú y sólo se veían las luces de varios
camperos esperándome en la otra orilla. Me bajé del planchón y apareció, entre las luces, Carlos Castaño vestido de civil con una camiseta roja, blue jeans y de tenis. Me saludó y le pregunté:

—¿Y esa pinta?

Nunca en mi vida me he tomado un trago de licor uniformado
y jamás he dado una orden bebiendo. En cuanto a eso soy drásti-
co y siempre proporciono buen ejemplo a mis subalternos. Vengo
para que nos tomemos un par de whiskys y me acompañe a darle
serenata a doña Rosa. 'H2' y el tío Virgilio tocan muy bien guita-
rra, en especial 'H2' que antes de pertenecer a la Autodefensa toca-
ba en un trío música montañera.

Al día siguiente tomé el primer vuelo hacia la capital y a pesar de amanecer conversando con Castaño, nunca me comentó que renunciaría. Horas más tarde la noticia se conoció y al —igual que muchos— pensé que se trataba de una mentira, pero al leer el comunicado en su página de Internet, entendí que era cierto: *"Compañeros de causa, somos de las AUC, amigos y respetuosos de las instituciones del Estado. Este principio es inviolable. Respétenlo. Renuncio irrevocablemente a mi cargo otorgado por ustedes. Carlos Castaño. "Con el hilo que nos dan tejemos cuando tejemos" —d A.M.—*

La certeza me llegó al leer el final del poema de Antonio Machado. No había duda, Castaño renunció. Le escribí que me sorprendía su renuncia y contestó:

—*Dudo que lo haya sorprendido mi renuncia a la comandancia de las AUC, pues usted notaba contradicciones en el interior de la organización. Es injusto lo que ha dicho la prensa de Mancuso; su actitud no es el motivo de mi decisión. Las razones son de fondo y vienen de tiempo atrás.*

Sacrifico mi cargo pero impido que las AUC se vuelvan contra lo que siempre han defendido. Le comento algo; he conocido el acuerdo secreto entre Pastrana y las FARC. Es terrible la traición del Presidente a los Colombianos. Ahora tengo mucho trabajo y sólo nos podremos ver después de una reunión extraordinaria de comandantes que se realizará el seis de junio donde tendré que jugármela toda. Este timonazo a la Autodefensa me mantendrá ocupado un buen tiempo.

Mi decisión únicamente la conocían dos personas: un obispo al que le he confiado los secretos de mi vida y un amigo con el que la discutí. A él le envié este mensaje cuando tomé la decisión.

> *Apreciado doctor M:*
> *He leído con atención las razones que expone en su carta para postergar mi renuncia a la jefatura de las AUC. Lamento decirle, mi buen amigo, que a pesar de considerar su llamado y estar deacuerdo con una reestructuración menos traumática, hay razones urgentes para actuar ya. Los hechos ocurridos ultimamente precipitan mi determinación. Las esferas del poder, legales e ilegales, conocen de mi inconformismo y el de otros comandantes por los desafueros que vienen cometiendo en algunos sectores de las Autodefensas. Organizaciones*

delincuenciales con intenciones desestabilizadoras quieren actuar encubiertas en ficticias disidencias de las AUC. Lo están calculando y hay que pararlo. El cambio tiene que ser rápido y mientras los pescadores en río revuelto se preparan, ya se habrá normalizado la Autodefensa. Cada uno de sus comandantes será guardián de su territorio y su nombre. Me enfrento a una crisis de lealtades divididas: Mi compromiso con Colombia y mi responsabilidad con las AUC. Yo quiero mucho esta causa como para maltratarla, permitiendo su bandolerización.

Carlos Castaño Gil

El encuentro extraordinario de comandantes se llevó a cabo pero no me enteré inmediatamente. Me enteré de lo acontecido con el comunicado que la Autodefensa entregó a la prensa:

"Desde hoy las AUC actúan como una confederación de fuerzas anti-subversivas, donde cada unos de sus comandantes es individualmente responsable de todas sus acccciones" —publicó el diario el 'El Tiempo'. Luego dieron a conocer la nueva cupula:

Dirección politica: Ernesto Báez y Carlos Castaño.

Estado Mayor: Salvatore Mancuso, Ramón Izasa, Botalón, Julián Bolívar, Martín Llano, Rodrigo Molano, Alejandro, Antonio Cauca y Adolfo Paz.

Transcurrieron cuatro meses y medio antes de lograr una nueva entrevista con Carlos Castaño, tiempo en el que escribí el ochenta porciento del libro y saqué de la mochila preguntas pendientes.

Nos reunimos de nuevo en el cruce de dos carreteras, en medio de un inmenso bosque húmedo-tropical en el departamento de Antioquia. Al subirme a su camioneta, Castaño me saludó con la cordialidad de siempre:

¿Cómo le va hombre?

—Muy bien, Comandante. Pensé que no nos volveríamos a ver.

Sinceramente, el anterior iba a ser nuestro último encuentro pero con lo sucedidó falta uno más.

—Le sugerí comenzar por la historia de la renuncia e inició su relato de una manera muy particular:

Yo siempre busco un ejemplo para ilustrar lo que pienso. ¿Cuándo se echó Pablo Escobar una soga al cuello? El día que mató al ministro de Justicia Rodrigo Lara Bonilla, que lo ahorcó a los 10 años pero ese día él se la puso. ¡Así de sencillo! Quiero decirle que existen acciones que lo colocan a uno en un punto de no retorno. Es la parte invisible de la guerra determinante de lo que uno puede hacer y lo que, no.

Mi decisión les cayó como un baldado de agua fría a los comandantes: se les cayó el pararrayos y se sintieron sin techo, desamparados.

Cuando usted partió con el comandante Julián y el doctor Ernesto, la determinación estaba tomada. Ya en la noche, cuando le dimos serenata a doña Rosa, me arme valor para lo que venía. Yo tenía lista una cabaña al otro lado del mar instalada con Internet y facilidades para comunicarme con todos los comandantes. Me inquietaba la expectativa por conocer la reacción de la Autodefensa. Pretendía que los guerreristas se fueran quedando casi solos, y poco a poco se fueran acercando a la tendencia moderada, la que sigue mis planteamientos, la que tiene futuro. Tuve la ventaja de tener comandantes que por guerreristas que sean, tienen cerebro. Terminaron bajo el techo de la tendencia moderada y, más rápido de lo esperado, la Autodefensa vuelve a ser la misma con distinta estructura.

Mi renuncia generó pánico. Recibí mensajes de todos los frentes: en especial de los comandantes de las Autodefesas Aliadas. "Estamos con usted, estamos con usted", me decían.

Enviaron una carta firmada por 11 importantes comandantes expresándome la misma opinión. Entonces les contesté: Señores, les agradezco sus palabras pero no sobra decirles que no se trata de quiénes están conmigo y quiénes no, sino de permancer unidos donde debemos estar para que alcanzemos un objetivo común. Los guerreristas se sintieron culpables, reconsideraron su actitud y presentaron propuestas significativas, con la esperanza de que regresara al mando, pero les dije que ni de fundas: cualquier cosa es discutible excepto eso. En la cumbre extraordinaria de comandantes me vi obligado a establecer como condición para expresar mis puntos de vista el que se aceptara mi renuncia. Ríase el problema. Cuando comprendieron que mi decisión era irrevocable y la aceptaron hablé.

Me aventajó pronunciar mis palabras no como comandante general sino como otro miembro más de la Autodefensa, y me fue posible decirles unas cuantas verdades a todos.

La ponencia de ese día la tengo por aquí; detengamos la camioneta para leerla en voz alta. Conocerá a fondo las razones de la renuncia. Además, estas palabras serán un punto de referencia para todos los comandantes; un espejo donde poder mirarse. Luego le describiré las consecuencias que ha generado en el interior de la organización:

"Consigna:

Buena es la unidad pero con respeto y responsabilidad, basta.

A mis amigos y colegas:

Me dirijo a ustedes en mi condición de siempre, la de ser su amigo. Y de la misma manera sigo mostrándoles el camino que considero debemos recorrer para alcanzar nuestra meta: derrotar la subversión y ocupar un lugar importante en la conducción del nuevo país.

Los invito a que demos una mirada al interior de las Auc, y pensemos básicamente en tres aspectos: Qué somos, para dónde vamos y qué anhelamos.

Públicamente sostenemos y lo seguiremos haciendo: Somos un movimiento político-militar de carácter civil antisubversivo, respetuoso de las instituciones legales. Luchamos por alcanzar un verdadero Estado social de derecho.

En mi concepto, la realidad es que somos una asociación de grupos con orígenes e intereses disímiles, que bajo un liderazgo unen sus fuerzas transitoriamente contra un solo objetivo: la subversión. Aquí viene, entonces, la importancia del respeto y la responsabilidad. Cada quien es libre y está en el derecho de defender sus intereses particulares. Pero el compromiso con la lucha antisubversiva, y frente al planteamiento del gobierno de turno, una negociación unidos debe ser irrenunciable. En este sentido, he visto casos que me hacen dudar de este compromiso, pues está claro que cada cual —una vez satisfecho el interés que ha motivado su permanencia en las AUC— en el momento en el que el gobierno de turno le ofrezca un perdón jurídico, el cual será transitorio, se va por ahí independiente de la suerte de las AUC como movimiento.

Yo creo que algunos están aquí por fortalecer su patrimonio económico, otros quieren salir de la cárcel detenidos por conductas ajenas a la causa o de la causa. Otros quieren evitar llegar a la cárcel por conductas de la causa y fuera de ella. Algunos quieren prioritariamente destruir la subversión, otros quieren además poder político y algunos quieren ganar la guerra como sea y pase lo que pase. Para otros es simplemente un modus vivendi y, para algunos, es causa de patria. En fin, toda una gama de deseos propia de humanos, pero todos— absolutamente todos— queremos vivir en paz, en libertad y cómodamente.

Para llegar a esto hay dos caminos:

Destruir la subversión y el mismo Estado, como piensan unos pocos, y remplazarlo por el nuestro, utilizando cualquier método.

El otro —"el sensato"—, avanzar moderadamente, evidenciar nuestra legitimidad política a nivel nacional, y sobre todo internacional, llegando a una negociación tripartita, con veeduría mundial que garantice el respeto universal a nuestra libertad y derechos. Actualmente tenemos ganado un espacio de negociación con el Gobierno que nos dará una salida jurídica, la cual no garantiza nuestra libertad mientras no demostremos internacionalmente la naturaleza política de nuestra causa. Esto, apreciados compañeros, sólo lo conseguiremos con profesionalismo y alguna moderación de nuestro accionar, pero sobre todo mostrando que somos legítimos y esto lo da la sociedad y el apoyo de esta sociedad se ha venido perdiendo.

No podemos caer en el error de creer que, por el hecho de estar al margen de la ley, uno puede hacer lo que quiera. En nuestro caso hay una línea casi invisible que debemos percibir como límite en nuestros derechos y facultades. Sabemos que los tribunales internacionales están diseñados para castigar a quienes violenten las inversiones extranjeras en países como el nuestro. No por esto podemos creer que una violencia innecesaria e indiscriminada podríamos justificarla. Aquí el límite es la libertad y lo que somos. Respecto de lo que piensa el país y la comunidad internacional de cada uno de nosotros, preocupémonos de lo que está dentro de nuestra órbita. Lo que se salga de nuestra órbita, no debe hacernos sufrir. Aprendí, hace muchos años, que no debo sufrir por aquellas cosas que no está a mi alcance corregirlas. Claro que golpea cuando a uno le dan duro injustamente, no se trata de perder la autovaloración, esa no se pierde nunca.

Pero igual, si alguien habla bellezas de uno aun exagerando, eso no le agrega a uno ni un gramo de bondad.

Estoy convencido de que nuestra única verdad es la de las consecuencias de nuestro ser, de nuestras acciones o de nuestras palabras. Mostremos los resultados y consecuencias de nuestro trabajo y nuestra causa. Así nos verán a nosotros.

Claro que hay que saber convivir con la opinión internacional, pero entendiendo que lo que estamos por ganar es la paz de nuestro país. Las Autodefensas podemos pasar a la historia, si actuamos equivocadamente como una organización de delincuentes comunes y criminales. Pero también podríamos pasar a la historia como los creadores de una nueva ideología, la de los ciudadanos que reemplazan al Estado y salvan su nación.

Yo insisto en las relaciones internacionales y la publicidad de nuestra causa. Lo que no se muestra en el mundo, sencillamente no existe. Hace cerca de cinco años comencé a presentar virtualmente ante el mundo unas Autodefensas inexistentes en su momento, que hoy son reales bajo una indiscutible conducción militar y una dirección política sumada al valioso trabajo de todos los aquí presentes. Pero esa buena presentación de las AUC, que continuamos haciendo ante el mundo, se desvirtúa con algunos excesos innecesarios que se vienen cometiendo.

La conformación del Estado Mayor es prácticamente simbólica, y no creo que esté mal. Las ACCU tienen por ejemplo una comandancia política y militar real, es por esto que funcionamos y somos la vanguardia nacional de las Autodefensas.

Si buscamos un comandante general de las AUC, éste sería simbólico, y no creo que encontremos aquí un 'Marulanda' que haga el figurón. Y no nos llamemos a engaños, nuestro amigo Ramón Izasa es una fuerza que jamás acatará órdenes y orientación de terceros, igual es el caso de Botalón, lo mismo Martín del Llano, el Águila en Cundinamarca. Y menos lo haríamos las ACCU, que tenemos el 80 porciento de total de hombres de las AUC. Entonces no nos compliquemos, yo propongo:

Cada una de estas fuerzas es absolutamente independiente y responsable de sí misma, y cuando llegue el momento de la negociación, nos encontramos y, ahí sí, unidos exigiendo lo que nos corresponde. Ahora bien, quien quiera negociar extemporáneamente, que lo haga sin ningún impedimento de terceros.

Lo ideal es que pudiéramos estar realmente unidos para el momento de la negociación. Mientras más seamos, más ganamos, más pierde la guerrilla, más gana Colombia. Pero si no es posible, yo invito a quienes quieran a que esperen el momento de la negociación de las ACCU y lo hacemos unidos en igualdad de condiciones.

Yo particularmente he hecho una largo recorrido en las relaciones políticas e internacionales, que pongo a disposición de una futura negociación.

Con esto, señores, no hablo yo de división, mal podría yo decir esto si he sido siempre el símbolo de la unidad.

Los estoy invitando a hacer real una unidad que antes era virtual en torno a mi persona, y que, haciendo magia y maromas, pude mantener con un solo norte. Conservémoslo.

Es esto lo que propongo, seriedad y honestidad, y este escenario lo podemos convertir hoy en una fiesta de democracia donde sólo se hable de respeto y responsabilidad. No hay que hacerle reclamo, ni pedirle permisos a nadie; cada cual responde ante la justicia por lo que hace, y repito:

Buena es la unidad, pero con respeto y responsabilidad basta.

De esta manera sólo tendremos que prepararnos para la conducción política de un nuevo país.

Respecto a la opinión pública nacional e internacional, podemos sin pronunciarnos, mantener la versión que hemos difundido, si aceptan los nombrados en el supuesto Estado Mayor, lo ideal es no decir nada y que se vaya descubriendo la realidad de una manera corriente, es mi criterio salvo mejor concepto de ustedes.

Independiente a cualquier decisión que aquí se tome, mi lucha anti-subversiva es irrenunciable y seguiré trabajando para alcanzar el reconocimiento político internacional de todos los compañeros de causa que se consideren y se comporten como Autodefenesa.

Respecto a mi renuncia a la comandancia de las AUC, quiero recordar lo que decía el abuelo de un amigo:

—*Lo mejor es lo que sucede.*

Es cierto que las AUC no son lo que uno quisiera, pero por querer, quisiéramos que no hubiese guerra. Las AUC, son un evento en la historia y lo siguen siendo. La historia no es una película para ver sino un cuaderno para escribir.

Que si plantean algunos peligros las AUC, pues claro, los mismos peligros que plantean todas las empresas humanas, nada nuevo hay bajo el Sol y siguen pasando cosas.

Yo sigo creyendo en Colombia como potencia moral y me tranquiliza saber que el día en el que nos pusiéramos en su contra seremos arrollados por ella. También sigo creyendo en la autodefensa colectiva como una amarga obligación.

Llegado el momento de la verdad, cada quien se tendrá que quitar la mascara, sabemos que las postguerra en el país será una larga lucha con-

tra la delincuencia y que quizá allí se tengan que vivir los momentos de más riesgo, sin duda alguna.

Los enfrentaremos unidos los colombianos honestos y mientras tanto seguiremos enfrentando la subversión hasta donde sea necesario".

Al terminar de leer su discurso le pregunté:

—¿Qué sucedió después de esta reunión?

Lo que tenía que suceder. En la gente inteligente las dificultades crean unidad y así ocurrió. A las personas mezquinas que no piensan este tipo de dificultades las separa.

Al término de la reunión se propuso un mando federado de nueve comandantes, un Estado Mayor donde cada uno responderá por sus actos. Ahora tienen claro que a ellos también les cae lo que disparen para arriba, ayudando a la moderación de la Autodefensa. Y existe una competencia sana por el que mejor escriba y el que más ideas aporte. Ahora meditan cada acción antes de efecturala. Yo cuento los días en los que la Autodefensa no produce excesos. Me siento tranquilo porque lanzamos cinco mil hombres nuevos al combate diario con la guerrilla y esto no se ha reflejado en aumento de los excesos. Se mantienen que ya es mucho cuento.

Muchos se han desempeñado con mas entrega que yo sacando esto adelante, y yo los estaba opacando. El mando unificado estaba perjudicando a la organización.

Castaño hizo una corta pausa y antes de formularle yo alguna pregunta, le quitó el freno de mano a la camioneta y aceleró a fondo, continuando el camino. Le dije:

—Un día después de la renuncia usted me contestó un correo electrónico en el que me comentó algo que me llamó la atención. Excúseme. Por aquí lo tengo anotado. Aquí está:

"He conocido el acuerdo secreto entre Pastrana y las FARC, es terrible".

¿A qué se refiere?

¡Esa si es una gran tramoya! —exclamó.

Recojamos a mi esposa y se la cuento. Ahí sí se está poniendo en juego el futuro del país. En la última carta que le envíe al presidente Andrés Pastrana con el representante a la Camara Ordosgoitia, le escribí: "Es una obligación oponerse a su equivocada y entreguista política de negociación con la subversión colombiana. En este sentido cada cual seguirá actuando según su conciencia. La dificultad para una constructiva relación en bien del *país entre Gobierno y Autodefensas es la falta de credibilidad de la cual no somos responsables nosotros".*

Minutos más tarde nos detuvimos en un caserío invadido por hombres de la Autodefesa. Kenia apareció, se subió a la camioneta y Castaño tomó la palabra de nuevo.

XXI

LA CONSTITUYENTE Y EL FUTURO

—*A* *oídos del ex ministro Álvaro Leyva Durán llegaron informes que le permitieron creer que las AUC lo habían declarado objetivo militar, lo que fue verdad —por traicionar a Colombia pretendiendo subir a la guerrilla de las FARC al poder y cogobernar con los subversivos. Leyva envió a su hermano Jorge, catedrático honesto, a discutir conmigo su preocupación. Nos reunimos una tarde por aquí cerca, en la selva del Nare, en Antioquia. Me solicitó que enviara un representante de la Autodefensa para hablar con su hermano en Costa Rica.*

Días después se organizó el viaje con mi enviado, el hermano de Leyva y dos hombres más. El presidente Pastrana conocía sobre la reunión, pues la presenció una persona que, en el pasado, sirvió de intermediario entre el Primer Mandatario y las Autodefensas.

En la reunión, Álvaro Leyva asumió la actitud de un hombre cercano a las FARC, no miembro de la guerrilla, algo distinto e innegable. Pero a medida que avanzaba el encuentro, se mostró como una autoridad sobre las FARC. Habló como si él fuera tutor del proceso de paz en Colombia y le propuso a la Autodefensa que permitiera una Asamblea Constituyente a cambio de un solo hombre nuestro en ella. Dijo que de allí saldrían las leyes sobre las cuales se firmaría un acuerdo de paz, y en el curso de esa Constituyente se declararía el cese al fuego y de hostilidades por parte de las FARC. Después ocurrió lo más grave. Leyva salió con esta perla: "El proceso de paz ha fracasado por culpa de dos generales de la República, uno de ellos, Jorge Enrique Mora Rangel, el comandante del Ejército. *Y propuso:* Dense ustedes la pela y hagan lo posible para que lo boten rápido de las Fuerzas Armadas o lo manden para Suráfrica y verán cómo el proceso de paz se dispara".

Nuestro representante, un empresario a quien le rogué que asistiera, le contestó: "Las Autodefensas Unidas de Colombia no son hoy una organización paramilitar y menos paragobiernos. Lo que usted propone no está a nuestro alcance y tampoco tenemos el estilo de recurrir a la calumnia contra un militar serio u otra persona honesta para destruirla".

Esa reunión resultó vergonzosa. Leyva es un bandido y Pastrana, un desalmado. Un día después, al informárseme detalles de lo sucedido en Costa Rica, cité a los nueve miembros del Estado Mayor de la Autodefensa para enterarlos de lo ocurrido. Allí se reveló quién era el otro orquestador de esta tramoya: el representante a la Cámara Jairo Rojas, mano derecha de Leyva y el hombre que hizo posible que Andrés Pastrana se tomara, en campaña presidencial, la famosa, otrora esperanzadora fotografía con Manuel Marulanda y el Mono Jojoy, de las FARC.

La decisión del Estado Mayor fue impedir que el plan de Leyva, Pastrana y las FARC se siguiera armando. Se ordenó el ajusticiamiento del congresista Rojas por necesidad de preservación de la Nación.

Impactado por la cruda revelación de Castaño sobre la muerte de congresista Rojas y el papel de Leyva tras bambalinas en la propuesta de la Constituyente, le dije:

—Una aproximación a lo que usted relata ya salió a la luz pública mediante la denuncia del presidente del Partido Liberal, Luis Guillermo Vélez. La probable Constituyente fue inclusive una de las propuestas de la Comisión de Notables nombrada por el Presidente Pastrana.

Y por las Farc —exclamó Castaño.

Lo que propuso la mal llamada "Comisión de Notables," que de notable no tiene nada, es una estratagema de la guerrilla, pues el documento fue dictado por 'Alfonso Cano', comandante de las FARC, a través de los reconocidos comunistas Carlos Lozano Guillén y Pinzón Sánchez, con la anuencia del ex magistrado pastranista, doctor Vladimiro Naranjo.

Contaré qué hay detrás de este juego que ya cobró la primera vida sucia pero vida al fin y al cabo.

Desde el gobierno de Ernesto Samper, Álvaro Leyva Durán venía intentando subir con las FARC al poder. Su supuesto "plan de paz" resultó una conspiración contra un presidente. Hasta hace poco su idea era abalada por los norteamericanos como una eventual forma de acabar con el narcotráfico, cosa que aplaudo pero nunca regalándole una parte de Colombia a las FARC.

Todo comenzó con el famoso Plan Colombia, en el que colaboró Álvaro Leyva Durán. Del plan sólo se conoce una parte: la que el Gobierno divulgó, la prensa publicó y los Estados Unidos respalda. La misma que las FARC tanto critica.

La parte oculta, y por la cual el apoyo del gobierno norteamericano al presidente Pastrana se ha mantenido así las FARC sean narcoterroristas, al menos hasta la crisis del 11 de septiembre, es la siguiente:

Álvaro Leyva sostuvo permanentes reuniones con miembros del Departamento de Estado norteamericano. En uno de esos encuentros, el comandante de las FARC, 'Raúl Reyes', se reunió con un funcionario norteamericano. De ahí en adelante, Leyva les aseguró a los Estados Unidos que las FARC se comprometería a erradicar, en varios años, los cultivos ilícitos de coca, acabando así con el narcotráfico al usar su poderío armado. Una determinación perfectamente posible pues las FARC son las dueñas del ochenta por ciento del narcotráfico. ¡Claro que lo pueden erradicar! Es innegable que la guerra en Colombia es económica y narca.

Antes de serlo el terrorismo, y por encima de la paz en nuestro país, la prioridad de los norteamericanos es consistía en ahorrarse 400 mil millones de dólares por año: lo que cuesta, en términos globales, el problemita del narcotráfico. Por eso, en repetidas declaraciones, ellos "narcotizaron" el conflicto armado en Colombia, para así lograr controlarlo.

Lo peligroso y perverso de la parte oculta del plan son las condiciones de la guerrilla para aceptarlo. Algo que colocaría en riesgo "la institucionalidad desde los tiempos de la Independencia," como decía en un editorial del diario 'El Espectador' el doctor Carlos Lleras de la Fuente.

Las FARC, Pastrana y Leyva acordaron desde 1998 realizar una Asamblea Nacional Constituyente en el último semestre del gobierno actual. Pese a las críticas, al final podría realizarse dicha Asamblea, ya que las FARC anunciaría un cese al fuego y de hostilidades si se instala la Constituyente. En otras palabras, sería el principio del fin de la guerra. ¿Y quién no quiere que se acabe este conflicto? Todos lo deseamos. Pero los orquestadores de la tramoya no han advertido el comienzo de otra guerra.

Álvaro Leyva regresaría a Colombia "absuelto" de su narcolío gracias a la ayuda de un fiscal pastranista y seguro formaría parte importante de esa Constituyente escogida a dedo, con 50 por ciento de sus integrantes de la guerrilla y el otro cincuenta del Estado. Y el Estado lo conformamos 40 millones. ¡Cómo le parece!.

De esa *Asamblea Constituyente surgiría, según sus intenciones, un nuevo modelo de Estado, producto del concierto entre una narcoguerrilla y un Partido Conservador desacreditado y manipulado por el señor Álvaro Leyva. A eso súmele uno que otro político, supuestamente prestante, que pescaría en río revuelto.*

El día siguiente, que se prepare el señor presidente Andrés Pastrana para presenciar una Autodefensa que dejaría de serlo y se convertiría en una guerrilla de derecha que atacaría a un régimen de izquierda marxista, montado por él, que es del partido conservador. ¡Que cosa tan paradójica!

Comenzaría la guerra de las Autodefensas Unidas de Colombia, unida a millones de compatriotas en actitud absolutamente rebelde.

Temo que el presidente Pastrana, en su desespero de personalismo político, alcanzaría el límite. No sería recordado como un hombre de buenas intenciones sino como alguien obsesionado en cuidar lo que él llama "dignidad presidencial" y yo calificaría de "prepotencia en exceso". Se equivocó, las FARC lo engañó y hay que corregir el camino.

¿Uno podría pensar que usted no desea por ningún motivo que las FARC tenga éxito en su lucha política y que el Gobierno saque adelante el proceso de paz?

"Yo sí quiero que se acabe la guerra. ¡De eso no le debe quedar la menor duda a nadie! Pero la propuesta FARC-Leyva-Pastrana es antirrepublicana y es por esa debilidad interna que el proceso no está resistiendo. ¿Dónde está la legitimación de las FARC? ¿Desde cuándo 20 mil hombres con fusil tienen la representación de la mitad del país?

¡Yo sí quiero saber qué piensa el pueblo colombiano!

—Pero a usted y su organización tampoco es que los quieran mucho. La Autodefensa por lo menos se arriesga al veredicto popular.

En la constituyente no existiría un grupo homogéneo con una verdadera oposición a las ideas de las FARC. Las alianzas estarían llenas de intereses mezquinos. Serían fatales, corruptibles y beneficiosas para la subversión. Este es un conflicto que tiene tres actores armados: El Estado, la subversión y la antisubversión civil. Es algo irrefutable y si se desconoce, como se ha venido haciendo de manera insistente,—¡ya se lo anuncié!— la Autodefensa se convertiría en una guerrilla de derecha porque simplemente el Gobierno habría girado para el lado de las FARC, produciéndose en nosotros la necesidad de seguir combatiendo lo mismo. La Autodefensa ha sido una fuerte oposición política para el presidente Pastrana y el gobierno parece que no entendiera que por primera vez en la historia, existe una Autodefensa civil armada con un criterio independiente. De adelantarse un proceso de paz incompleto, me preocupa que el apoyo de la gente sobraría y sería casi el principio de una guerra civil en Colombia. ¡Lo que sería terrible! La verdad, prefiero pensar que no se dará una Constituyente bajo las condiciones irrefutables de la guerrilla, como hasta ahora se ha venido dando el proceso de negociación entre el presidente Pastrana y las FARC.

¿Entonces usted no está en contra de que un proceso de paz traiga al final una Constituyente? –le pregunté a Castaño:

Las constituyentes tampoco son la panacea, pero sí son un mecanismo importante. Estoy a favor de una constituyente de la cual en el momento oportuno salga un nuevo modelo de Estado más justo para todos. Únicamente, tendría que representar a todos los Colombianos y los actores armados. Si no se hace así, en nuestro país nunca habrá paz y la guerra se recrudecerá.

Castaño hizo una pausa. Mientras conducía y hablaba, le pidió un botella de agua a su esposa y comenté: Hay varias cosas que no me cuadran. Al inicio de este relato usted reprobaba el entregarle parte de Colombia a las FARC. ¿Qué quiere decir con esto?

—Para que se lleve a cabo la erradicación de cultivos ilícitos y se acabe con el narcotráfico como esperan los americanos, las FARC exige quedarse con las armas y el territorio donde hay coca, lo que el gobierno americano habría respaldado antes del 11 de septiembre de 2001, cuando el ataque de Ben Laden, con tal de destruir el tráfico de droga y su poder desestabilizador.

A cambio de la paz en otras regiones, se le entregría el sur del país a la guerrilla. Nacería Caquetania, el Estado en formación que tanto ha anunciado las FARC pero parece que nadie los oyera.

¿Quién nos garantiza que después de diez años a los oriundos de Caquetania, aún armados, no les de por tomarse lo que quedó de Colombia? La gente honesta debe pensar muy bien para dónde vamos y tener en cuenta que las FARC rara vez a cumplido sus promesas.

—Otro argumento suyo pareciera no encajar. ¿Si Leyva es una persona cercana a las FARC por qué habría de ser el arquitecto del Plan Colombia que tanto odia y critica la guerrilla?

—Resulta más simple de lo que se imagina. Creo que Álvaro Leyva manipula y es manipulado por las FARC, al igual que el presidente

Pastrana. Pero con los norteamericanos es incondicional. Recuerde que a él le gusta estar con Dios, el Diablo y el que le sirva. Quienes le dieron el asilo político en Costa Rica no fueron los "ticos", fue el Departamento de Estado americano porque le es útil para su amistad con las FARC. Con el fortalecimiento de las fuerzas armadas colombianas a través de los 1.600 millones de dólares de cooperación americana, se establece una presión gringa y veeduría para que las FARC cumpla con lo pactado.

La guerra en Colombia no es tan elemental como la pintan algunas personas. Aquí hay más de fondo. No es sólo una guerrilla contra una Autodefensa, unos que se quieren tomar el poder y otros que queremos impedirlo; algunos que quieren implantar un nuevo modelo de gobierno y otros que deseamos uno distinto, o una clase dirigente corrupta que quiere seguir viviendo del cuento. La llama que impulsa la guerra no es sólo el odio que se acumula entre las personas. En muchas ocasiones, yo me siento instrumento y creo que las FARC, también. Somos fichas de una partida de ajedrez que la juegan dos potencias: Los Estados Unidos y La Unión Europea. ¿A qué juego yo? A que, siendo alfil, no me cambien por un peón; mínimo, por otro alfil. Por intrascendente que sea Colombia en el nuevo orden internacional, nuestro país sigue siendo una nación estratégicamente bien ubicada".

En ese momento nos acercábamos a un pequeño caserío y Castaño se detuvo en la única tienda de la vía destapada, escoltada por casas de madera con techos de hoja de palma y curiosos en la puerta.

No sé qué me pasa pero tengo una sed terrible.

Sacó la cabeza de la camioneta y gritó: *i'H2', cómprese unas cinco botellas de agua en esa tienda!*

Como ordene, mi comandante, dijo 'H2', y Castaño me pidió un favor:

Atrás en el maletero hay una torta verde. Pásemela por favor.

Miré y allí estaba en una caja trasparente, pero de color verde no tenía nada. Entonces le dije al dársela. Ésta es una torta café. Está medio daltónico, comandante.

Sonrió y le habló a Kenia:

—Qué pena, me equivoqué. Amor —le dijo a su esposa— *pártela y nos la comemos. Dale la primera porción a Mauricio, no vaya a ser que traiga cianuro. Lo que pasa es que me la trajo de regalo un tipo medio sospechoso.*

Probamos la torta y apareció 'H2' con las botellas de agua. Castaño le dejó dos a él y las otras tres las guardó en el carro para nosotros. Arrancó otra vez por la solitaria vía y recordó la angustia que sintió el día que su primo 'H2' terminó preso:

—*La Armada lo capturó y estuvo ocho meses en prisión. Lo mandaron para una cárcel en Barranquilla y allá intentamos liberarlo dos veces cuando lo sacaban escoltado a la enfermería, pero fracasamos. A los pocos días, lo trasladaron a la cárcel Modelo en Bogotá. En la Modelo un amigo me ayudó a planear su fuga en una camioneta de doble fondo que todos los días llevaba víveres para la cocina de la cárcel. Cuando logró escaparse y lo traje en helicóptero a Córdoba, se abrazaba a los árboles como un loco de la felicidad. Yo estaba muy contento de volverlo a ver. Hemos compartido y él ha permanecido conmigo desde el día que exhumamos los restos de mi hermano Fidel.*

Por un momento ninguno de los tres pronunció palabra y continuamos siendo sacudidos por la vía hasta que le pregunté a Castaño: ¿Usted seguro se ha tentado de contarme varias cosas pero no lo ha hecho ¿Por qué?

—*Yo no soy perfecto ni tampoco un misionero. Cualquier ser humano trata de ocultar lo que considera sus errores y aceptarlos públicamente no es lo más cómodo. De lo que he revelado, no me siento orgulloso pero estoy satisfecho porque había que hacerlo. Por eso no me preocupa esta confesión.*

Si los seres humanos contáramos todo lo que hemos hecho, afectaríamos la intimidad de nuestras familias, de nosotros mismos y del país. Más aún cuando quien habla conduce un ejército irregular. Pero en razón a la honestidad, me abstengo de contar algunas cosas, no solamente porque le puedo hacer daño al país y a algunas personas sino también porque hay errores que uno tal vez no acepta que se hayan cometido.

Quizá Colombia no se encuentra preparada para tanta verdad y tan dura realidad. ¿Pero por qué privarla? Créame que es un fardo pesado de cargar con ella solo. Tal vez sea más fácil cargarlo después de mi confesión pública. Quizá entendamos la culpa nacional en nuestra tragedia, que no es sólo la mía. Como decía Juan Manuel Serrat en una de sus canciones: "Nunca es malo decir la verdad. Lo que no tiene es remedio".

He pensado sobre todo lo que hablamos, que seguro será publicado, y le cuento que cada vez me convenzo más de que yo soy un hombre

319

de paz. Para empezar, jamás me refugio en los clásicos de la literatura o del pensamiento para explicar por qué hago la guerra para hacer la paz. No utilizaría nunca un lenguaje rebuscado para dar a conocer mis opiniones.

Mi primer gesto de paz surgió tras el secuestro y asesinato de mi padre a manos de las FARC. Yo no recurrí a la venganza de inmediato, sino que acudí a la justicia de mi país para que me defendiera, la invoqué y no la encontré. Entendí que necesitaría hacer justicia por mis propias manos, lo que es un derecho de paz. La justicia de Colombia, uno la presenta ante el mundo, la expone bien y demuestra por qué no hay que acatarla. Yo no anduve perdido al principio porque también me acerqué a las instituciones. Fui al Ejército para que actuaran en contra de los homicidas de mi padre; no me acerqué a un grupo de bandidos.

En el transcurso de mi vida, en medio de la guerra, siempre he estado dispuesto a dialogar con mis enemigos y a perdonarlos si es el caso. Cada vez que se quiera hablar civilizadamente conmigo, yo estoy dispuesto. Eso es una actitud perenne de paz. Antes de ordenar la ejecución de una persona, he procurado buscar alternativas para abstenernos. En la guerra irregular que padecemos, y que yo no comencé ni establecí sus condiciones, a veces hay que matar personas. Siempre he buscado que en lugar de ejecutar cuarenta, caigan veinte que sean en realidad subversivos. Admito que en algunos casos se han cometido errores, pero también se le ha respetado la vida a un gran número de enemigos, que al final se han apartado del conflicto o unido a nosotros.

El último día que usted y yo nos vimos antes de la renuncia, me ocurrió este episodio con 'Ernesto Báez'.

Me preguntó: Hombre, ¿qué hiciste con el muchacho que capturamos y dice ser el hijo de Gabino, el comandante del ELN? *Entonces le contesté:*

"Hombre, yo liberé a ese muchacho".

'Ernesto' miró a 'Julián' y le reclamó: ¡no le dije que lo matáramos!

Yo no dije nada más y tampoco les expliqué que no creía que fuera hijo de Gabino, y si lo era, sólo tenía 16 años de edad, le faltaba un ojo; le quedaban apenas tres dedos en su mano derecha y su mente andaba descompuesta. Lo habían capturado herido después de colocar tres minas quiebrapatas, por una camino de las Autodefensas. Si esperaban castigo para él, ya Dios le había dado el más ejemplar de todos. Si se querían hacerlo sufrir sólo tenían que dejarlo vivo. Yo no le iba a hacer ese favor. Y con lo expresado, no soy el más caritativo; hasta perverso fui.

Ya que tocamos un ejemplo de Derecho Internacional humanitario aplicado, le comento que el país debe estar muy agradecido con la Cruz Roja Internacional. Ellos han logrado regular el conflicto y han sido un apoyo para el sector de las AUC que ha luchado por disminuir la violación del DIH.

A través de ellos me entero de dónde, cómo y quiénes producen los excesos en la Autodefensa. Esta ONG sí tiene presencia permanente en el país y no esconde ningún interés. Ha aportado mucho en el esfuerzo de disminuir la dureza de la guerra. Lástima que sus archivos sean privados y sólo en casos extremos se divulguen. Si esto llegara a suceder, el país y la comunidad internacional se formaría una visión más realista del conflicto colombiano.

Mientras sigamos abandonados por la protección del Estado, tenemos que actuar en una guerra cuyo guión rara vez decidimos. Sin embargo, nuestra preocupación constante se basa en poder actuar de manera consecuente con nuestras convicciones y que en cada acto nuestro se obedezca a la deliberación de la razón y no a la rabia del corazón.

¿Usted de verdad cree que podrá ganar la guerra? —le pregunté a Castaño.

"Cuando enfrentamos a las guerrillas como Autodefensas, chocamos con el punto de vista de quienes consideran que cualquier esfuerzo militar está condenado a causar más desangre al pueblo colombiano y que la mejor forma de evitar el derramamiento de sangre sería aceptar las condiciones de la subversión. A lo que yo respondo: A las guerrillas hay que mostrarles su propia naturaleza mortal, contestarles del mismo modo para que se pongan a negociar en serio y no nos sigan "mamando gallo". Aquí la realidad de la guerra no está en discusión. Sé que es difícil ganarla rápidamente y algunos creen imposible triunfar. Pero lo que debe quedar claro es que con las FARC, no pelearla implicaría perderla. Si admitimos como hipótesis que no fuese posible para el Estado o la antisubversión civil armada vencer en esta guerra, ¡ojo! que también la podemos perder por "W" si a la subversión no se les hace frente. Por eso continúo demostrándole a la guerrilla que la cosa no es mamey.

¿Por qué cree que la lucha de las guerrillas es reconocida políticamente y la de ustedes aún no, si los dos grupos aramados violan el

DIH y en el fondo persiguen un objetivo similar, aunque cada uno a su manera?

Grocio, en su obra Jure Pacis, cita el ejemplo de un estado que vive la disyuntiva entre libertad y paz. Entonces dice que éste debe optar por la paz así implique la esclavitud de su pueblo, ya que la vida de todos sus ciudadanos debe preservarse como el bien más sagrado.

Con lo anterior es evidente que los ideólogos revolucionarios y los defensores de los derechos de "algunos humanos" se basan en la doctrina grociana para conseguir que el pueblo, en aras de la anhelada paz, renuncie a defenderse. ¡Lo curioso es que, generalmente, los mismos que en aras de la paz buscan que la gente renuncie a hacer la guerra, aun a costa de la libertad, están defendiendo la posición de quienes desarrollan, precisamente, una guerra de liberación! Eso es doble moral y de ahí radica la inmensa contradicción e incoherencia del enigma guerrillero en toda su precariedad argumental.

Las modernas leyes de la guerra se fundan en la llamada Cláusula Martens, preámbulo de los tratados de La Haya, que pretende lograr que los llamados civiles no se involucren en los conflictos. Muy bonito, pero en la práctica nos enfrentamos a una realidad que nos atropella. Entonces si los intereses de los civiles son afectados como resultado de un conflicto, como sucede en todas las guerras y más en la colombiana, esta pretensión de quedarnos quietos termina sugiriendo que los civiles agachen la cabeza y —a cambio del respeto por sus vidas— renuncien a tomar parte activa en la resolución de su propio destino.

El debate que ocurrió en nuestro país con las cooperativas de seguridad CONVIVIR es un ejemplo claro de hasta qué punto la norma del DIH, supuestamente creada para proteger la población civil, es utilizada por los teóricos de la subversión, quienes sustentaron la oposición jurídica a las cooperativas como argumento para impedir precisamente que esa población civil pueda tomar parte en el fortalecimiento de su propia seguridad, frente a los ataques y las amenazas de las cuales venían siendo objeto: llámense secuestro, extorsión, robos o asesinatos de la guerrilla.

Por eso, mientras las guerrillas en Colombia continúen amenazando la vida de sus compatriotas, la reflexión ética nos dará como resultado la obligación de defendernos de manera individual o colectiva, en espera de un Estado que de verdad nos proteja.

Con preocupación como periodista, podría pensar que en el corazón de algunos colombianos estaría naciendo un *Carlos Castaño antiguerrillero*. ¡Y eso es muy grave!

—¿Usted qué opina?

¡Claro que lo creo! Además, cada día, el mismo Castaño está incrementando su odio en el corazón de la contraparte. Los guerrilleros también tienen familia que los admiraba y ahora los llora.

Aquí no se producirá nunca un conflicto fundamentalista como los de Oriente Medio, pero sí morirán muchos compatriotas si no nos sentamos todos y cada uno de los colombianos a dialogar para acabar la guerra. Pero si vamos a hablar, hagámoslo de una manera sensata. Cada día que pasa hay más razones para odiar; en el caso mío, para despreciar.

—Ya que menciona las guerras fundamentalistas de Oriente, ¿qué efectos cree que podría tener sobre las AUC el hecho de que los Estados Unidos las haya declarado organización terrorista, un días antes del atentado terrorista en las Torres Gemelas de Nueva York?

—*El gobierno norteamericano es consciente de que las Autodefensas no son un grupo terrorista, ni una amenaza internacional de ninguna clase. Con su determinación lo que Estados Unidos está haciendo, en el fondo, es advertir a los narcotraficantes que ni en la guerrilla ni en la Autodefensa podrán esconderse. Ellos perciben que los narcos han penetrado ambas organizaciones. Quizá cuando transcurran los días en su lucha contra el terrorismo cambien de opinión. No lo sé. Lo cierto es que ellos saben perfectamente quiénes son terroristas y quiénes no lo somos.*

Los discursos que respaldan la actuación de la comunidad internacional después de los atentados en Estados Unidos, fundan su validez en la legítima defensa. Es un discurso de Autodefensa aplicado a la comunidad internacional, y eso —al mismo tiempo que valida nuestras tesis— nos exige más y más a la hora de ajustar nuestra actuación a las exigencias del nuevo contexto mundial.

Castaño redujo la velocidad del campero y me dijo de manera enfática:

—*Quiero finalizar nuestras conversaciones para el libro ahora. Creo que este es un capítulo de nuestra historia sin punto final aún. Se termina el relato y continúan las páginas en blanco de nuestra vida. Sin duda ha sido una crítica mirada hacia atrás, que espero nos ayude a discernir el camino a seguir.*

Es difícil prever el país del mañana, y lo nuestro no son los astros ni las bolas de cristal. Sin embargo, algo queda claro hasta hoy: Colombia ha carecido de verdadera dirigencia nacional. Vivimos en un país privilegiado en muchos aspectos, pero hemos tenido castas, clanes, grupos y familias que sólo cuidan sus intereses de la manera más miope. Ninguno de ellos ha intentado, con sinceridad, concertar las voluntades por un futuro mejor para todos. El gran reto que nos plantea la coyuntura histórica que experimentamos es la integración; reconocernos a nosotros mismos, en primer lugar, y luego reconocer a los otros, con nuestros acuerdos y diferencias; conciliar y buscar consensos para por fin comenzar a actuar como nación.

¿Significa esto que usted se ve algún día sentado con sus enemigos de las FARC, en una mesa de negociación, hablando de paz y reconciliación?

Como líder de las Autodefensas no he pretendido que el país se conforme a nuestra medida, ni tampoco negar la realidad que implicaría las otras formas de mirar el mundo. Mi esfuerzo ha consistido en darle un cuerpo coherente al interés de tantos colombianos que se han visto obligados a abrazar la causa de la legítima defensa, facilitándoles la personería y los medios para una interlocución que no menoscabe la dignidad de ninguna de las partes. Es por ello que en alguna medida el futuro depende de la comprensión de nuestro esfuerzo. Colombia es la nave en la que viajamos todos y sólo unidos podemos fijar el rumbo o iniciar, día a día, cada mañana, un nuevo capítulo de confrontación interna que nos deje a todos con el pecado y sin el género. Ya lo hemos expresado: o cambiamos o nos cambian, pero hoy debemos recordar algo más: si la comunidad internacional interviene para poner fin a nuestro conflicto, no lo hará por razones altruistas sino por proteger sus intereses, y seguramente ganará lo que los colombianos perdamos con esa previsible intervención.

Comandante Castaño, una última pregunta:

¿Usted duerme tranquilo después de revelarme todo lo que ha hecho en su vida?

A veces. No sé. Siento nostalgia hoy. Hace muchos años creía que matando a los asesinos del viejo me encontraría en paz, y mentira. Durante estos meses de encuentros con usted pensaba que al terminar de contar mi historia, experimentaría plenitud, pero no. Ahora me siento más vacío. Sólo sé que soy lo que soy porque la guerra vino a mi casa, no tocó la puerta y entró sin avisar. En ese instante no encontré otra opción que defenderme, pero si hubiese intuido lo larga y dura que resultaría le guerra, ¡le juro, periodista! que hubiera dejado en manos de Dios el castigo para los guerrilleros que asesinaron a mi padre.

XXV

EL FIN DEL PROCESO DE PAZ

Mauricio Aranguren: -¿Cómo ve la situación de las Autodefensas luego de terminado el proceso de paz con las FARC?

Carlos Castaño: -*Yo diría que lo que importa mirar no es la situación de las Autodefensas hoy, sino la situación del país en el contexto global desde el 11 de Septiembre.*

Ha corrido mucha tinta desde entonces, y tanto en Colombia como en el resto del mundo, muchas cosas han cambiado. Yo creo que no puedo decir nada que no se haya dicho, pero lo que sí tenemos claro es que la causa de la Autodefensa ha ganado en legitimidad.

En Noviembre del año pasado tuvimos nuestra cuarta Conferencia Nacional de Autodefensas. Tras varios días de reunión y debate con casi 100 comandantes de Autodefensas y otros tantos activistas políticos y representantes de sectores sociales, tomamos las importantes decisiones que ya el país conoce. No es que los sucesos del 11S nos hayan hecho cambiar nuestra manera de pensar. Los temas discutidos, especialmente las relaciones con el narcotráfico y la auto-regulación de nuestros medios y métodos de lucha antisubversiva ya venían siendo tratados al interior del Estado Mayor. Pero ciertamente, los sucesos de Nueva York y Washington y la consecuente guerra mundial contra el terrorismo nos impulsaron a puntualizar nuestra posición en el conflicto Colombiano.

Para nosotros ha sido claro que hay dos, digamos planos distintos de la legitimidad y aún de la legalidad de nuestra lucha. Uno, es el plano del derecho a enfrentarnos a una agresión injusta, y el otro el del derecho a utilizar determinados métodos en la confrontación. Hasta el año pasado, la posición predominante era la de que lo segundo seguía a lo primero. Que si uno tiene derecho a defenderse de una agresión actual e injusta que pone en peligro la supervivencia y/o los medios de producción que garanticen la vida digna, uno tiene derecho a practicar esa defensa mediante las mismas artes y métodos empleados por el agresor. Dicho de otra manera, que el responsable de la agresión es el responsable de todas las consecuencias directamente derivadas de ella, incluidas las consecuencias de la necesaria defensa. En nuestro caso, hemos repetido que nosotros no establecimos la atrocidad en la contienda. Que han sido las guerrillas las que han marcado la pauta y que, simplemente, hemos actuado de manera recíproca y proporcional a la agresión. También en esa línea de comportamiento, siem-

pre pensamos que financiarnos de las cuotas cobradas a los narcotraficantes sólo consistía en una más de las reciprocidades de la guerra, pues esa economía ilegal es la que ha mantenido vivas a las guerrillas durante los últimos 20 años, a pesar de la estrepitosa caída de sus bases ideológicas derruidas a la par con el muro de Berlín.

Los atentados de Estados Unidos, ciertamente ponen fin a ese sofisma de la reciprocidad. Hay límites cuya trasgresión resulta intolerable, y desgraciadamente algunas veces hace falta lo que los filósofos llaman la reducción al absurdo para demostrar la contradicción de una determinada posición.

En ese momento, el mundo, tan dividido entre ricos y pobres, fuertes y débiles, buenos y malos y mil distinciones más, se divide entre los terroristas y los que no lo son; y si bien muchas de las demás distinciones no son determinantes para la configuración del conflicto Colombiano, ésta última sí que lo es, y en grado sumo, arrastrando al peor lado de la brecha, no sólo a quienes opten por la vía del terror, sino a quienes apoyen con su actividad esa vía.

En ese momento comprendimos que los planos del derecho a la defensa y del derecho a los métodos para la misma no estarían necesariamente vinculados, y que si bien la injusticia y la violencia de la agresión subversiva hacen legítimo el esfuerzo de Autodefensa del pueblo colombiano, la elección de los medios y métodos empleados para dicha defensa podría erosionar gravemente esa legitimidad, haciéndonos caer incluso en el mismo saco que los agresores.

Fue entonces cuando convocamos a la cuarta Conferencia. Los resultados los conoció el país en su momento. No a las masacres de guerrilleros vestidos de civil, control de los métodos y medios de combate, y una terminante exigencia de deslinde con el narcotráfico. Todo esto, además de un gran esfuerzo de reinstrucción de las tropas y los mandos para reiterar que nuestro objetivo militar es la subversión, pero que en ningún momento podemos perder el norte de que nuestra razón de ser Autodefensas es el Pueblo Colombiano, del cual somos parte.

M.A.: –Pero la nueva situación, la guerra mundial contra el terrorismo tuvo que ver en esto...

C.C.: –Hombre, yo diría que más que la guerra contra el terrorismo, fue el terrorismo en sí el que nos sacudió y nos hizo comprender mejor la necesidad de establecer limitaciones en los métodos; fueron las torres gemelas en ruinas las que hicieron la reducción al absurdo de la doctrina de que en una confrontación ideológica o militar todo se vale para causar daño al enemigo.

Una guerra como la que nos hemos visto obligados a llevar a cabo puede desarrollarse más rápidamente con una estrategia de tierra arrasada, pero las consecuencias políticas harían inútil el ganarla. Quien optase por esa vía, podría, tal vez, ganar la guerra, pero perdería la paz, irremediablemente. Por eso la conclusión más importante de la Cuarta Conferencia fue que nuestro avance militar tiene que ir acompañado de la consolidación del territorio, y esa consolidación no se logra sin una articulación de los elementos políticos, militares y sociales. Las FARC, en cambio, para desgracia de ellos y para mal del país, han optado por la vía del terror. Créame Mauricio que "terror" y "error" están mucho más cerca en lo político que en lo gramatical.

M.A.: -¿Cómo ven las Autodefensas el rompimiento de los diálogos? Porque, déjeme recordarle que después de haberlos criticado durante tres años, a mediados de enero ustedes abogaban por el reinicio de las conversaciones y la salida negociada.

C.C.: -¡Ah caramba! Pues el que no creyésemos en la voluntad de paz de la guerrilla no quiere decir que no creamos en la negociación política como solución a los conflictos. ¡Eso no! Los problemas de Colombia, antes o después, pasarán por la negociación política, bien sea en un diálogo del estado con los actores armados, bien en un debate político amplio en el congreso. Es que la negociación es parte de todo lo político, como lo es la oposición de las ideas y las formas de ver el mundo. Lo peor que nos podría pasar es que se acabase el debate dialéctico, que dicho sea de paso, es lo que está matando la política. Ya no se confrontan ideas. Los proyectos y las futuras leyes se presentan consensuados, y es hasta mal visto cuando alguien entorpece alguna iniciativa con el debate. En parte por eso la gente está perdiendo la fe en el sistema y en los políticos. Pero volviendo al punto, nuestra oposición era a la burla y el engaño por parte de las FARC, y no a la iniciativa del diálogo y la negociación. ¿Cómo podríamos oponernos al deseo de los colombianos? El pueblo colombiano estaba hastiado era de engaños y burlas. Es que la negociación requiere confianza en la buena fe de la otra parte, y los colombianos nunca vimos esa buena disposición en las FARC. Cuando abogamos por la negociación, y lo haríamos de nuevo, fuimos claros en que hablábamos de controles y verificación de lo acordado. Hablar por hablar no esta bien, y eso Colombia lo sabe.

Por otra parte, a la negociación se llega de muchas maneras, pero siempre partiendo de la percepción de la posición propia con respecto a la de los demás participantes, y uno de los más graves problemas de las FARC es de auto percepción. Ellos optan por el terrorismo porque creen tener la sartén por el mango. Ni aunque la visión apocalíptica del vocero de las FARC en la página de opinión de *El Espectador* fuese ajustada a las verdaderas condiciones de nuestra realidad, podrían doblegar a Colombia por ese camino. Ya el narcoterrorismo lo intentó, y lo único que obtuvo fue la respuesta de todos contra uno, y cuarenta millones de personas empujan duro.

M.A.: -¿Cuál sería la razón para que las FARC opten por ese camino? Usted nos dice que están equivocados, pero ellos también tienen una cúpula pensante que debe haber tomado parte en las decisiones... alguien, al menos alguien, debe pensar que van por la senda correcta. ¿Qué espera usted que hagan las FARC al ser declarados terroristas por los Estados Unidos y por Pastrana?

C.C.: -*Responder a su pregunta desde fuera de las FARC es una especulación, y lo se. En mi opinión, ir más lejos con la farsa de la negociación los habría metido en una camisa de fuerza que no están dispuestos a dejarse poner. Por eso desde la reanudación de los diálogos en enero, comenzaron a trasladar sus intereses y a movilizar a sus jefes y sus rehenes hacia otros espacios, al tiempo que en un martirizante goteo de terror acercaban día a día al presidente Pastrana a la difícil determinación del fin del proceso. Por otra parte, la creciente resistencia civil los iba poniendo en una situación realmente comprometida como para seguir plantando cara a la opinión pública, al tiempo que avanza la campaña política para presidencia siendo la dinámica predominante el ascenso de un candidato que con casi total seguridad habría hecho en agosto lo que Pastrana hizo en febrero. 5 meses más de una ventaja estratégica no son nada despreciable, pero quemarle el volador antes de la fiesta a ese candidato sí que podría valer algo.*

Pero finalmente, yo creo que el factor determinante en la decisión de las FARC es el narcotráfico. Otras veces he dicho que nada que dure 50 años sin llevar a ningún lado puede llamarse revolución, y ahora cabe añadir que nadie puede vivir 20 años metido en el negocio del narcotráfico sin sufrir la corrupción y volverse narcotraficante, y eso es lo que le ha pasado a las FARC. Ellos deben debatir la opción del diálogo, pero mientras lo que han hecho los últimos años siga ofreciendo tan buenos dividendos económicos, primará la línea de quienes creen que una guerra se gana sólo con dinero, y en eso se equivocan. El derroche en estos tres años de su poco capital político es decir, haber tirado por la borda el eventual apoyo internacional que les habría significado sentarse seriamente a negociar, deja claro que para ellos hoy, poco importa ser señalados como terroristas y narcotraficantes. Ese ha sido un gran error, pues ni los colombianos, ni nadie en el mundo se creerán hoy el cuento de que hay un fin que justifica esos medios. Ya le decía, que la opción por el narcotráfico y el terror demostró ser contradictoria y no reconocer los signos de ello es miopía. Pero la verdad, ellos no se han distinguido por ser propiamente visionarios.

M.A.: -¿Qué opinión le merece le discurso de Andrés Pastrana mostrando aeropuertos, cultivos de coca, como una explicación de su última determinación de terminar el proceso de paz?

C.C.: -*Hombre, yo creo hay que apelar aún a la teatralidad para justificar, no la decisión tomada esta semana, sino el hecho mismo de tomarla esta semana, y no cualquiera de los mil días transcurridos en medio de una farsa que se inició con la silla vacía.*

M.A.: Pero, Pastrana subió a la presidencia ayudado por la foto visitando a Tirofijo y ahora lo llama terrorista, secuestrador, traficante de cocaína e incumplidor de palabra. ¿Era ingenuidad de Pastrana, o simple estrategia electoral y sólo ahora descubrió quién era Tirofijo? ¿Qué opina usted?

C.C.: -*Yo a veces me emberriondo con Pastrana, como nos ha pasado a todos los colombianos en estos tres años, pero hoy creo que él, simple y llanamente, demostró que no se llega al cielo vendiéndole el alma al diablo. ¿Buena o mala fe? No sé. Dicen que el camino del infierno está empedrado de buenas intenciones.*

M.A.: -En el discurso, Pastrana anuncia persecución a las FARC y a las otras formas de violencia lo cual lo incluye a usted y a las Autodefensas. ¿Se va a enfrentar usted al gobierno?

C.C: -*La respuesta a esa pregunta la conocen todos hace tiempo. No somos enemigos del estado, y si estamos luchando, es por la defensa de nuestros derechos, especialmente el derecho a la vida, y a la libertad. Con ello no vamos en contravía con el estado. Hemos actuado para corregir errores de nuestro pasado como Autodefensas, y avanzamos hacia el reconocimiento político con paso firme, tanto por la comunidad nacional, como por la internacional. En esas circunstancias, los límites de un eventual enfrentamiento nuestro con el estado los seguirán definiendo las necesidades de nuestra propia preservación. Sin embargo, y sobre todo, creo que hoy la guerra que libra Colombia es contra el terrorismo de las FARC.*

M.A.: -Entonces, ¿Las Autodefensas van a participar en esta ofensiva militar contra las FARC?

C.C.: -*Yo diría más bien que el resto del mundo se solidariza con la lucha que hemos sostenido contra ellas durante los últimos años. La defensa de la* *democracia, de la justicia y de la libertad ha sido nuestro norte siempre, desde cuando vivimos como familia la injusticia y el desamparo ante el atropello a la vida y la libertad a manos de la guerrilla, hasta la organización Nacional de la que ahora hacemos parte. Hoy, las demás miras apuntan todas en esa misma dirección.*

M.A.. -Comandante: usted mencionó antes a la comunidad internacional, y para nadie es un secreto que aquella juega un papel importante en todo esto. ¿Cómo cree usted que actuará la comunidad internacional en la actual situación Colombiana?

C.C.: -*Mire Mauricio: el narcotráfico, el terrorismo y derechos humanos son los temas obligados de la agenda internacional en lo que respecta a Colombia. Los intereses comerciales tienen peso propio también, y en muchos casos es pensando en ellos que se interviene en los tres primeros aspectos.*

En su libro Guerras Justas e Injustas, el intelectual norteamericano Michael Walzer explica que en virtud del paradigma legalista que impera en las relaciones internacionales, para que se de una intervención, se requiere primero la que él llama "prueba de esfuerzo personal" de la comunidad afectada. Trasladando ese concepto a nuestra situación, por analogía, en la guerra contra el narcotráfico los colombianos hemos dado pruebas fehacientes de nuestro esfuerzo; muchos de nuestros mejores dirigentes, periodistas, jueces, policías, soldados y miles de ciudadanos corrientes han perdido sus vidas, y ello, junto con las consecuencias económicas que la guerra contra el narcotráfico nos ha impuesto a los colombianos, han sido el precio que demuestra el descomunal esfuerzo de Colombia para enfrentar ese flagelo global que tiene un eslabón de su cadena en nuestro suelo. Hoy es claro que la comunidad internacional comenzó a considerar un deber moral apoyarnos en esa lucha, y así se materializa el Plan Colombia contra los cultivos ilegales. El Plan, que no es sólo el componente militar, ya es una primera forma concertada de intervención. Ahora, lo que puede preverse es que gracias a la actitud de las FARC durante estos tres años, pero especialmente durante el período que precedió a la ruptura del proceso de paz, la comunidad internacional esté reaccionando ante la prueba de esfuerzo personal del pueblo colombiano frente al terrorismo. Colombia no ha sido pasiva ni insolidaria frente a la guerra. Cuando era legal apoyar las acciones de las fuerzas armadas, muchos colombianos fuimos solidarios con ellas, y cuando por razones ya expuestas se ilegalizó la Autodefensa, seguimos defendiendo nuestras vidas de manera activa. Mire Mauricio: las Autodefensas no están en ninguna región donde no sean convocadas, financiadas y conformadas por gente de la zona, y están en más de medio país. *Yo creo que se equivocan quienes afirman que los colombianos tenemos lo que nos merecemos, como se equivocaría quien dijera que los españoles reciben su merecido de ETA o el pueblo norteamericano de Al Quaeda. La comunidad internacional reconoce el esfuerzo Colombiano por la paz y contra el terrorismo, el mundo entiende que es necesario apoyar nuestra lucha contra el secuestro y la extorsión. El mundo sabe que para seguir funcionando como sociedad necesitamos mantener la producción, propiciar la inversión y proteger la infraestructura, y si para ello se hace necesaria la intervención, pues bienvenida, y mejor si se hace concertada como en el caso de los cultivos ilegales.*

M.A.: –Comandante: volviendo a la comunidad internacional y a la posibilidad de alguna forma de intervención. ¿Cómo ve el papel de los Estados Unidos en todo esto?

C.C.: –*Hombre periodista: hoy todo el mundo sabe lo que está pasando en Colombia. El secuestro por millares de nacionales y extranjeros, las acciones terroristas con su cuota de muerte indiscriminada, el ataque a las infraestructuras vitales como la energía, el gas, los acueductos, la voladora de puentes y oleoductos... eso está en la primera plana de la prensa mundial todos los días, y la comunidad internacional es sensible al peso de la opinión pública. Por otra parte, los Estados Unidos saben que sus intereses en la región son grandes, así como las vidas de sus conciudadanos son valiosas, y saben del antinorteamericanismo furibundo de las guerrillas colombianas. No sólo son terroristas, sino, lo que es más grave aún para ellos, amenazan directamente la seguridad de las personas y los bienes estadounidenses. A esto se suma el asunto de las drogas. Puede que el terrorismo sea hoy la prioridad de los Estados Unidos, eso no lo discuto, pero aún así, el narcotráfico no ha perdido ni un punto en importancia para la sociedad y el gobierno norteamericano, y menos cuando, como en el caso colombiano, hay unas guerrillas terroristas, y también narcotraficantes.*

Yo soy más bien progringo, y eso todo el mundo lo sabe. Sea como sea, con todo y sus problemas, la suya es la democracia modelo para los teóricos del liberalismo político, y como dijo alguna vez Churchill, la democracia es el peor de los sistemas políticos, si exceptuamos todos los demás. La política estadounidense va de la mano con su economía, y Colombia no puede ni debe cerrarse a las realidades del modelo liberal. Podemos esforzarnos por armonizar nuestro desarrollo con esas políticas globales, e intentar vías alternativas para el desarrollo sostenible, pues a veces las políticas macroeconómicas se olvidan del desarrollo a escala humana. Pero no debemos ir contra la corriente. Ahora, en el tema mili-

tar, es difícil que los Estados Unidos se involucren directamente arriesgando vidas norteamericanas de manera masiva en Colombia. Lo deseable, y en mi opinión, lo que se hará, será que el ejército colombiano recibirá más ayuda logística y de inteligencia electrónica, y eso afectará el balance de fuerzas. Por otra parte, una vez el cambio en las políticas de las Autodefensas consolide los resultados esperados, creemos que cambiará la actitud y obtendremos el reconocimiento para nuestra organización, tanto por parte del estado colombiano, como por parte de los gobiernos extranjeros. La legitimidad de nuestra causa es indiscutible, pero el reconocimiento político es un derecho sometido a las vicisitudes de la vida diaria. Se obtiene, pero también se pierde, y las FARC son un buen botón para la muestra.

Puede esperarse que los Estados Unidos hagan todo lo que esté a su alcance y que sea moralmente justificable para apoyar al estado colombiano en su lucha contra el terrorismo y el narcotráfico. Las autodefensas compartimos con ellos ese objetivo, y damos y seguiremos ofreciendo muestras de nuestra seriedad en el compromiso de apoyar los esfuerzos de erradicación de cultivos ilegales, pues estamos convencidos de que con ello estamos ejerciendo una acción de protección a más largo plazo que con la sola confrontación armada de los grupos guerrilleros que propiciaron tales cultivos. Es en ese contexto donde creemos que se debe concertar una mayor intervención de la comunidad internacional en la resolución de nuestros problemas, que son también problemas globales.

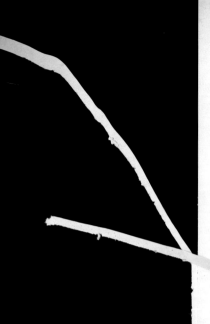

XXVI
LA GUERRA SERÁ DURA

Mauricio Aranguren: -Bueno comandante: Hablemos del momento político que vive el país. ¿Cómo ve usted la situación de cara a las próximas elecciones?

Carlos Castaño: *-Es indudable que las Autodefensas han pasado de su plano meramente militar basado en la ideología de la legítima defensa, a una actitud política más proactiva. No se trata por ahora de presentarnos como plataforma política ni como partido, pues las condiciones fácticas y legales no están aún maduras, pero sí de tener una injerencia positiva en el transcurso de la vida política en las zonas donde tenemos influencia. No estamos lanzando candidatos, y menos aún imponiendo nombres, pero la realidad de nuestra presencia política hace que los candidatos se acerquen, algunas veces, es cierto, buscando el favor nuestro, pero esencialmente, compartiendo y debatiendo con nuestros cuadros políticos las alternativas para el desarrollo de sus respectivas regiones. Nosotros no somos quién para poner etiquetas. Esa es la vieja forma de hacer política en Colombia, donde candidatos desconocidos en las regiones recaudan votos por disposiciones de quienes manejan el esquema clientelista. Nosotros a lo que animamos a nuestros conciudadanos es a exigir compromiso, claridad y responsabilidad en el ejercicio político. Pero la verdad, eso ha levantado ampolla, y curiosamente, la ampolla que no levantó en el pasado la presencia en las mismas zonas de guerrilleros armados manipulando las elecciones y a los electores. Porque no nos digamos mentiras, esa es una de las formas de lucha que la subversión ha aplicado en Colombia: hacerse con las alcaldías, concejos y cupos en las demás corporaciones públicas a punta de fusil, y eso las Autodefensas ni lo haremos, ni lo permitiremos más. Llegado el momento de plantear propuestas y reformas, tendremos el respaldo de muchos congresistas, no porque los hayamos financiado o lanzado, que no es así, sino porque habrán pasado debatiendo sus propuestas y consultando las necesidades por las regiones donde estamos, o habrán salido de las entrañas mismas de ese pueblo al que estamos protegiendo y acompañando.*

M.A.: -Recientemente se ha publicado que Mancuso esta financiando candidatos a la Cámara para tener un cierto poder en ella. ¿Cuál es su opinión?

C.C.: *-La política cuesta, y mucho. Por eso hay una infraestructura* *partid*ista que se financia ella, y que incluso, en unos momentos más que en otros, ha apelado hasta a los dineros ilegales del narcotráfico. Usted sabe que cada cupo del congreso lleva detrás un gasto inmenso, y nosotros no tenemos ni la plata, ni la inmoralidad para ir por ahí tirando voladores en las campañas. El respaldo que sabemos vamos a tener en el Congreso el día de mañana proviene de la interacción política e ideológica que tenemos con los actuales candidatos en las zonas de nuestra influencia, y no de que estemos comprando a nadie.

M.A.: -Se dice por ahí que para la presidencia ustedes tienen candidato...

C.C.: *-Candidato, no. Candidatos. Entre nosotros hay para todos los gustos en materia electoral. Fíjese que a mí, lo último que me han llamado ha sido Pastranista, y fue esta misma semana. Ya en otras ocasiones he dicho que en materia política, la unanimidad resulta sospechosa. Lo que sí es verdad es que especialmente desde una de las campañas se ha criticado a un candidato de la competencia, recogiendo las banderas de la guerrilla que asocia el discurso de la autoridad con las Autodefensas, cosa por lo demás comprensible desde el punto de vista filosófico. Si hubiese autoridad, no habría Autodefensas ni necesidad de ellas, pues el Estado es el grupo de Autodefensa por excelencia; la Autodefensa ideal.*

La verdad, a nosotros nos incumbe tanto como al resto de los colombianos quién sea nuestro presidente, el de todos; de los que votemos por él, y de los que no. Pero nuestra estrategia política no puede construirse a la medida para ninguna figura presidenciable en particular, pues las fuerzas sociales que hay en juego rayan con la indeterminación, y nosotros seríamos irresponsables si dejásemos nuestra estrategia al azar. Por otra parte, recuerde Mauricio que la verdad no es cuestión de mayorías, o dicho de otra manera, que el pueblo también puede equivocarse, pero quien sea elegido, será el gobernante de verdad, y punto.

M.A.: -Pero dicen que las autodefensas están apoyando la candidatura de Álvaro Uribe Vélez porque el fundó las CONVIVIR en Antioquia y porque el triunfo de Uribe sería conveniente para las Autodefensas.

C.C.: *-Ya lo he dicho y lo repito, que las Convivir fueron un buen intento del estado para que la sociedad pudiese protegerse sin tener que recurrir a la autodefensa armada. Se discutieron ampliamente y finalmente cuando la Corte las declaró ajustadas a la Constitución, podría decirse que mataron el tigre y se asustaron con el cuero. Era un buen proyecto, todo hay que decirlo, que trasla-*

daba el peso de la confrontación al estado, pero sin obviar las responsabilidades que caben a los ciudadanos en la decisión de su propio destino. Ese proyecto, de haberse sostenido, habría pesado en contra nuestra como Autodefensas, pero en bien de la sociedad colombiana, y por eso la subversión se encargó de macartizarlo. En ese mismo orden de ideas, una presidencia que continuase la línea de la actual, sería tierra abonada para nuestro crecimiento y nuestra legitimación como Autodefensas, pero estoy seguro de que Colombia ha madurado y votará por lo que más le convenga como Nación. Nosotros no podemos llamarnos a engaños. Con la campaña que han montado sus competidores y la subversión, sabemos que Uribe sería el más maniduro con nosotros por la necesidad de su propia legitimación.

M.A.: –¿Usted piensa que Álvaro Uribe tumbará la extradición con la cual usted y las autodefensas se beneficiarán?

C.C.: –*El tema de la extradición ya no cabe sino en la mente de quienes intentan minar a su contendor acusándolo de defender la no extradición. Uribe ha sido claro al responder a esas acusaciones y no soy ni su escudero ni su mentor para venir a defenderlo o aconsejarlo. Por otra parte, nosotros no somos ni narcotraficantes ni terroristas internacionales. Finalmente, si estuviésemos pensando en beneficio personal, estaríamos viviendo todos en alguna isla paradisíaca, rodeados de las comodidades de la vida legal. No estaríamos en lo que estamos.*

El tema que sí seguirá presente, necesariamente, en la agenda de las campañas, es el de la guerra y la paz, aunque ya muy descaguanizado, para bien de todos. Estamos seguros de que todos los aspirantes tienen cosas más importantes que el despeje a las que han de referirse, y así debe ser. En el tema de la guerra y la paz, nosotros sabemos que ahora sí se están poniendo las cartas sobre la mesa, que la próxima vez que la guerrilla llegue a una mesa de negociación, lo hará en condiciones muy distintas, no necesariamente derrotada, como muchos esperamos y deseamos, pero sí hecha a la realidad de que no resultará ya atractivo seguir por el camino que han seguido en estos años. Es necesario aplicarles una buena dosis de realismo, y las condiciones son ahora más favorables que nunca para ello, pero aparte de esto, el país necesita seguir funcionando. Hay que defender la institucionalidad, así eso implique en determinado momento replantearnos nuestro papel como Autodefensas. En su momento lo haremos, y los candidatos a la presidencia saben ya cómo estamos plantando nuestra posición, siempre mirando por el bien de Colombia, de una Colombia mejor, más justa y segura para todos.

M.A.: –¿Algunas consideraciones finales?

C.C.: –*Yo diría que en Colombia pasan cosas, y eso de por sí, ya es bueno. Eso verifica la tesis de que la guerra que vivimos es un evento en la historia, y que como tal, tendrá su final.*

La guerra que hoy peleamos no es la misma de los años 80. Así mismo, el país que la vive y la sufre ha cambiado también. La resistencia civil contra la violencia, que en aras de la honestidad no diré que sea sólo contra la guerrilla, ha comenzado a aflorar tímidamente, aunque creemos firmemente que para que surta el efecto deseado de transformar una contienda militar en una confrontación meramente política, se requieren, primero, un liderazgo efectivo de esas fuerzas de la sociedad civil, y segundo, una contraparte moralmente comprometida con el respeto de unos límites en la guerra. Y al menos por ahora, ni se conoce el Gandhi colombiano, ni las guerrillas parecen aceptar que el derecho a los métodos y medios para la guerra encuentra límites, independientemente de la justicia o la legitimidad de la causa que se alegue para combatir.

El caso extremo de la resistencia pacífica frente a un agresor que no reconoce límites morales, es el consejo de Gandhi a los judíos alemanes, según el cuál, deberían elegir el suicidio antes que enfrentarse militarmente a los nazis. Por nuestra parte, y respetando mucho las ideas de la guerra sin armas de los pacifistas, no podemos estar de acuerdo con su elección, así estemos plenamente identificados con sus ideales.

Un efecto importante de los cambios en el contexto internacional fue el resurgimiento de la conciencia de la justicia de la guerra de autodefensa. La legítima defensa individual, está reconocida en casi la totalidad de las legislaciones nacionales, pero en el contexto de la post guerra fría, había una cierta reticencia entre los teóricos políticos a efectuar la analogía doméstica en el caso de la legítima defensa colectiva por parte de estados contra ataques externos, o por grupos nacionales como respuesta ante agresiones de ámbito interior.

La semana pasada veíamos cómo un grupo de intelectuales de talla mundial de primer orden, firmaron una carta al pueblo norteamericano explicando las razones por las cuales es justo y moralmente correcto ir a la guerra contra el terrorismo. Esa carta bien vale la pena ser estudiada por los colombianos, e igualmente por quienes de una u otra forma juzgan nuestro conflicto interno.

Hay quienes, por otra parte, defienden la negociación a ultranza. Recientemente el candidato presidencial Luis Garzón afirmó que cerrar la negociación de Tlaxcala le costó al país 130.000 muertos, y que cerrar la etapa del Caguán le costaría un millón de muertos más. Yo creo que se equivoca, no sólo en las cifras, sino en el significado moral de la negociación. Lo que se terminó, fue justamente la no negociación, la instrumentalización del diálogo con fines estratégicos. Ahora bien, si por levantarse de la mesa ante la indignidad del adversario se ha de ser responsable de las muertes subsiguientes, habría que recordarle al señor Garzón que la justicia, la libertad, y la dignidad humana, no tienen precio y siempre habrán de ser defendidas frente a las agresiones terroristas. Esa es una guerra que la sociedad no puede ahorrarse, pues los que están en juego son los valores e ideales de la humanidad.

En el caso colombiano, aunque está sobrediagnosticado el escenario del conflicto para el año en curso, creo que el terrorismo siempre es capaz de innovar, dejando atrás los esquemas de defensa, y el que no lo crea, que le pregunte a Ben Laden. Sin embargo, ¿Qué les diríamos hoy a nuestros hijos si Colombia estuviese en manos de Pablo Escobar? La batalla contra el Cartel de Medellín fue costosa en vidas y en todos los aspectos posibles. Acaso sus costos hayan sido mayores de los que cualquier otra sociedad en cualquier parte del Mundo haya pagado en la lucha contra el narcotráfico. Pero hoy, al mirar atrás, sabemos que aunque la guerra continúa, esa batalla la ganamos, la ganamos unidos los colombianos, la ganamos con cooperación técnica internacional, y valió la pena. Ahora lo importante es que los colombianos nos blindemos moralmente con razones que justifican la oposición a los designios de quienes quieren destruir nuestras riquezas y robarnos la libertad. La guerra será dura, todas lo son, pero las razones que nos asisten justifican el esfuerzo y el sacrificio.

EPÍLOGO

Rodrigo García Caicedo
Miembro de la Academia de Historia de Montería, Córdoba.

—"**D**ime una cosa compadre, ¿por qué estás peleando?"

—Por qué ha de ser, compadre —contestó el coronel Gerineldo Márquez—, por el partido liberal.

—Dichoso tú que lo sabes —contestó él—. Yo, por mi parte, apenas ahora me doy cuenta de que estoy peleando por orgullo.

—Eso es malo —dijo el coronel Gerineldo Márquez.

Al coronel Aureliano Buendía le divirtió su alarma 'naturalmente', dijo.

'Pero en todo caso, es mejor eso que no saber por qué se pelea'. Lo miró a los ojos y agregó sonriendo:

—O que pelear como tú por algo que no significa nada para nadie".[1]

En nuestra Colombia de hoy, bien cabe la pregunta muchas veces repetida: ¿Por qué estamos luchando?

Guerras y revoluciones han acompañado nuestro desarrollo desde la época precolombina hasta la actualidad. Sin embargo, en una visión más universitaria, encontraremos que no se trata de una situación excepcional colombiana, ni siquiera latinoamericana. Las guerras, desde la prehistoria, hasta nuestros días, han acompañado el acontecer humano. No se trata entonces de una Colombia subdesarrollada y colonizada buscando su identidad, como muchos han querido ver. Se trata de la condición humana, se trata del zoom politikon aristotélico que se manifiesta igual en la mente del coronel Buendía, quien creció en un pueblo al cual aún estaban apenas llegando la lupa, el telescopio, el hielo o el imán, en un pueblo al cual aún llegaban alfombras [1]

GARCÍA MÁRQUEZ, Gabriel. Cien Años de Soledad.

mágicas y tratados de alquimia, como en la mente de los líderes de las principales democracias de Occidente, nacidos en medio de los grandes desarrollos de la modernidad, y quienes, por tanto, se valen de instrumentos más sofisticados (aunque no más civilizados) que los colombianos o macondianos para imponer sus ideales de dignidad, orgullo o justicia, en Panamá, en Irak, en Yugoslavia o Afganistán, y tal vez en un futuro no muy lejano, en Urabá o Caquetania.

Encontramos en la obra del periodista Aranguren un sinnúmero de realidades sobre la guerra. Las muchas causas para iniciar una y las muchas dificultades para terminarla. Así como el coronel Buendía de nuestro querido Nóbel descubre que es mucho más difícil terminar una guerra que comenzar muchas, Carlos Castaño descubre cada día que, así como es muy fácil llenarse de motivos para atacar a otro, es muy difícil conciliar intereses en el marco de la tolerancia.

Digamos, por otra parte, que en las páginas del libro se advierte un ejercicio literario que incorpora la tradición oral, la misma que ha hecho la historia desde tiempos inmemoriales (más aun, tratándose de guerras, las cuales quedan al arbitrio de los historiadores de los bandos vencedores), mucho antes de la escritura, para algunos pueblos; pero esa tradición oral se ha sabido preservar en la memoria de las sociedades, muchas veces escondiéndose en la escritura literaria misma, sin que ello encierre contradicción alguna. Las historias de los jefes liberales o conservadores de nuestras guerras civiles, por ejemplo la forma como un entonces triunfante general Uribe Uribe se hospedaba en la casa de quien fuera el gobernador de la provincia de Antioquia brindando así protección a la familia de su enemigo, no es un feudo escriturado ni de los cronistas oficiales ni de nuestra Academia de Historia; estos hechos se conservan en la memoria de las generaciones, tantas veces preservados para ellas por historias literarias como las macondianas o como ésta que hoy tenemos en nuestras manos.

La obra que hoy se nos entrega es un microcosmos en el cual podemos apreciar las virtudes y los vicios de los guerreros en la confrontación colombiana; al igual que nuestra historia, que la historia universal o que la de los Buendía, la historia de las Autodefensas, íntimamente ligadas a la de los hermanos Castaño, puede contarse entonces como la historia de todas las guerras. Guerras que comienzan por hechos difusos en el tiempo como la presencia de tropas oficiales en Marquetalia, o en el secuestro y posterior asesinato de don Jesús Antonio Castaño, o por la ausencia de un Estado que proteja los intereses de todos sus asociados, pero que finalmente, y tal como lo descubre el macondiano coronel Buendía en una reunión con los abogados enviados por el partido para promover un acuerdo político que pusiera fin a la guerra, terminan siendo por algo tan real como lo que movía a tirios y troyanos.

El hecho pertenece al hombre de acción. El dato, al historiador. Mauricio Aranguren es un mediador excepcional entre esos hechos que han conmocionado la conciencia del país, y la historia que se está escribiendo; y en el trasfondo de la misma, se encuetra una sociedad que sólo ha pretendido que la dejen vivir y trabajar en paz. Ya en una carta escrita en 1900, el general Uribe Uribe se lamenta de la conducta de los liberales del Sinú a quienes reclamaba su escasa colaboración para su proyecto bélico. Así mismo, en el desarrollo reciente del conflicto armado, la defensa de la vida fue el último bastión desde el cual los habitantes de la región, no teniendo ya nada para entregar distinto de ésta, terminaron involucrados en una acción defensiva que, ante el tamaño y el armamento de la organización agresora, terminó convirtiéndose en un actor autónomo del conflicto, peleando por un interés colectivo que no estaba aún entonces en la mente de los individuos que la conformaban.

Reconocer ese "porqué" de la lucha y descubrir su "para qué" es ya un avance, aunque lo hacemos de un modo tal que nos hace evocar la paradoja de otro pasaje de Cien Años de Soledad: cuando se dispone a acordar el armisticio, al terminar de leer el documento que le ofrecen para firmar, el coronel Buendía manifiesta en su opinión un conocimiento mayor de lo político, adquirido en la guerra, en los pantanos, en las húmedas madrugadas de soldado en marcha y en el trance de matar o ver morir a quienes fueron sus amigos en tiempos de paz:

—"Quiero decir —sonrió el coronel Aureliano Buendía cuando terminó la lectura— que sólo estamos luchando por el poder".[2]

Ibidem. pág. 137